KLEURVASTE KAMELEONS

Kramat BVBA
Hulshoutsesteenweg 24
2260 Westerlo Belgium
Tel./Fax: +32 (0) 16 68 05 87
www.kramat.be

ISBN: 9789079552511
Wettelijk Depot: D/2011/7085/10
Nur: 305
Copyright © Fernand Auwera & Kramat bvba
Omslag: Bruno Dermaux
Vormgeving: Roelof Goudriaan
Drukwerk: MultiPrint LTD, Bulgaria

Fernand Auwera

Kleurvaste
kameleons

UITGEVERIJ
KRAMAT

Het eten was uitstekend, maar het gezelschap stomvervelend. Gastronoom ben ik niet, als mensenkenner schat ik mezelf evenwel hoog in. Daarom ook waarschijnlijk dat ik in een restaurant de sfeer minstens zo belangrijk vind als het talent van de kok. Ik beoordeel mijn tafelgenoten altijd subtieler dan de geserveerde spijzen. Wat natuurlijk niet betekent dat ik niet gevoelig ben voor de kwaliteit van wat ik voorgeschoteld krijg.

Het restaurant was chique. En de bediening helemaal niet snob, wat ik gevreesd had. Het was mijn derde opdracht voor het interimkantoor 'Allround'. Ik moest voor een internationaal gezelschap van zeven personen, plus mezelf, in een Antwerps toprestaurant plaatsen reserveren en dat heb ik dan ook gedaan, tot ieders tevredenheid, zo bleek. Op de wijnkaart stond een Château Petrus van haast 2000 € voor een fles, maar wij hebben ons tevredengesteld met de aanbevolen bescheiden Domaine du Bosquet Cabernet Sauvignon 2004. Na het gebruikelijke, door het huis aangeboden hapje, waarvan ik de samenstelling niet ken, volgden een bordje met gebakken speciaal brood met roomkaas en jambon iberico, een slaatje met sherry-truffeldressing en een bordje waterzooi van tijgergarnalen en slibtongetjes. Als hoofdgerecht was er keuze tussen gebraden eendenborstfilet in portsaus met gebraiseerd witlof, ovenappeltjes en amandelkroketjes, of gebraden lamsfilet onder groene kruidenkorst met zachte olie van basilicum, munt en pijnboompitten en ratatouille van wortelen, linzen en knolselder met wat men rozemarijnaardappel uit de oven noemde. Het lamsfilet was van prima kwaliteit maar nogal droog en, niettegenstaande iedereen het rosé had gevraagd, iets te fel doorbakken. Toch lekker.

Er werd aan tafel vrijwel geen woord gezegd. Men had blijkbaar een lange reis achter de rug. Sommige heren leken vertrouwd met elkaar, anderen gedroegen zich opvallend afstandelijk, beleefd maar koel. Het waren volgens mij stuk voor stuk heren van stand, mensen die zich vlot in de hogere kringen bewogen, maar mij was gezegd dat het filmacteurs waren die zich in afzondering, alsof het voetballers waren, in hun rollen moesten inleven. Daarom ook verbaasde hun reactie op de muziek tijdens het banket me zeer. De meesten gedroegen zich verrast en zelfs verontwaardigd, alsof ze voor het eerst in hun leven de Beatles te horen kregen. En een van de Engelsen bleek zelfs niet te weten wat plastic is.

ᨏᨏ

Het contract dat Walter Walvisch op 11 maart 2009 bij 'Allround' ondertekende, stipuleerde dat hij een gezelschap van zeven mannen tijdens hun verblijf in Antwerpen, dat naar alle waarschijnlijkheid maximum twee maanden zou duren, dag en nacht onbeperkt moest bijstaan. Hij was verantwoordelijk voor hun dagelijkse behoeften, voor de eventuele uitstappen die ze wensten te maken, er stond geen limiet op de onkostennota's die hij kon indienen. Er werd hem ook absolute zwijgplicht over het gezelschap opgelegd, op straf van onmiddellijk ontslag.

Door het bureau was voor hen een huis gehuurd aan de Charlottalei, midden in de jodenwijk. Niemand van het gezelschap was Joods. Het pand, een groot oud patriciërshuis, waarin lang geleden een hotel was uitgebaat, leek enigszins uitgeleefd maar bleek tiptop in orde te zijn. Elk lid van het gezelschap beschikte over een eigen kamer, en Walvisch zelf kreeg een soort studio op de overigens zeer comfortabel ingerichte zolderverdieping. Het gezelschap werd, behoorlijk vaag, omschreven als behorende tot de crew van een filmproducent uit Qatar die in Europa, en grotendeels in België, een groots opgezet project zou realiseren, een familiedrama dat zich afspeelde aan beide kanten van de strijdende partijen tijdens zowel de eerste als de tweede wereldoorlog. De acteurs werden in het contract, wat Walvisch vreemd leek, niet enkel met hun naam vernoemd, maar ook met de naam van het personage dat ze zouden vertolken. En er werd zelfs gestipuleerd dat ze uitsluitend met de naam van dat personage mochten worden aangesproken.

Dit zijn de personages die ze moesten vertolken, in alfabetische volgorde:

Wernher von Braun

William Calley

Joseph Goebbels

Heinrich Heydrich

Douglas Haig

Bomber Harris

Cyriel Verschaeve

Het viel Walvisch op dat de casting uitstekend was. De man die Goebbels zou vertolken, bleek zelfs een horrelvoet te hebben.

♒

Noot van de schrijver

Men gelieve er rekening mee te houden dat het hier niet om personages gaat maar om de originele mensen. De verklaring voor dit vreemde feit volgt later.

Ik ben me ervan bewust dat het belabberde peil van het onderricht in geschiedenis, en de algemene onverschilligheid met betrekking tot vele maatschappelijke problemen en historische onderwerpen, er de oorzaak van zijn dat vele lezers niet precies zullen weten wie die personen zijn. Daarom hier enige informatie.

❖ Wernher von Braun (1912-1977) was de ontwerper van de 'geheime' wapens (de zogenaamde Vergeltungswaffen) waarmee Hitler op het einde van de oorlog het tij nog hoopte te keren. De V1- en V2-raketten bestookten Londen en Antwerpen. Hun effect was weinig efficiënt – beoordeeld vanuit Duits standpunt natuurlijk. Antwerpen (de stad waarin dit verhaal zich afspeelt) werd geteisterd door 3709 raketten, die meer dan 10.000 doden en gekwetsten maakten en 7000 woningen vernielden. Niet minder dan haast 90% van de afgevuurde vliegende bommen, zoals men ze noemde, werden door de Britse luchtafweer neergehaald. Het was de bedoeling de voor de geallieerden enorm belangrijke haven lam te leggen, maar die bleef vrijwel onbeschadigd. Na de oorlog werd von Braun niet behandeld als de oorlogsmisdadiger die hij was (in de werkplaatsen waar de raketten werden geproduceerd, Nordhusen, Harzgebergte, werden de arbeiders, gevangenen, als beesten behandeld) maar hij trad in dienst van de Amerikaanse NASA, dat hem inschakelde in het ruimtevaartprogramma. Met succes, zoals onder meer uit de landing op de maan bleek.

❖ William Calley (1943-) was luitenant in het Amerikaanse leger in Vietnam. Onder zijn bevel vermoordden zijn manschappen op 26 maart 1968, zogezegd zoekend naar strijders van de Vietcong, in het dorpje My Lai meer dan 500 onschuldige vrouwen, kinderen en bejaarden. Hij werd tot levenslang veroordeeld, maar de straf werd door president Nixon een dag later al verzacht tot 20 jaar huisarrest, later nog eens verminderd tot 10 jaar, waar hij slechts 3,5 jaar van uitzat. Hij is klein, dik en kaal, en werkt momenteel in de juwelierszaak van zijn schoonvader.

❖ Joseph Goebbels (1897-1945). Nazi van het eerste uur. Hij was Minister van Propaganda van de nazi's en volgens velen na Hitler de machtigste man van Duitsland. Als het op propaganda aankwam, erkenden vriend en vijand hem als geniaal. Hij was een verwoed dagboekschrijver, droomde er aanvankelijk van schrijver te worden, knutselde enkele toneelstukken in elkaar. Hij was een even verwoed vrouwenliefhebber. Toen de nederlaag van Duitsland onafwendbaar was, doodde zijn vrouw hun zes jonge kinderen en pleegde in de bunker in Berlijn, waar ook Hitler zich schuilhield, zelfmoord. Net als hij.

* Reinhardt Heydrich (1904-1942) was een geestdriftig en actief supporter van de Endlösung. Hij leidde de Wannsee-conferentie waar de praktische uitvoering ervan werd uitgewerkt. Velen noemen hem een van de grootste misdadigers van nazi-Duitsland. Hij was hoofd van de Gestapo en Hitler beschouwde hem als zijn opvolger. Hij stierf een zeer pijnlijke dood, als Rijksprotector van Tsjechoslovakije, tevens hoofd van de SD of Sicherheitsdienst, gevolg van een (overigens stuntelig uitgevoerde) aanslag. Hij hield erg van klassieke muziek en was zelf een uitstekend vioolspeler, met een voorkeur voor Mozart en Haydn. Een mooie man bovendien, groot, slank, sportief (hij was een schermer van internationaal niveau, ook een bekwaam skiër, paardrijder en vijfkamper), blond haar, blauwe ogen, innemende glimlach. Zeer groot vrouwenliefhebber bovendien, een mooie carrière bij de Duitse marine mislukte trouwens door een 'vrouwenaffaire'.

❖ Douglas Haig (1841-1928). Was generaal en opperbevelhebber van het Engelse leger tijdens de eerste wereldoorlog. Bekend door de veldslagen aan de Somme en bij Ieper, mislukkingen die het leven kostten aan honderdduizenden soldaten. Zinloos opgeofferd, was de algemene mening. Het feit dat hij zowat de enige generaal was die zich nooit op het front zelf liet zien, droeg niet bij tot zijn populariteit. Na de oorlog werd hij, om zijn prestige enigszins op te krikken, een belangrijk iemand bij fondsen, opgericht ter leniging van de nood van zwaargekwetste soldaten en van nabestaanden van gevallenen.

❖ Arthur (Bomber) Harris (1892-1984) was een van de belangrijkste figuren van de Britse luchtmacht, de beroemde RAF, leider van het gevreesde 'Bomber Command'. Hij organiseerde de bombardementen op Duitse steden, waaronder het beruchte bombardement op Dresden, stad zonder het minste strategische belang, die compleet werd vernield en waarbij meer dan 200.000 mensen werden gedood, haast uitsluitend vrouwen, kinderen, bejaarden en vluchtelingen. Hij was en bleef zijn leven lang trots op dit resultaat.

❖ Cyriel Verschaeve (1874-1949). Priester-dichter. Was dankzij bombastische gedichten en geschriften een grote naam in de Vlaamsche Letterkunde, een voorvechter in de strijd voor de Vlaamsche Ontvoogding, een groot supporter van het Germaanse Rijk, een overtuigd volgeling van Adolf Hitler, een groot tegenstander van het communisme. Zelf bleef hij veilig thuis, maar door zijn gepassioneerd optreden zond hij honderden jonge mensen naar het Oostfront, waar velen niet van terugkeerden. Bij de bevrijding vluchtte hij naar het Oostenrijkse dorpje Solbad, waar hij zich vooral aan de studie van Bach wijdde. Bij verstek werd hij ter dood veroordeeld. In 1973, haast 25 jaar na zijn dood, werd zijn lichaam, of wat er nog van overbleef, door enkele onderontwikkelde flaminganten opgegraven en in het Vlaamse Alveringem opnieuw begraven. Zijn graf werd met cement gevuld, om verdere uitstappen onmogelijk te maken.

Het is, dat geef ik grif toe en dat zal iedereen beamen, een vreemd gezelschap dat vanuit de hemel opnieuw op aarde verscheen. Niet enkel Jezus en Lazarus werden ooit uit de dood teruggeroepen, er zijn nog gevallen van Wederopstanding bekend.

Naar de motivatie van God raden, laat staan haar kritisch beoordelen, is godslasterlijk.

♒

Noot van God

Ik hoef mij inderdaad niet te verantwoorden, al zal ik het later misschien wel doen. Ik wil wel iets opbiechten. Dat die William Calley in het gezelschap zit, is inderdaad een fout, want hij leeft nog. Maar in de eeuwigheid bestaat geen tijd, en zo kwam het dat hij, nog in leven zijnde, toch al als opgenomen werd beschouwd. Een administratieve blunder, te verklaren door het gegeven dat in mijn rijk leven en dood identiek zijn. Overigens is hij in dit gezelschap volkomen op zijn plaats, zoals uit de komende gebeurtenissen zal blijken.

〰〰

'Heren,' zei Goebbels.

Hij stond midden in de lounge van het huis aan de Antwerpse Charlottalei stram rechtop, vlak onder een kroonluchter met kristallen tranen. Alle anderen zaten en keken naar hem op. De sfeer was niet echt gespannen, maar toch voelde men zich lichtjes gestresseerd. Onderling had men nauwelijks gesproken, ook niet als men elkaar van vroeger kende. Er heerste een zekere onwezenlijkheid.

'Heren, wij zijn hier voor een zeer belangrijke opdracht. Een opdracht met historische betekenis. Zonder enige overdrijving. Onze activiteiten zullen de wereld anders en beter maken. We verliezen geen tijd, we starten morgen.'

'Wie zei dat jij de leiding hebt?' vroeg iemand.

Goebbels negeerde de vraag hautain.

'Iedereen kent ons doel. We beginnen eenvoudig, met een verdwijning. Het lijkt heel onschuldig, maar het past volmaakt in de strategie die ik heb ontworpen. Het begin lijkt onschuldig, maar het uiteindelijke resultaat zal wereldschokkend zijn. Uiteraard zullen er door onze acties veel slachtoffers vallen. Dat betreur ik, maar het is onvermijdelijk.'

'Zo is het,' beaamde generaal Haig.

'En de slachtoffers vallen voor het goede doel, hun dood zal als heldhaftig worden geboekstaafd.'

Ik, Reinhard Heydrich, ben het volkomen eens met de culinaire mening van onze tijdelijke vertegenwoordiger op aarde, de genaamde Walvisch Walter. Behalve Goebbels en Von Braun natuurlijk kende ik mijn disgenoten van naam noch reputatie, niet van in ons vorig leven op aarde, maar ook niet van in het Hiernamaals, meestal Hemel genaamd, of Hel.

Voortaan schrijf ik hemel en dergelijke zonder hoofdletter. Het woord hemel roept beelden en een verwachtingspatroon op dat fout is. Uiteraard is men in de hemel vrij van alle aardse bekommernissen en pijnen, verwijten, beschuldigingen, angsten, maar dat is men ook in de hel. Ook gelukzaligheid is een vreemd woord. Men heeft geen zorgen meer, men geniet van een onverstoorbaar geestelijk evenwicht en absolute gewetensrust. In de hemel heersen de wetmatigheid, de orde en de tucht die wij tijdens ons leven op aarde hebben willen creëren, wat ik zeer op prijs stel. Maar bij gebrek aan uitdaging of verzet ontbreekt er ook elke charme of spankracht aan, wordt het allemaal even aantrekkelijk als een administratieve traditie. Ik vergelijk de hemel met een bordeel, hij lijkt alleen maar aantrekkelijk tot men binnen is. Men lijdt er enigszins onder het besef van de tijdloosheid. En de eenzaamheid is er al net zo totaal. Met triljoenen zijn we, voor de gewone mens ontelbaar en onvatbaar, maar ook daarom heeft niemand echt contact met de anderen, want 'l'enfer c'est les autres' zoals een zekere Jean-Paul Sartre ooit zou gezegd hebben. Die uitspraak is een van de zeldzame dingen die van op aarde tot de hemel zijn doorgedrongen. Sommigen onder ons worden ook enigszins verveeld door de machteloosheid. Niet dat we nog ambities hebben. Ik althans niet, tenminste niet zolang ik daar vertoefde. Overigens durf ik te beweren dat mijn mening door de anderen wordt gedeeld.

Met enige zin voor humor, die ik me hier permitteer, zou ik kunnen zeggen dat we momenteel met penitentiair verlof zijn.

Bomber Harris zat links van me aan tafel tijdens het als introductie bedoelde banket en hij blijkt een bijzonder onaangenaam mens te zijn, voor een Engelsman vrij ongemanierd bovendien, hij maakte vervelende geluiden tijdens het kauwen. En als hij niet kauwde, had hij het eindeloos over het onrecht dat hem hier op aarde was aangedaan. Na zijn tomeloze inzet voor de Britse eer tijdens de oorlog had Winston Churchill het gepresteerd om tijdens zijn officiële overwinningsredevoering geen woord over hem en zijn Commando te zeggen. Verbitterd was hij nog altijd – of zeg ik beter opnieuw? – over zoveel miskenning. Het leek hem ook niet te storen dat hij sprak tegen een van zijn vroegere vijanden en geplande slachtoffers. Van de beroemde Britse wellevendheid was er dan ook helemaal geen sprake.

De enige man die ik persoonlijk goed ken, Joseph Goebbels, had men gelukkig een plaats gegeven aan het andere eind van de tafel. Het verbaasde me overigens hem in ons gezelschap aan te treffen. Ik bedoel dat het me verwonderde dat hij tot de hemel toegelaten was, want hij is tenslotte een zelfmoordenaar, en mededader aan de zelfmoord van Magda, zijn lieftallige vrouw en aan de dood van zijn zes kinderen. Zes.

Maar hij zal zich wel binnen gepraat hebben, want overtuigend kletsen kan hij inderdaad.

〰〰

Bomber Harris verkeerde in een meditatieve bui. Het overkwam hem zelden. De plotse overgang van hemel naar aarde was er niet vreemd aan. Ook al was hij in 1984 overleden en dus al bijna 30 jaar dood (een jubileum, zou ik dat moeten vieren? vroeg hij zich af), toch leek zijn vorige leven pas gisteren geëindigd, want in de eeuwigheid bestaat er geen tijd. Hij kon niet ontkennen een vage angst te voelen, een gevoel dat hij met ongelukkig zijn associeerde. In zijn vorig leven had hij nochtans van de reputatie genoten onbevreesd te zijn.

In de hemel, overwoog hij in de stilte van zijn kamer, terwijl hij de drukte op straat bekeek en zich ergerde aan de kledij van de vele passerende chassidische Joden, is iedereen gelukkig en dus kent men er het woord geluk niet, het bestaat niet in één van de ongeveer 78.600 talen en dialecten die er worden gesproken (spaarzaam, want bij gebrek aan conflicten leeft men er overwegend zwijgend).

Hij was geen vragende partij geweest toen bekend werd dat hij met een aantal collega's voor enige tijd terug naar de aarde moest. Niemand reageerde erg enthousiast. Over de reden van de maatregel bleef men aanvankelijk in het ongewisse. Overigens was het niet uitzonderlijk dat men een of andere delegatie weer naar de aarde stuurde om er een missie te vervullen. Wat men op aarde ook mocht beweren, God is niet onverschillig.

Hun opdracht werd hen pas geopenbaard nadat ze op aarde waren gearriveerd. Aanvankelijk spraken ze er met elkaar niet over, ze dachten vooral aan seks, na de hemelse onthouding, maar hun eerste gezamenlijke gesprek ging vaag over de stand van zaken in de wereldpolitiek, en over het geluk. Niemand kon het begrip geluk precies definiëren, zeker niet na hun hemelse ervaring. Wel had hij de dag na zijn aankomst iets gevoeld wat hij geneigd was een gelukservaring te noemen, bij gebrek aan beter. Bladerend in een stapel oude magazines, las hij dat Paul Dibbets, de piloot van de Elona Gray, het vliegtuig dat de atoombom op Hiroshima wierp, was gestorven en altijd had verklaard nooit spijt te hebben gehad van zijn missie, dat hij er zelfs trots op was.

Ook ik heb nooit spijt gehad over wat ik realiseerde tijdens de oorlog, dacht hij. Op Dresden ben ik zelfs trots. Net als mijn collega's, onder wie ook vijanden van toen, kan ik zeggen dat de oorlog niet mijn schuld was, ik ben die oorlog niet begonnen, ik ben niet verantwoordelijk voor de afschuwelijke zaken die in elke oorlog gebeuren, ik heb gewoon op een verantwoorde wijze mijn plicht gedaan. Door de bombardementen op Duitse steden werden ruim

600.000 vijandige burgers geliquideerd, mijn viermotorige Lancasters waren veruit de beste bommenwerpers.

In het hiernamaals bestaat de schuldvraag uiteraard niet meer, we hebben er dus nooit een woord aan vuil gemaakt, dacht hij. Het kon ook niet, want we hadden er geen geweten en geen geheugen meer, de grootste obstakels voor het volmaakte geluk. Die keerden pas terug toen we ons weer enigszins comfortabel voelden in de maatpakken die tot onze verbazing op aarde voor ons klaarlagen.

Hij droeg een grijsgroen driedelig pak, met lichtblauw hemd en donkerblauwe effen das, een pak dat hem erg beviel. Met genoegen had hij vastgesteld dat hij zijn das nog altijd met zwier kon knopen.

Net als alle anderen had hij de eerste dagen gebruikt om zich te documenteren over de voor hen niet bestaande periode die hen van hun vorig leven scheidde. Hij had de foto's van het verwoeste Dresden nog eens bekeken, want hij was geen lafaard. En de foto's van andere steden. Hij keek zelfs naar filmmateriaal (stapels met documentaire boeken en dvd's lagen te hunner beschikking in hun Antwerps onderkomen) over de vernielingen, de branden, de wanhopige mensen, de ellende van wat men onschuldige burgers noemde, en hij had niet één keer met de ogen geknipperd. De uitvindingen van video en dvd vervulden hem met groot ontzag.

〜〜
〜〜

Walter Walvisch was een keurig en onopvallend man die evenwel zijn hele leven al laboreerde aan de twijfel of hij wel was wie hij verondersteld werd te zijn. Hij werd geboren op 11 maart 1971 in een kraamkliniek gewijd aan de Heilige Rita. Enkele dagen na de blijde gebeurtenis brak aldaar een groot schandaal uit. Een verpleegster met zware psychische en relationele problemen bleek er gedurende maanden pasgeboren baby's te hebben verwisseld. Was hij dus wel echt de zoon van zijn ouders? Hij woog 3 kilogram en 120 gram, werd al op jeugdige leeftijd lid van het Humanistisch Verbond en was niet bijgelovig, alhoewel erg alert voor het toeval. Een van zijn favoriete anekdotes (hij had ze gelezen in een boek over toeval en tragiek in de wereldgeschiedenis, waarvan hij evenwel auteur en titel was vergeten) vertelde over een vrouw die zwemmend in de zee haar trouwring verloor. Jaren later ving haar echtgenoot een vis en in zijn maag vond ze haar trouwring terug. Het feit dat hij het contract met 'Allround' had ondertekend op 11 maart, zijn verjaardag, leek hem dan ook niet zonder betekenis.

Het contract was bijzonder aantrekkelijk, zodat hij alle vragen die het opriep negeerde. Hij had na een tijdje vooral twijfels over de echte activiteiten van de leden van het gezelschap en vroeg zich af wat men wou verbergen.

De heren leken helemaal niet op acteurs. Ze spraken trouwens nooit over de rollen die ze moesten vertolken, of over de film. Hij overtuigde er zichzelf evenwel van dat er geen vuiltje aan de lucht was en kweet zich voortreffelijk van zijn taak.

Altijd had hij interesse gehad voor het artistieke gebeuren, en stiekem had hij vele jaren de wens gekoesterd ooit romanschrijver te kunnen worden, of eventueel dan maar dichter. In enkele groene mappen met drie flappen bewaarde hij keurig een aantal kortverhalen, allemaal door de literaire bladen geweigerd, een honderdtal niet-rijmende gedichten en het typoscript van een roman, haast 500 pagina's, met als werktitel 'Avonturen in een schoenendoos'. De hoofdfiguur heette Augustin en was een man die onverschillig was voor politiek. De roman was uniek in die zin dat hij een zeer treurig verhaal vertelde maar een overweldigend happy end had. Het script was door een dozijn uitgevers teruggestuurd als niet passende in hun fonds. Ik ben een belangrijk schrijver, placht hij meermaals in gezelschap te zeggen, want dankzij het feit dat ik niet word gepubliceerd, blijft de Vlaamse literatuur op peil. Grapje, voegde hij daar dan altijd glimlachend aan toe.

Hij was nooit gehuwd, maar had wel een behoorlijk aantal vriendinnen geneukt en zijn carrière als middenstander was veelbelovend geweest. Maar sinds de aquariumhandel die hij aanvankelijk zeer succesvol had opgezet en waarmee hij van een jeugdige hobby zijn beroep maakte, op de fles was gegaan, had hij op professioneel gebied niets anders dan pech gekend. Het contract met 'Allround' was dan ook bijzonder welkom.

Door ontmoediging was hij steeds minder tijd en aandacht gaan besteden aan zijn literaire ambities, en had hij zich steeds meer beziggehouden met een hobby uit zijn jeugd. Hij werd gefascineerd door maquettes en had zich toegelegd op het bouwen van auto's, schepen en vliegtuigen in miniatuur. Ook op dat gebied was hij nauwelijks succesvol, want hij was niet bijzonder handig, maar toch had hij met enkele zweefvliegtuigjes van balsahout en Japans zijdepapier degelijk werk gepresteerd. Zijn theoretische kennis overtrof zijn praktische handigheid en dus had hij zich aangesloten bij een club van modelbouwers, waarvan hij haast onmiddellijk de zeer gewaardeerde secretaris was geworden. Hij gaf lezingen over de geschiedenis van de luchtvaart onder de originele titel 'De lucht in met Orville Wright, aan de grond met Concorde en Boeing'. In die club had hij ook vriendschap gesloten met de drie jongste leden en regelmatig trok hij met ze op om de vliegcapaciteiten van de toestellen die ze bouwden te testen.

Walter Walvisch gedroeg zich tegenover de mensen van het gezelschap neutraal en stelde niet een van de vragen die hem soms bezwaarden. Een Chinees wijsgeer uit de 3de eeuw voor Christus heeft eens geschreven: 'Wellevendheid is de heldhaftigheid van de burgers.' Vertalers zijn het wel oneens over het antwoord op de vraag of het woord 'heldhaftigheid' een correcte vertaling is van het originele Chinese woord.

Deze Chinese filosoof verklaarde ook eens: 'Onhandigheid is een gave, want de moeder van inventiviteit en creativiteit.'

Toen hij, later, na de gebeurtenissen die het onderwerp zijn van dit verhaal, door de politie werd ondervraagd, verklaarde hij over zijn leven:

'Ik heb altijd veel energie besteed aan het vinden en bewaren van rust.

Over mijn leven valt dus niet veel te vertellen. Als kleine jongen blonk ik in slechts één ding uit: ik was heel behendig in het vangen van salamanders, kikkers en stekelbaarsjes. Ik bewaarde ze thuis in bokalen, en de kikkers in een blikken emmer. Nadat ik op school een mooi resultaat had behaald, kreeg ik van mijn vader mijn eerste aquarium cadeau, en van mijn hobby maakte ik later mijn beroep. Gedurende acht jaren heb ik een aquariumzaak gerund en verdiende behoorlijk mijn brood. Helaas veranderde de wijk waarin ze gelegen was grondig van karakter. Een deel van de oude buurt werd gesloopt en in de plaats kwamen garages en werkplaatsen van de stedelijke vervoermaatschappij, het overblijvende deel van de wijk werd als gevolg daarvan door de oude bewoners verlaten en ingenomen door allochtonen. Ik heb niets tegen deze mensen, ik heb er nooit een conflict mee gehad, maar aquariumliefhebbers zijn het alleszins niet. Ik ging dus bankroet en deed daarna een aantal kantoorjobs via het interimbureau.

Mijn behoeften zijn altijd bescheiden geweest, dus ik klaagde niet, al betreur ik het wel een deel van mijn vrijheid als zelfstandige kwijt te zijn.

Ik woon aan de Nachtegaalstraat, maar in functie van mijn recente opdracht betrok ik aan de Charlottalei een ruime zolderkamer in het oude, zeer aantrekkelijke patriciërshuis vol zware lambriseringen, met lieve cherubijntjes, goudkleurige guirlandes en welgevulde fruitkorven, beschilderde zolderingen, deuren met brandglas en een in kunstmarmer geschilderde corridor, voor het gezelschap door 'Allround' gehuurd. Het ontbijt van de zeven heren bereidde ik altijd zelf, voor het middageten huurde ik de hulp van een dikke dame van middelbare leeftijd, die meer levensvreugde uitstraalde dan het hele gezelschap samen. Ook over haar prestaties waren ze uitermate tevreden. Een werkster kwam twee keer per week alles proper maken De aan mij toevertrouwde heren waren verbazend slecht op de hoogte van het wereldgebeuren en vooral hun volslagen onvermogen om met de computer te werken verbaasde me. Ik moest een aantal laptops kopen en al ben ik op dat terrein zelf helemaal geen virtuoos, ik gaf ze het eerste onderricht. En voor William Calley moest ik de dvd van 'The Deer Hunter' aankopen. Ik kende dat werk van Michael Cimino, met Meryl Streep, en volgens mij is zij het enige acceptabele in de hele film.'

♒

Op 16 maart, nauwelijks enkele dagen nadat het gezelschap was geïnstalleerd, werd de nationale leider van de neonazistische beweging 'Blood and Honour' met drie schotwonden in het hoofd uit het Albertkanaal gevist. Van de dader(s) ontbrak elk spoor, maar de politie concentreerde haar aandacht vanzelfsprekend op linkse milieus.

'Een klein mirakel,' zei Walter na het ontbijt (allemaal lazen ze de krant tijdens het ontbijt, niettegenstaande hij hen had gewaarschuwd dat lezen tijdens het eten erg ongezond is).

'Wat is een mirakel?' vroeg Goebbels. Die vraag beschouwden ze als een zeer geslaagde grap.

'Ik bedoelde dat ironisch. De politie heeft immers altijd vooral aandacht voor linkse milieus.'

Hij wou daar nog iets aan toevoegen, maar kreeg de gelegenheid niet omdat Cyriel Verschaeve zijn koffiekop zo woest neerzette dat de koffie tot in het gezicht van von Braun spatte.

'Moet je dit lezen,' riep hij, 'moet je lezen wat hier staat.'

Het was Walvisch al opgevallen dat het gezelschap met de zogenaamde 'pastoor' weinig rekening hield, maar zijn emotie was zo sterk dat hij toch meteen alle aandacht kreeg. Hij legde de krant op tafel en las er uit voor met een van emotie overslaande stem. Een kunstenaar bleek in een Londense galerie een werk te exposeren waarin hij de uitwerpselen van zichzelf en van zijn gezinsleden, evenals de placenta van zijn twee dochters, duidelijk had verwerkt.

Goebbels barstte in lachen uit.

'Wij weten tenminste waarom we op aarde zijn,' zei hij hikkend.

Er viel een plotse stilte.

'Grapje,' verduidelijkte hij.

〰〰

Walvisch was opgezet en verontrust door zijn opdracht, wat maakte dat hij, voor het eerst sinds jaren, de neiging voelde om weer te gaan schrijven. Hij besloot een dagboek bij te houden.

Dit is het eerste wat hij noteerde, op 19 maart:

'Haast al een volledig jaar ben ik vrij depressief. Ik hoop dat deze nieuwe job mijn herstel zal inluiden. Ik hoop het, ik vertrouw erop, maar twijfelen is mijn tweede natuur. Het gezelschap dat ik moet begeleiden boeit me, terwijl ik het toch wantrouw. Ik heb de indruk dat men me niet de waarheid vertelt. Dat het wel om acteurs gaat, maar niet in de zin waarin ze me worden voorgesteld.

Alles wat mijn vader me ooit heeft voorgehouden was: 'Niets is wat het lijkt.' Dat betekent ook: 'Niemand is wie hij lijkt.'

〰〰

Twee dagen na de moord op de notoire neonazi werd gepoogd brand te stichten in de loods waar de plaatselijke afdeling van de 'Hells Angels' samenkwam.

Op 20 maart vond op het stadhuis een huldiging plaats van twee mensen die gedurende dertig jaar onafgebroken in de gemeenteraad hadden gezeteld. Het waren toevallig twee leden van de katholieke partij (de vroegere CVP), die bovendien tot de uitgesproken conservatieve vleugel behoorden.

Geo Wolfs had tien jaar eerder enige bekendheid verworven met een kinderboek dat hij had gepubliceerd. Het was niet negationistisch, maar het vertelde wel het verhaal van een Joodse familie, die door de Duitsers werd opgepakt en naar een concentratiekamp gestuurd, dat ze evenwel vrij onbeschadigd overleefden. Terug in hun stad kregen ze zoveel hulp en steun en voordelen dat ze schatrijk werden zonder dat ze er iets moesten voor ondernemen. Het meisje Myriam, de hoofdpersoon, vond na enig zoekwerk (wat zeer spannend werd beschreven) een man terug die ze in het kamp had leren kennen en ze huwden en leefden nog lang en gelukkig.

Lieve Derkinderen kwam in het nieuws toen ze heibel maakte over het feit dat in de school van haar dochter tijdens een les over anale seks was gesproken. Ze haalde er alle kranten mee. Een leraar had verteld dat vele primitieve volkeren anale seks beoefenden bij wijze van geboortebeperking, en dat de prominente kont van vele negerinnen niets anders was dan een manier om geilheid op te wekken. Mevrouw Derkinderen had zelf een niet onaanzienlijk achterste.

De officiële huldiging werd in enkele cafés rond het stadhuis nog lustig verdergezet, maar de volgende dag bleken de twee feestelingen verdwenen.

Toen een dag later de stadsbeiaardier arriveerde bij zijn klavier in de kathedraaltoren trof hij hen daar beiden aan, stevig aan elkaar vastgebonden, en wel zo dat de penis van de man die kleiner was net op de hoogte zat van het achterste van zijn collega. Men trachtte dit natuurlijk uit de pers te houden, maar alle kranten ontvingen een foto. Slechts twee bladen publiceerden die ook. Een ondertitelde de foto met: 'Kijk maar, u ziet niet wat u denkt.'

∿∿

Ik herlees momenteel mijn oude dagboeken. Vreemde ervaring van ontdubbeling. Alsof ik, Joseph Goebbels, mezelf niet ben. Waar ik reeds meer dan 62 aardse jaren verblijf (dat besef ik overigens pas sinds ik hier weer arriveerde, als toerist zo lijkt het wel) kon ik er niet over beschikken, en had ik er trouwens ook geen behoefte aan.

Ik werd geboren in 1897, ik zou dus nu 112 jaar oud zijn. Ik kijk en loop rond in een maatschappij die me volkomen vreemd is geworden, want ik stierf in 1945, weliswaar nog relatief jong, zelfs gezond, maar ontgoocheld tot in merg en been. Dat terugkijken, over de dood heen, is inderdaad een vreemde ervaring. Gelukkig hoef ik me niet te schamen over wat ik toen zo ijverig heb genoteerd. Natuurlijk heb ik zaken op papier gezet die achteraf onjuist blijken te zijn, of naïef, een enkele keer zelfs dom of vervelend. Uiteindelijk ben ook ik niet helemaal volmaakt, maar men moet rekening houden met de sfeer en de mentaliteit van toen. Een dagboek schept vertrouwen in jezelf. De vreemde ervaring van het herlezen wordt nog versterkt door het feit dat ik mijn teksten lees in Nederlandse vertaling. Die taal werd mij, werd ons, bij onze terugkeer meegegeven, althans voldoende voor dagelijks gebruik. We worden ook voorgelicht door de (naar het schijnt) grote Vlaamse schrijver en denker Cyriel Verschaeve. Eigenaardig is het dat hij, de enige Vlaming in ons gezelschap die naar zijn vaderland kon terugkeren, zich hier het minst op zijn gemak lijkt te voelen. De originele Duitse edities van mijn dagboeken zijn onvindbaar, heeft de heer Walvisch me verzekerd. De Nederlandstalige editie is slechts een selectie, die gelukkig op een aanvaardbare manier werd uitgevoerd (ze dateert uit 1985, wat postuum mijn ijdelheid streelt).

De Nederlandse editie eindigt niet met een aantekening uit mijn dagboeken, maar met de brief die ik, twee dagen voor mijn definitief afscheid (definitief inderdaad, dacht ik toen), schreef aan Harald, mijn stiefzoon. Die brief eindigt zo:

'Het ga je goed, Harald! Of we elkaar ooit nog eens zullen ontmoeten ligt in de handen van God. Zo niet, wees er dan altijd trots op tot een familie te behoren die de Führer en zijn zuivere, heilige zaak ook in slechte tijden tot het laatste ogenblik trouw is gebleven.'

Harald heb ik helaas nooit meer ontmoet, evenmin als mijn dochter of andere familieleden en vrienden. Ik weet niet eens of Harald de hemel gehaald heeft. Informatie over nieuwkomers kregen we slechts mondjesmaat, niet systematisch en zelfs niet altijd correct. Ik ben best geplaatst om de kwaliteit van de informatie te beoordelen, en die is in het hiernamaals schabouwelijk. Dat maakt de nabijheid van God niet anders.

Als ik sommige zinnen herlees (eigenlijk is het herkennen) krijg ik, moet ik bekennen, tranen in de ogen. Ik mis de Führer. Ik mis er zovelen (zelfs bij mijn tegenstanders van toen): Ribbentrop, Speer, Goering, ik mis ze. Ik mis de generaals en de politici die ik dikwijls heb verwenst, ik mis mijn vrienden en familieleden. Ik mis mijn lieve vriendinnen, en natuurlijk vooral mijn trouwe en mooie vrouw Magda en mijn zes schatten van kinderen, slachtoffers van het onbegrip van de wereld. Als ik tot de uitverkorenen werd toegelaten, zullen ook zij wel in de hemel zijn, veronderstel ik. Maar ik heb ze er nooit ontmoet. Tientallen, nee honderden, nee duizenden zou ik er kunnen opsommen, mensen van over de hele wereld, krachtige en verdienstelijke persoonlijkheden die met ons hebben getracht om de wereld een ander gezicht te geven. Onze tegenstanders triomferen, onze ideologie is verslagen – overigens ook die van onze felste vijanden, de communisten – zegt men, roept men, juicht men, nog altijd. Maar al na enkele dagen terug op aarde groeide mijn hoop op, neen mijn geloof in het welslagen van onze missie, in onze uiteindelijke triomf.

Hoe onbekender we blijven, hoe intenser men ons negeert, hoe beter we kunnen infiltreren. Wat wij hebben verkondigd, herken ik overal om me heen. Gecamoufleerd worden onze ideeën gehanteerd, onze (mijn) tactieken gekopieerd (zij het aangepast en zogezegd gehumaniseerd) maar uiteindelijk zijn wij nog altijd bezig met het hervormen van de maatschappij. Wij hebben niet nutteloos geleefd.

〜〜〜

Ik herken mijn volk waar ik heel mijn leven voor geleden en gestreden heb, niet meer. Waar is de fierheid van toen gebleven?

Gisteren heb ik mijn graf bezocht, in Alveringem dus. Het graf waar ik gebetonneerd in bewaard word. Ik was niet alleen, wat ik betreurde. Wat groots is, moet in eenzaamheid worden beleefd. Maar de heer Walvisch hield zich gelukkig bescheiden op de achtergrond. Het verraste me aangenaam dat de perikelen waar ik na mijn dood het voorwerp van was – mijn 'heropstanding' las ik in een oud krantje dat ik tussen mijn documentatiemateriaal vond – als volkomen normaal en terecht werden ervaren door de velen die onze strijd onverdroten verderzetten. Ik heb respect voor ze, maar vrees toch dat hun inzet te gering is, hun doorzicht te beperkt. Ze missen een krachtige stem, een stalen wilskracht, de onverzettelijkheid die een kenmerk was van mij en mijn geestesgenoten. Tevens de verfijning, de cultuur. De hemelse muziek van Johann Sebastian Bach beluisteren ze zelden of nooit. Ze vinden die vervelend. Ze brallen 'De Vlaamsche Leeuw' alsof het een drinklied is.

Toch blijf ik hartstochtelijk van Vlaanderen houden.

Voor ons begon het allemaal toen Walter Walvisch lid werd van 'Parvi sed Magni', onze club van modelbouwers. 'Parvi sed Magni' betekent 'Klein maar dapper', naar het schijnt. Voor de vreemde en angstwekkende gebeurtenissen die zich in de stad afspeelden, heeft men nog altijd geen redelijke verklaring ontdekt, of onthuld, of geaccepteerd. Ik heb in dit gebeuren een niet onbelangrijke rol gespeeld. Wie denkt dat ik daar trots op ben, heeft het fout: ik werd er gewoon bij betrokken, zoals iedereen trouwens. Wij moeten devoot zijn terwijl God met de wereld zijn kloten speelt, heb ik mijn grootvader eens horen zeggen.

Gelukkig kreeg ik bijtijds vermoedens. Naarmate angst en dreiging het leven moeilijker maakten, werd ik er steeds meer van overtuigd dat Walvisch in dit alles een rol speelde. Hij zit nu opgesloten als een zware crimineel, wat er nogmaals op wijst dat men de ware aard van de gebeurtenissen niet heeft aanvaard. Wat begrijpelijk is. Niemand kan het. Zijn proces zal pas volgend jaar plaatsvinden, zo ingewikkeld is het onderzoek, beweert men; zoveel documenten moeten er worden vertaald en geïnterpreteerd, zoveel getuigen moeten worden opgespoord. De belangrijkste verdachten, of correcter, de misdadigers, zijn verdwenen. Spoorloos. Een enkele keer heb ik Walter mogen bezoeken. Velen zijn van mening dat hij ontoerekeningsvatbaar is, wat hoegenaamd niet het geval is. Wat hij zegt, is zeker verwarrend en soms onverklaarbaar, maar ik weet dat hij altijd de waarheid spreekt en geen crimineel is, en geen hele of halve gek. De echte daders blijven, zoals meestal, buiten schot. Dat zegt mijn vader.

Vorige week verzocht ik 'de autoriteiten', met instemming van vader, of ik Walvisch opnieuw mocht bezoeken. Het werd geweigerd. Hij blijft, als een vermeende terrorist, opgesloten in afzondering. Naar het schijnt leest hij veel en is hij rustig. Hij is een zeer verstandig man, voor wie ik groot respect heb. Ik heb naar hem opgekeken als naar een held uit een boek. Nog altijd heb ik sympathie en respect voor hem. Soms ook medelijden.

God is een lafaard.

Dat beweer ik. Ik ben nauwelijks 16 jaar, en niettegenstaande iedereen veel neerbuigend begrip voor me heeft, is het helemaal niet gemakkelijk om in deze zaak verwikkeld te zijn. Vandaar deze tekst. Gisteren werd ik op het stadhuis ontboden, waar een heer, van wie ik de naam alweer ben vergeten, me vroeg of ik zo vriendelijk wou zijn alles wat ik weet over de zaak Walvisch op papier te zetten.

'Goed idee,' zei ik, want ik heb ondertussen geleerd hoe met autoriteiten om te gaan. Maar vooral omdat het me charmeerde een tekst in opdracht te moeten schrijven. Onmiddellijk stelde ik me voor dat hij misschien zou gepubliceerd worden…

'Fijn dat je ons graag wil helpen,' zei de heer die naar knoflook rook en een huid had die op kaaskorst leek, 'dan weten we dat je die taak met ijver en nauwgezetheid zult vervullen. Je bijdrage kan van het hoogste belang zijn. Daarom vraag ik je nogmaals en uitdrukkelijk waarheidlievend te zijn. Met je eigen woorden. Telkens je een deel klaar hebt, kun je het ons bezorgen. Tracht vooral niets te vergeten, ook al lijkt het je onbelangrijk. In een zaak als deze, een zaak die de hele structuur van het land dreigde te ontwrichten, die misschien zelfs de wereldvrede bedreigde, is niets onbelangrijk. Ik weet ook dat het in een zaak als deze verleidelijk is je verbeelding de vrije teugel te laten, maar we willen alleen maar feiten, en als je twijfelt of iets werkelijk gebeurde, of enkel in je fantasie – en wij beseffen volkomen dat deze twijfel onvermijdelijk is – vermeld het dan.'

De heer sprak met een lage neusstem en ik vond dat hij een beetje op Rowan Atkinson leek. Hij zei ten slotte dat hij mij een verstandige jongen vond. Ik hoor dergelijke dingen wel graag zeggen, maar niet door iemand als hij.

Behalve ik zijn nog twee van mijn vrienden, Sim en Dirk, in dit avontuur betrokken. We lopen school aan het Atheneum en hebben eenzelfde hobby, modelvliegtuigen bouwen. Sinds we Walvisch leerden kennen, is daar nog astronomie bijgekomen. Enkele maanden geleden kochten we van ons gezamenlijk spaargeld een kleine telescoop. Het vroegere duivenhok van de vader van Sim hebben we opgekalefaterd en als observatorium ingericht. Dirk is van ons drie de jongste en ook de kleinste van gestalte. Hij heeft hoogblonde haren, flaporen, en is ongelooflijk handig. Zijn vader wil dat hij advocaat wordt, hijzelf droomt ervan garagehouder te worden. De vader van Sim runt een fabriekje van boenwas en is voorzitter van voetbalclub 'Rapid Scheldeboys', die momenteel in tweede provinciale aan de leiding staat, en waar Dirk en ik vurige supporters van zijn. Sim speelt zelf voetbal, wordt meestal opgesteld als middenvelder.

Dirk is van ons drietal de oudste, en de beste student, veruit. Hij kan ook autorijden en hij had langer dan een jaar al een vaste vriendin.

Telkens Dirk iets hoort wat hem kan verbazen zegt hij 'Kwaak'.

Ten slotte moet ik mezelf voorstellen.

26

Mijn naam is Bas. Mijn vader is toneelregisseur, en dat hoop ook ik te worden. Maar mijn grote ambitie is naam te maken als schrijver en ooit zelf mijn stukken te kunnen regisseren. Het is een vreselijk boeiend beroep en je mag het van me pocherig vinden of niet, maar ik ben er trots op dat zowat alle Vlaamse acteurs me kennen. In twee stukken die mijn vader regisseerde, mocht ik optreden. Ik heb helemaal geen last van plankenkoorts, ik denk dat ik echt een podiumbeest ben. Als ik wou, zou ik al een snor kunnen laten groeien. Maar moeder is er fanatiek tegen.

Het hele verhaal begon, zoals gezegd, toen Walvisch lid werd van de modelbouwclub. Met de hulp van Sims vader hadden we, voor het eerst, een vliegtuigje gebouwd dat elektronisch kon worden bestuurd. We waren het aan het testen op de uitgestrekte terreinen die nog aan de rand van Hoboken te vinden zijn toen Walvisch toevallig passeerde. Dat de proef grotendeels mislukte, kon ons enthousiasme niet aantasten, we vonden het normaal dat er nog verbeteringen moesten worden aangebracht. Walvisch gaf ons enkele raadgevingen die van goudwaarde bleken te zijn en werd vervolgens lid van de club. Zo begon het. Dirk zou zeggen: 'Kwaak .'

〜〜〜

Op de tweede pagina van zijn dagboek (een blauw schoolschrift, met voor elke dag een pagina gereserveerd, hij had de data al keurig bovenaan geschreven: 20 maart, 21 maart, 22 maart, 23 maart, 24 maart, enz., want hij was een zeer ordelijk man) noteerde Walter Walvisch:

'Deze ochtend werd ik wakker omdat de zon vlak in mijn gezicht scheen. Vreemde gewaarwording. Heb het ontbijt voor het gezelschap klaargemaakt met keuze tussen pistolets (3 soorten charcuterie, 2 soorten kaas, perenstroop) en krentenbrood. Morgen wil men ook stokbrood. Heb het werk van de schoonmaakster gecontroleerd. Iedereen is er tevreden over. Er werden foute buitenlandse kranten in de bus gestopt, wat grote ontevredenheid veroorzaakte. Heb 'De

Standaard', de enige Vlaamse krant, voor de heer Verschaeve uiteraard, even ingekeken. Het wereldrecord onder water zwemmen werd gebroken, het bedraagt nu 118 meter.

Ik vind het jammer dat ik van bij het begin van mijn depressie, die nu al ongeveer een jaar duurt, gelukkig iets minder erg dan mijn vorige, geen dagboek heb bijgehouden. Het is alsof ik buiten mezelf leef, mezelf gadesla met grote twijfel en ergernis, zelfs vijandigheid. Wat me meest hindert, is de angst. Onverklaarbare angst voor futiliteiten, in elk geval voor alles wat afwijkt of nog maar dreigt af te wijken van het alledaagse patroon.

Mijn blauwe kostuum afgehaald bij de wasserij. Het leven wordt duur. Zal ik het op mijn onkostennota zetten?'

Deze notities bewijzen dat hij niet het geringste besef had van de ware aard van zijn opdracht en van het gezelschap. Of er zich zorgen over maakte.

〜〜
〜〜

Ongeveer iedereen omschrijft wat er gebeurde als een soort bomeffect. Niets is minder waar. Het abnormale ziet er in het begin altijd onschuldig uit. Nadat men achteraf alles had geanalyseerd, ging men er over het algemeen mee akkoord dat de moord op die leider van een nazistische beweging de eerste was in de reeks vreemde gebeurtenissen. Enkele dagen later was er de aanslag op het lokaal van de 'Hells Angels' (aanslag die door vrijwel iedereen werd afgedaan als het zoveelste incident in de strijd tussen motorbenden), gevolgd door de kidnapping van twee gemeenteraadsleden, en nog twee dagen later werd het lichaam van Max, de landloper, gevonden. En toen bleek dat hij een na de oorlog ter dood veroordeelde collaborateur was die in allerlei linkse groeperingen geïnfiltreerd was als informateur van de politie.

Ikzelf was nog een kleine jongen toen Max in de stad opdook. Niemand wist waar hij vandaan kwam. Om een reden die nooit werd opgehelderd – niemand had er trouwens interesse voor – was de zwerver in Antwerpen gebleven. Onder de grote viaduct bij het Sportpaleis, vlak bij het Lobroekdok, had hij zich uit allerlei afbraakmateriaal een hutje gebouwd, en in die omgeving scharrelde hij altijd rond. Hij hield er weldra ook een geit, enkele konijnen, een tiental kippen en een oude, zwarte herdershond op na. De omgeving tolereerde hem, de politie trad niet op. Sommige mensen vonden dat hij, met zijn verwarde en peperkleurige baard, best een interessante kop had, sommigen kochten regelmatig eieren bij hem, uit medelijden. Hij zocht met niemand contact, leek mensenschuw. Zijn plotse verdwijning baarde niemand zorgen. Men veronderstelde dat zijn zwerversinstinct weer wakker was geworden. Wel vond men het vreemd dat hij zijn geliefde dieren onverzorgd had achtergelaten. De hond blafte onafgebroken, uit verdriet wellicht. De Dierenbescherming ontfermde zich over het gezelschap. De politie stelde de feiten vast, en daarmee leek de kous af.

Ongeveer een week na de verdwijning van Max signaleerde men die van Hendrikse en Ehrlich. Ik heb ze nooit ontmoet, op het ogenblik van hun verdwijnen wist ik van niets, ik las het allemaal in kranten die ik later in de stedelijke leeszaal kon inkijken. Die kranten maakten overigens nauwelijks drukte over de verdwijningen. Hendrikse was bediende bij 'Belgacom', een naar het schijnt nurkse en preutse man, gesloten van karakter, maar ijverig bediende en verwoed supporter van Beerschot. Hij had weinig sociaal contacten, zelfs niet bij het 'Vlaams Belang', waar hij al jaren bij aangesloten was, tot grote verrassing van de mensen die hem hadden gekend.

Ehrlich was een oudere man, een Duitser, die hier vroeger taxichauffeur was geweest, een erfenis had gekregen of een prijs in de loterij had gewonnen, dat wist niemand, en vervolgens een zeer teruggetrokken leven was gaan leiden. Ook hij bleek lid te zijn van een beweging van neonazi's.

En opnieuw een week later verdwenen er, op twee dagen tijd, nog twee mensen, onopvallende, om niet te zeggen vereenzaamde figuren. Perez was een welstellende boekhouder, vrijgezel, kampioen van zijn schaakclub. Zijn appartement had hij ordelijk achtergelaten, alsof hij maar even een boodschap was gaan doen, de etensvoorraad in zijn keuken bewees dat hij niet van plan was geweest te verdwijnen, en in de woonkamer speelde de radio nog, afgestemd op Radio Minerva. De radio speelde vrij hard wat op de zenuwen ging werken van de bovenbuurman, die ten slotte beroep deed op de wijkagent. 'Ik haat muzak,' zei hij, en omdat ook de wijkagent, hoogst merkwaardig, meer van Bach en Satie hield, trad die onmiddellijk op. Perez bleek een groot verzamelaar te zijn van parafernalia die te maken hadden met het nazisme. Pronkstuk van zijn collectie was een door Hitler zelf gesigneerd exemplaar van 'Mein Kampf'.

Nauwelijks een dag later werd gemeld dat een jongetje van nauwelijks 10 jaar, Serge, ontsnapt was uit een weeshuis. Serge was een vondeling, niemand wist iets van zijn herkomst, de enige identificatie was een zowat 10 centimeter groot hakenkruis dat op zijn borst was getatoeëerd.

Ook na nog een verdwijning, die van een illegale bouwvakker van Poolse origine, maakte men zich geen zorgen. Ze zou zelfs totaal onopgemerkt zijn gebleven als de pastoor van de parochie waar hij woonde geen alarm had geslagen, omdat de man altijd had beweerd een ver familielid te zijn van de vorige paus. 'Ook hij leefde als een heilige,' verklaarde de pastoor in de pers.

De eerste echte deining ontstond bij het verdwijnen van een zekere Garrels. Garrels was onderwijzer en medewerker van de 'Gazet van Antwerpen'. Hij had net kopij binnengebracht, op de redactie een kop koffie gedronken, was naar buiten gewandeld en leek vervolgens door de lucht opgeslokt. Enkele mensen reageerden op het opsporingsbericht, ze dachten dat ze hem nog in de buurt van het Centraal Station gezien hadden, of bij de aanlegsteiger voor cruiseschepen. De verdwijning van een van haar medewerkers werd door de krant gretig aangegrepen voor de publicatie van enkele sensationele artikels, en voor het eerst werd er gesproken over een 'onrustwekkende golf van verdwijningen'. Met klem werd een intensiever optreden van de politie geëist.

En het was ten slotte ook een van de journalisten van de 'Gazet van Antwerpen' die erop wees dat alle vermisten een uitgesproken sympathie hadden voor extreemrechtse organisaties. Garrels bleek zelfs – maar dat werd dan weer door een andere krant, 'De Morgen', ontdekt – lid te zijn van het 'Vlaams Belang' en, onder pseudoniem, minstens een dozijn negationistische artikelen te hebben gepubliceerd. Zijn pseudoniem was Jos. G. Obbels.

In die periode hadden Dirk, Sim en ik al nauwere vriendschapsbanden aangeknoopt met Walter Walvisch. Hij nodigde ons zelfs uit om eens een kijkje te komen nemen naar zijn verzameling modellen van vliegtuigen uit de tweede wereldoorlog, zijn verzameling documentatie over modelbouw, en naar zijn telescoop.

Het werd een aangename, eigenlijk onvergetelijke avond.

De telescoop vooral was een groot succes.

'We leven in een unieke tijd, jongens,' had hij gezegd. 'In nauwelijks een eeuw veranderde de wereld grondiger dan vroeger ooit werd meegemaakt. In het verleden waren de veranderingen tijdens een mensenleven nauwelijks merkbaar. Paard en kar. Levenslang droeg men kleren van dezelfde snit, ook de vrouwen. En nu? Mensen die als kind nog met de paardentram hadden meegereden, konden later op televisie volgen hoe de eerste mens landde op de maan. Onvoorstelbaar, nooit eerder in de geschiedenis is er een vergelijkbare evolutie geweest. En we moeten het bekennen, de oorlog is daar niet vreemd aan. De atoombom is een feit. Atoomenergie en elektronica veranderen elk facet van ons leven. Er wandelden mensen op de maan, er is een raket geland op Mars en we kijken naar foto's van het landschap op Mars als naar vakantiekiekjes van nonkel Leon en tante Martha.. Hoeveel satellieten wentelen er rond onze aarde? Hoe functioneert Google? Niemand die zich nog wil verbazen over die verwezenlijkingen. Iedereen gebruikt de computer, vindt vanzelfsprekend wat dat ding presteert. Waar liggen de grenzen?'

'Zijn er wel grenzen?' vroeg Sim.

'Goede vraag. Grenzen, dat is een illusie. We kijken naar de sterren. Grandioos. Maar we zien slechts een miniem gedeelte van de ruimte. We zien hemellichamen en beseffen dat ze onbereikbaar zijn, maar ze bestaan. Of bestonden. Misschien beïnvloeden ze ons leven zelfs. Heeft de burger op de paardentram kunnen beseffen dat er ooit mensen op de maan zouden wandelen? We mogen ons niet laten begrenzen door onze zintuigen, niet door onze fysiek, zelfs niet door onze verbeelding.'

De telescoop stond op het dakterras achter zijn slaapkamer.

We keken om beurt naar een inderdaad adembenemend schouwspel. Ondertussen vertelde hij over Chinese geleerden die, eeuwen geleden, geloofden dat de sterren gehoorzaamden aan de wil van hun keizer, over de ontdekkingen van de Babyloniërs, over Copercicus en Newton, over de vele theorieën over de oorsprong van het heelal, over de omvang van ons zonnestelsel. Onbegrijpelijk en ook daarom fascinerend. Hij wees ons sterren aan die misschien al in de tijd van bijvoorbeeld Napoleon of van Julius Cesar ontploft waren maar die wij nog altijd onbeschadigd zagen, want hun licht had honderden jaren nodig om ons te bereiken.

En ten slotte stelde ik de vraag die iedereen bezighield.

'En leven daar ook mensen?'

'Eeuwenoude vraag. Een antwoord kennen we nog altijd niet. Nog niet. Maar zou het niet vreemd, eigenlijk onverklaarbaar zijn als uitsluitend op onze planeet, een van de ontelbare die er bestaan, een van de triljoenen, intelligent leven zou bestaan?'

Een triljoen, dat is een 1 met 12 nullen.

'Alleen al in ons melkwegstelsel zijn er ongeveer honderd miljoen zonnen, en tot nu is men erin geslaagd in het heelal ongeveer 100 miljoen stelsels als onze Melkweg te tellen.'

'Kwaak ,' zei Dirk, zeer intelligent.

'Alle sterren in ons stelsel zijn niet even oud. De Melkweg heeft ongeveer de vorm van een lens. De zonnen aan de buitenkant zijn beduidend jonger dan die van de kern. Onze zon behoort tot de middensoort, wat betekent dat er dus zonnen bestaan die miljoenen jaren ouder zijn dan de onze. Ook rond die zonnen wentelen planetenstelsels, waarin omstandigheden kunnen bestaan die gunstig zijn voor het ontstaan van leven. Waarom zou het zich daar niet hebben ontwikkeld? De mensheid die daar leeft, hoeft niet noodzakelijk op ons te lijken, en ze kan een verschrikkelijk grote voorsprong op ons hebben. Tussen paardentram en maanlanding verliep iets meer dan een halve eeuw, en nu spreken we over miljoenen jaren. Is het niet bijzonder kortzichtig te veronderstellen dat er buiten deze aarde niets bestaat dat tot leven en denken in staat is?'

We werden er allemaal stil van.

'En zullen we die anderen ooit ontmoeten?'

'Waarschijnlijk wel. De vraag is: wanneer. En zullen we ze herkennen? De maan is nauwelijks 384.000 km van ons verwijderd en om daar een mannetje op te krijgen moesten ongelooflijk moeilijke en ingewikkelde problemen worden opgelost. Naar Mars of Venus reizen is tot nu toe ondenkbaar, tenzij om door robots foto's te laten nemen. Zullen wij ooit een bestemming buiten ons zonnestelsel bereiken? Het is even ondenkbaar als ooit tijdens ons leven nog een kijkje te gaan nemen in hel, vagevuur of hemel, in de veronderstelling dat die bestaan natuurlijk. Maar zoveel wat ooit ondenkbaar leek, is nu alledaagse realiteit. Wat zouden geniëen als Plato, Aristoteles, Copernicus, Leonardo da Vinci, denken en voelen als ze een Boeing zagen opstijgen, een computer aan het werk zouden zien? Onze meest nabije buur is Proxima Centauri, meer dan 4 lichtjaren van ons verwijderd. Een boogscheutje dus in vergelijking met de afstanden buiten onze Melkweg. Want daar is onze meest dichte buur de nevel Andromeda, en die is 750.000 lichtjaren ver.'

'Kwaak ,' zei Dirk.

'Maar toch mogen wij niet twijfelen. Er zijn pas 350 jaar voorbij sinds Galileo Galilei als ketter werd veroordeeld omdat hij beweerde dat de aarde rond de zon draaide, en niet omgekeerd. En wat betekenen 350 jaar als we weten dat er al miljoenen jaren leven bestaat op onze planeet? De mens bestaat nog maar 600.000 jaar. Sinds wanneer is hij erin geslaagd om de zwaartekracht te overwinnen? Orville Wright vloog voor het eerst in 1903. Veertig meter ver, het duurde twaalf seconden. En wat zien we nu, een knipoog in de tijd later? De wetenschap gaat met reuzenschreden vooruit en wat men gisteren nog als krankjorume fantasie bestempelde, wordt vandaag door ernstige geleerden onderzocht. Einstein sprak over de relativiteit en jullie hebben allemaal al wel gehoord over zijn theorie die zegt dat als een mens zich zou kunnen verplaatsen tegen een snelheid die ongeveer gelijk is aan die van het licht, zou blijken dat wat voor ons een jaar lijkt, voor de ruimtereiziger slechts een dag zou zijn. Als zijn theorie correct is en de mens het middel zou ontdekken om die snelheid te ontwikkelen, zouden de vele honderden lichtjaren die ons van bepaalde sterren scheiden, een heel wat minder onoverbrugbare afstand worden. Sommige geleerden beweren zelfs dat de ruimte zich zou samentrekken rond een voorwerp dat zich tegen de lichtsnelheid verplaatst…'

'Kwaak,' zei Dirk, en zo dachten wij er allemaal over.

'Maar wij hoeven niet noodzakelijk te reizen. Wij zijn kleuters in dit heelal. Het is best mogelijk dat men er op andere planeten in geslaagd is al die moeilijkheden op te lossen. Misschien werden wij al bezocht. Vele oude legenden brengen verhalen over wezens die uit de hemelen neerdaalden en ons in vuur en vlammen weer verlieten.'

(Ik leverde dit eerste deel in bij de heer die op Rowan Atkinson leek en hoopte op een complimentje, dat evenwel achterwege bleef.)

♒

Ik ben mijn standbeeld gaan bekijken. Weinig mensen kunnen dat zeggen. Een ruiterstandbeeld, en dat dan nog in een Franse stad, Montreuil. De heer Walvisch ben ik dankbaar omdat hij dat mogelijk heeft gemaakt. Ik stond op het zonovergoten plein, toch was het tamelijk fris, en ik kreeg een krop in de keel. Het gebeurt me niet dikwijls. Veel hoon is mijn deel geweest, onterecht. Ik ben een soldaat die altijd zijn plicht heeft gedaan, onverzettelijk. Een soldaat, ja, al was ik generaal, opperbevelhebber van het Britse leger zelfs, en al verwijt men me dat ik honderdduizenden levens heb opgeofferd in wekenlange veldslagen om enkele kilometer winst te realiseren. En mijn reputatie te versieren.

Ik beken het: ik heb een ruiker bloemen neergelegd bij mijn monument. De voorbijgangers keken raar op, maar niemand heeft me herkend. Uiteraard niet. Ik behoor immers niet meer tot deze wereld.

Geef acht.

Ik stond stram in de houding, al was ik uiteraard in burgerkledij. Rondom was er het lawaai van het altijd drukke verkeer, maar in mijn hoofd heerste de stilte. Ik dacht terug met heimwee en verbittering. Ik dacht terug aan de slag van de Somme, ik dacht terug aan de meer dan 400.000 Engelse soldaten die daar zijn gesneuveld voor een zogezegd te verwaarlozen resultaat. Ik dacht terug aan de desastreuze aanval op de Chemin des Dames. En dan Ieper. Klaar en scherp herinnerde ik me dat admiraal Jellicoe onze nederlaag als onafwendbaar had voorspeld als we er niet in zouden slagen om de activiteiten van de Duitse U-boten zo goed als lam te leggen. Om dat te verwezenlijken moesten we Zeebrugge veroveren en dus het Ieperfront doorbreken. Dat zou geen gemakkelijke strijd worden, besefte ik. Ik hoef er nu geen woorden meer aan vuil te maken. Honderden, nee duizenden artikelen en tientallen boeken zijn er over deze fase in de Grote Oorlog geschreven. Ze doen maar. Kreten vervangen deskundigheid. Onwetendheid wordt onder leugens verborgen. Enggeestigheid met realisme verward. En vooroordelen als wimpels van intellect en originaliteit feestelijk in ieders gezicht gewapperd. Ik ben verguisd en beledigd en miskend om mijn tactische aanpak. Men heeft me onverschilligheid verweten, gewetenloosheid en onbekwaamheid. Want ik bleef te ver uit de buurt van het eigenlijke front. Ik had geen begrip voor het lijden van de manschappen. Ik behan-

delde mensen net zo onverschillig als waardeloze dingen, gemakkelijk te vervangen. Het zij zo. Verwijten zijn nu eenmaal onvermijdelijk voor wie beslissingen nemen moet. Er stond veel op het spel, de
uitslag van de strijd is zelden te voorspellen, te veel factoren waar
een mens, zelfs een generaal, geen controle over heeft, spelen mee.
Historici zijn de grote vervalsers, zij leggen altijd zogezegd logische
verbanden, zij zoeken een onafwendbare evolutie, zij verklaren het
een uit het ander alsof leven, strijden, een dominospel is.

Ik werd veroordeeld. Nee, niet officieel, officieel werd ik geëerd
en gedecoreerd, maar ik werd veroordeeld in de ogen van het volk,
in het kader van de geschiedenis. Ik, generaal Haig, een van de
hoofdrolspelers in de Grote Oorlog, was de onbekwame, de onver-
schillige. Met een coupe champagne in de handen nam ik, op veilige
afstand van de frontlinie, onachtzaam beslissingen die duizenden en
duizenden de dood injoegen. De Duitse vijand haatte me tenslotte
minder en had meer respect voor me dan mijn landgenoten.

Maar ik heb mijn plicht gedaan. Uiteindelijk hebben we gewonnen en zijn die duizenden, ik weet het, tienduizenden, jawel honderdduizenden, niet nodeloos opgeofferd. Ik weet dat ik een
bekwaam opperbevelhebber was, ik heb geen problemen met mijn
geweten. Ik heb er wel een probleem mee vast te stellen dat ik dus
mee verantwoordelijk ben voor de maatschappij van vandaag. Een
maatschappij waarin ik nu weer even functioneer – ik hoop bij God
voor niet te lange tijd – en die totaal fout is.

Enkele dagen volstonden ruimschoots om normvervaging en ze-
denverwildering vast te stellen, de triomf van de middelmatigheid
en de schande van de gewetenloosheid. Ik heb, eerlijk gezegd, nooit
echt geloofd in de democratie, maar ik heb haar wel gerespecteerd.
Wat ik nu rond me zie, bevestigt mijn gelijk. Democratie is een belangrijke stap op de weg naar de ondergang. Elite mag geen scheld-
woord zijn. Een verlichte geest is geen verdachte. Er moet
vertrouwen heersen, vertrouwen in het talent van de begaafde, de
leider kortom.

Ik heb gevochten. Gevochten, jawel, voor een betere wereld, voor het behoud van wat gedurende eeuwen werd opgebouwd. Ondank heb ik ervoor gekregen. Het drama is dat de vijanden die we dachten te hebben overwonnen, in feite onze strijdmakkers waren, onze geestesgenoten, onze broeders, los van de nationaliteiten. Maar toen beseften we dat niet, kon dat niet, we misten immers perspectief.

Nu ik hier terug ben, ook al is het maar tijdelijk, is het mij duidelijk dat er een nieuwe taak wacht. En ook nu zal ik niet aarzelen me tot het uiterste in te spannen om ze, hoe dan ook, tot een goed einde te brengen.

Benieuwd of men nu, als toen, de slachtoffers helden zal noemen. Om de 5 seconden sterft ergens een kind, las ik in een oude brochure van 'Artsen zonder Grenzen'. Wie wordt daarvoor aangeklaagd? Men moet het woord 'helden' vervangen door 'slachtoffers'.

〰〰

Noot van God

Ik ben volmaakt, wat betekent dat ik ook een speelvogel kan zijn. Ik ben overtuigd dat velen de samenstelling van het gezelschap dat ik naar de aarde terugzond, niet zullen begrijpen. Daarom wil ik daar een korte verklaring voor geven. Ik laat de mensheid veel vrijheid. Slechts af en toe voel ik me verplicht bij te sturen. Dan zend ik afgevaardigden, maar laat ook hen veel mogelijkheden tot creativiteit en persoonlijk initiatief. Elk van de zeven mannen die ik heb gezonden, heeft de intrinsieke kwaliteiten en kennis die nodig zijn om de opdracht tot een goed einde te brengen. Als ze die op elkaar weten af te stemmen zijn ze tot grootse dingen in staat. En hoe ze dat realiseren laat ik aan hen over. Ze hebben voldoende ervaring. En ze kunnen op mijn steun rekenen, die ik evenwel zo bescheiden mogelijk houd.

Natuurlijk beschik ik over een onvoorstelbaar ruime reserve. Figuren uit een te ver verleden kwamen evenwel niet in aanmerking omdat ze het contact met de tijdgeest niet meer kunnen maken en omdat ze geen inzicht hebben in de huidige technische mogelijkheden. Een groot aantal ook werd niet in het Rijk der Hemelen opgenomen om de eenvoudige reden dat ze er nooit in hebben geloofd. En ten slotte heb ook ik mijn voorkeur.

Velen zullen zich afvragen waarom Joseph Goebbels, zelfmoordenaar en levenslang libertijn, wel in de Hemel kwam en bij het gezelschap hoort, meer zelfs, er als vanzelfsprekend de leiding van heeft genomen. Om te beginnen moet ik hier duidelijk verklaren dat het seksuele leven in de toelatingsvoorwaarden hier absoluut geen rol speelt. De waarde die er op aarde aan wordt gehecht, de banbliksems, de schuldcomplexen, de verboden, dat is mensenwerk, dat ik overigens altijd met lede ogen heb gevolgd. En ja, Goebbels is een zelfmoordenaar, maar die daad weegt niet op tegen het positieve dat hij in zijn leven heeft gerealiseerd. Ze was geen uiting van lafheid, integendeel, ze was de consequentie van zijn leven, en daarom heb ik voor hem een uitzondering gemaakt.

~~~

Uit het dagboek van Walter Walvisch:

'31 maart. Weinig te noteren. Ik zou mijn dagboek ook kunnen bijhouden op de achterkant van bierviltjes. Tijd en ruimte dus voor een evaluatie.

Vraag me nog altijd niet wat de bedoeling is van mijn opdracht. Ik ben slechts een tussenpersoon, net als het agentschap. De echte opdrachtgever is onbekend. Producent in een .Arabische oliestaatje. Qatar. Ik weet enkel dat Emir Ahmed en zijn vader Emir Ali samen 452 auto's bezaten. Gods wegen zijn onberijdbaar, of hoe zegt men dat? Ik voer opdrachten uit. 'Befehl ist Befehl.' Zo is het nu eenmaal, ten slotte is dat ook de basis van elke religie.

Het is uiteindelijk geen onaangename opdracht, en er worden dus helemaal geen financiële beperkingen opgelegd. Ik zorg voor alles wat nodig is en voldoe aan alle wensen naar best vermogen.

Tegenover mij gedragen de leden van het gezelschap zich afstandelijk maar correct. Zo heb ik het graag. Na enkele dagen van voor mij onverklaarbare verwondering over de gsm eisten ze er allemaal een. Het verbaasde me dat ze van die communicatiemogelijkheid helemaal geen weet hadden, en ze blijken er ook verschrikkelijk veel moeite mee te hebben om dat ding te bedienen. Ze bestuderen allemaal telefoonboeken, atlassen, naslagwerken en hebben uiteraard Google ontdekt. Het lijkt wel alsof ze uit een andere wereld komen. Als ik vragen stel in die richting, krijg ik nooit een antwoord. Het zij zo. Ik ben tot discretie verplicht. Voor mij is onverschilligheid een deugd geworden. Mijn depressie komt aardig van pas.

Iedereen ook heeft speciale wensen. Met generaal Haig ben ik naar Ieper en verre omstreken geweest, tot in Frankrijk. Ik zag ertegenop maar uiteindelijk bleek het een vrij leuke uitstap te zijn. Meneer Haig wist me enorm veel over de Grote Oorlog te vertellen, hij leefde er zelf helemaal van op.

Waar ze over praten weet ik niet, ze zwijgen meestal als ik in hun buurt opduik, of praten dan zo nadrukkelijk over koetjes en kalfjes dat het belachelijk is. Ze stellen wel veel vragen, vragen over wereldpolitiek meestal, meestal ook vragen waar ik geen antwoord op weet. Evenmin als politici, vrees ik. Ik doe mijn best om antwoorden op concrete vragen te vinden, Google helpt, en ik bezoek nu bijna dagelijks de leeszaal van de stedelijke bibliotheek, ik telefoneer met mensen die het zouden kunnen weten, mijn inzet is haast onbeperkt, want ik wil de kans niet lopen ontslagen te worden, mijn wedde is daar te feestelijk voor en over onkostennota's wordt nooit gediscussieerd. Zoals reeds gezegd.

Verwonderlijk is het natuurlijk niet dat politieke kwesties hen bijzonder boeien. Ze zijn intelligent en nieuwsgierig en doen hun uiterste best om op de hoogte te zijn van de wereld waarin we leven. Goebbels is van hen allemaal het best op de hoogte, zo lijkt me. In hun gesprekken voert hij dan ook altijd het hoogste woord. Hij gaat duidelijk prat op zijn kennis van zaken, het geeft hem een zeker prestige en daar geniet hij van.

Vanavond komen mijn drie jonge vrienden op bezoek bij mij thuis, niet aan de Charlottalei. Ik weet niet of ze hier welkom zouden zijn, de heren zijn op rust en regelmaat gesteld. Naar het bezoek van de jongens kijk ik uit, dat zijn telkens zeer ontspannende momenten.

〰〰

'Wat vertel je ze als ze vragen stellen over My Lai?' vroeg Walvisch me op een keer, toen hij blijkbaar iets te veel gedronken had.

'Wat moet ik daarover weten?' vroeg ik, zo onschuldig mogelijk. 'Ik ben maar een acteur.'

'Om je goed te kunnen inleven in je rol, dacht ik.'

'Kan een deugdzame vrouw Catharina van Rusland niet uitstekend vertolken? Natuurlijk heb ik over de oorlog in Vietnam ook gelezen.'

'En?'

'Het is geen fraai verhaal. Alhoewel ik hen het hele verhaal heb verteld, interesseerde het hen blijkbaar niet erg..'

Er is Walvisch uitdrukkelijk opgelegd dat hij ons enkel mag aanspreken alsof wij echt de personages zijn die we zogezegd moeten vertolken. Het is een wat surrealistische situatie, maar hij houdt er zich strikt aan, en mij amuseert het.

Alhoewel. Ik hoor de verwijten achter elke zin. Ik werd veroordeeld. Daar klaag ik niet over, wel over het feit dat men doet alsof My Lai de enige wandaad in die oorlog was. Men zwijgt zedig over de 8 miljoen mensen die men in concentratiekampen heeft opgesloten en als dwangarbeiders heeft misbruikt, over de honderdduizenden die men tijdens zogezegde ondervragingen heeft gefolterd, over de tienduizenden vrouwen die werden verkracht (Get them, fuck them, forget them), over de duizenden die levend werden verbrand. Men beweert dat bij meer dan vijfduizend vrouwen de lever levend werd weggesneden, en ik kan zo nog een tijdje doorgaan. Miljoenen slacht-offers, verminkten, getekenden, duizenden dorpen finaal vernield, zelfs de komende generaties zullen nog altijd worden geconfronteerd met de naweeën van chemische bombardementen, van landmijnen, om van de geestelijke ellende maar te zwijgen. Voor mij is dat allemaal echt, voor ons is dat natuurlijk allemaal echt. Het is geen rollenspel, ze kijken op me neer, ze zijn duidelijk van mening dat ik niet helemaal tot hun doorluchtige gezelschap behoor. Eens behoorden zij tot de wereldtop, dat menen ze toch, en ik ben nauwelijks meer dan een soldaat, een nobody dus. Mijn roem was geen verdienste maar het gevolg van een fout. Niemand had ooit van me gehoord, en dat kon ook niet, ze waren allemaal, met uitzondering van von Braun en Harris, al jaren dood toen ik wereldnieuws werd.

My Lai? Nooit van gehoord. Dat is uitstekend, dat zal ik natuurlijk niemand kwalijk nemen, tot enkele dagen voor mijn leven veranderde, kende ik het evenmin.

Ik betreur het, vind het nu vernederend, dat ik me heb uitgeput om het ze allemaal duidelijk te maken, althans te trachten dat te doen, met pover resultaat. In mijn vorig leven gaf ik enkel interviews als ik er behoorlijk voor werd betaald.

Wat niet belet dat we nu eenmaal tot elkaar veroordeeld zijn, dat stelletje verwaande zogezegd historische figuren en ik. Wat die pastoor in ons gezelschap doet, is me trouwens ook niet duidelijk. Al is hij natuurlijk wel verklaarbaar in een hemels gezelschap. Hij schijnt een dichter te zijn, een van de zeldzame dichters die de hemel gehaald hebben. We zijn tot elkaar veroordeeld omdat het de wil van God is en hier zijn we afhankelijk van Walvisch, de onmisbare tussenpersoon, die zijn werk uitstekend doet, zonder er duidelijk een reet van te begrijpen.

Gisteren organiseerde hij een uitstap naar Waterloo, op verzoek van die Haig. Hij had een luxueuze limousine gehuurd, er waren drankjes onderweg, en hij deelde kleurige folders uit als documentatie. Het weer viel tegen, toch hebben we met z'n allen het monument beklommen en net toen we op de top arriveerden, brak de zon even door. We leken wel een klas schoolkinderen, ik schaamde me.

We hebben een opdracht, en van ons allemaal was ik tot nu toe de meest actieve. Goebbels geeft de opdrachten. God steekt een handje toe, daar ben ik het levende bewijs van.

De dingen gebeuren, zeg ik altijd, buiten ons om. We worden meegesleept. Maar als ik dat beweer, reageert men woedend. Wil ik de schuld op anderen werpen? Zij hebben de loop van de geschiedenis een andere wending gegeven, die eer eisen ze fanatiek op. Wie daaraan twijfelt beledigt hen, is een idioot. Men kijkt op me neer, maar niemand vindt me schuldig. Dat is een feit. Het was nu eenmaal oorlog. Eigenlijk is het altijd oorlog. Daarom begrijp ik niet zo best wat me overkomt. Ik bedoel nu. Ik was iemand die altijd leefde met respect voor de wet, ik hield van orde, tucht, zekerheid, mijn land, mijn volk, mijn familie en God. Ik heb altijd hard gewerkt en bezocht nooit een bordeel. Toch zelden. De gedachten zijn vrij maar ook in mijn hoofd erkende ik grenzen.

De dood is het heldere en onontkoombare antwoord op alle levensvragen, een van de aardige aspecten van het eeuwige leven moet de vanzelfsprekendheid zijn. Het onbegrijpelijke wordt eenvoudig. Ook daarom waarschijnlijk heeft niemand van ons gezelschap zich de vraag gesteld waarom, totaal onverwachts, hun terugkeer naar de aarde een feit werd en ik tot het gezelschap behoor. We weten niet eens hoelang we hier zullen blijven.

Ik leef nog en toch bevind ik mij tussen deze verwaande doden. Ik ben benieuwd naar een hemel die zij kennen, ik niet. Het is zeer verwarrend, ik ben een tijdgenoot van mezelf, ik beleef een toekomst die ik nooit zal meemaken.

〰〰

'Wir haben es nicht gewüsst,' beweerde Goebbels en iedereen lachte met hem mee. 'Grapje,' voegde hij er altijd aan toe. Hij bedoelde daarmee niet de concentratiekampen, zo cynisch of dom is hij niet, maar de naoorlogse ontwikkelingen.

'Wij hebben gevochten voor een betere wereld, maar het is ons niet gelukt ons ideaal te realiseren,' zei hij meermaals. 'Dat het slecht zou aflopen met de wereld, dat werd vanaf 1942 duidelijk, maar dat het zo erg zou worden, nee, dat heeft niemand van ons verwacht.'

Hij las veel en maakte voortdurend aantekeningen in een stapeltje schriften.

'Het is inderdaad noodzakelijk en meer dan tijd dat er wordt ingegrepen,' noteerde hij.

Hij onderstreepte dat.

≈≈

Begin april ontvingen niet minder dan 78 prominenten, zowel politici (rechtse uiteraard) als industriëlen, plastische kunstenaars, acteurs en de kardinaal, een enveloppe met een wit poeder. Dat poeder bleek totaal onschadelijk te zijn. 'Werk van een smakeloze grappenmaker?' vroeg 'De Standaard' zich af. Terloops werd wel de aandacht gevestigd op het getal 78, 'alsof men duidelijk wil maken dat het hier niet over de 77 rechtvaardigen gaat.'

'Het mysterie van de eeuw?' blokletterde 'De Nieuwe Gazet' op de eerste pagina boven een sensationeel opgemaakt artikel. Er kwam in alle kranten een stroom lezersbrieven op gang met als gemeenschappelijke teneur de vraag 'Een golf van links terrorisme?'. En met meteen het antwoord: ja. De meeste brieven waren ondertekend: 'Naam en adres bekend op de redactie.' Een lezeres meende dat het allemaal slechts een toevallige samenloop van omstandigheden was. 'Het toeval,' schreef zij, 'verwezenlijkt immers soms de meest onvoorstelbare zaken.' En zij staafde die bewering met het verhaal, officieel vastgesteld, van drie broers en twee zusters die op dezelfde dag de dood vonden. Enkel de uren verschilden, maar dat maakte het geval nog opmerkelijker, want de oudste stierf eerst, dan de tweede oudste, enz. De theorie van het toeval kreeg veel bijval want die verklaring was minder bedreigend dan die van een terroristische activiteit, die evenwel steeds meer aanhangers kreeg.

'Wat denk jij erover?' vroegen we aan Walvisch toen we in zijn auto de stad uitreden om een modelvliegtuig opnieuw te testen.

Hij schokschouderde.

'Eerlijk, ik weet het niet. De geschiedenis wemelt van de onverklaarbare verschijnselen. Schepen verdwijnen bijvoorbeeld zonder enig spoor na te laten. Toch al wel van de Bermuda-driehoek gehoord?'

'Ja,' zei Sim. 'Dat is het schaamhaar van vrouwen.'

We lachten, maar Walter Walvisch bleef ernstig.

'Denk aan de beschaving van de Maya's, van de Azteken, aan de verdwijning van Atlantis, aan de beelden op de Paaseilanden, aan die enorme krater in Siberië, de naam van de juiste plaats ontsnapt me momenteel. Toch ooit al gehoord over het mysterieuze rijk van de Khmers, veronderstel ik?'

'Nee. Alleen van de oude Belgen.'

'Van de Etrusken? Van de mysteries van Saba? Een ander voorbeeld. In het begin van de vorige eeuw bereikte een expeditie eens een Eskimodorp. In de iglo's brandden nog vuren, maar van mensen of honden was geen spoor meer te bekennen. Nog vreemder was dat de bewoners het dorp niet leken te hebben verlaten, want er waren in de sneeuw niet de minste sporen te zien van de eveneens verdwenen sleeën. Regelmatig verdwijnen er mensen, soms hele families, in onopgeklaarde omstandigheden. De mens heeft het antwoord gevonden op vele vragen, hij zal nog vele mysteries oplossen, maar niet alles.'

We verzonken in diep gepeins, wat een indrukwekkend schouwspel moet zijn geweest.

'Ik weet het dus niet,' vervolgde hij, 'maar toeval lijkt me geen goede verklaring. Iedereen weet opeens indrukwekkende verhalen over toeval te vertellen, omdat iedereen zich er wil van overtuigen dat

de verdwijningen en gebeurtenissen als die dreigbrieven ooit verklaarbaar zullen zijn, en niet te wijten aan iets wat onverklaarbaar en
dus angstaanjagend is.'

Met een breed gebaar onderbrak hij opeens zichzelf.

"De zon schijnt, het is mooi weer, de heide is prachtig, voor we
jullie vliegtuig testen stel ik voor in het cafeetje ginds iets fris te gaan
drinken. Ik trakteer.'

We ploeterden een halfuur later door het zand om een geschikte
plaats te vinden voor de proefvlucht. Overal lagen en zaten mensen
van het warme weer te genieten, en van de rust op de heide, en van
zichzelf, en soms van iemand anders.

Ons vliegtuigje deed het voortreffelijk. We maakten plannen om
nog regelmatig naar dezelfde plek terug te keren.

〜〜〜

Ze noemden me Butcher Haig of, erger nog, een onbekwaam generaal. 'Lions led by donkeys', zo omschreven ze het Engelse leger,
waarvan ik opperbevelhebber was in de eerste wereldoorlog. Herhaal ik mezelf? Zeur ik? Kan best, maar die verwijten worden ook
herhaald, zelfs nu nog, meer dan 80 jaar na de feiten. Overigens
stond ik in mijn vorig leven als uitermate zwijgzaam bekend.

Ik ben hier aanvankelijk met grote tegenzin opnieuw terechtgekomen, om een reden die me totaal ontging. Iemand zei me: 'Zo
hebben ook de honderdduizenden soldaten zich gevoeld toen ze zinloos de dood werden ingestuurd.' Een zekere Goebbels heeft ons
ondertussen gebriefd, ik weet nu dat ik hier niet zinloos ben.

Zinloos. Hoe durven ze overigens dat woord gebruiken? Het is
niet mijn schuld dat de oorlog vier jaar heeft geduurd, het is niet
mijn schuld dat er miljoenen doden zijn gevallen. Het is wel mijn
verdienste dat ik heb geholpen om de overwinning te bevechten.

Men heeft me verweten dat ik mensen gebruikte alsof het dingen
waren. Ustensiliën voor in de keuken. Spijkers. Schroot. Oorlog is

geen sport van zelfverdediging. Men heeft me verweten dat ik niet de nodige lessen trok uit geleverde veldslagen. Onzin. De slag aan de Marne en de slag om Passendale waren geen mislukkingen, wat men ook mag beweren.

Had ik geen respect voor het leven van mijn soldaten, mijn jongens? Stuurde ik ze zonder emotie de dood in? Ik moest mijn gevoelens beheersen, er zit weinig poëzie in een veldslag. Daarom ook heb ik nooit het front bezocht, nooit de ziekenhuizen en lazaretten. Ik wou niet geëmotioneerd worden, ik moest me helemaal op mijn opdracht kunnen concentreren.

Hoe zou de wereld zijn geworden als we die oorlog hadden verloren? Een overwinning eist ook slachtoffers, soms zelfs meer slachtoffers dan een nederlaag. Maar het was de inzet waard. Natuurlijk zijn er fouten gemaakt, maar meer door politici dan door militairen. De overwinning die wij hebben behaald, is door hen grotendeels verkwanseld, besef ik nu.

Maar verwijt me geen onverschilligheid. Integendeel. Ik wil me nog altijd inzetten voor het welzijn van de mensen. En nu ik hier een tweede kans krijg, maak ik daar dankbaar gebruik van.

〰〰

Goebbels noteerde in zijn dagboek:

'Het is jammer en eigenlijk onbegrijpelijk dat zovelen die ons hadden kunnen bijstaan, hier niet tegenwoordig zijn. Waar zijn ze, de oude kameraden, onverzettelijke strijders, idealisten die hun kleinmenselijk geweten konden en durfden uitschakelen om het universele doel te bereiken? Dagelijks herinner ik me nu hun namen weer, en het zijn niet enkel landgenoten, over de hele aarde waren en zijn ze verspreid en ze hebben, ondergronds en in moeilijke omstandigheden meestal, ons en hun werk onverdroten verdergezet. Niet zonder succes trouwens, maar het ogenblik blijkt aangebroken voor een definitieve doorbraak als de reeds bereikte resultaten niet willen verzanden.

Verblijven deze stille strijders nu in vagevuur of hel, of werden ze gewoon niet geselecteerd? Gods wegen zijn onbegrijpelijk. Maar het is wel duidelijk dat hij mij, Joseph Goebbels, de leiding van deze expeditie heeft gegeven, en wat ons te doen staat is nog duidelijker. We zullen het werk dat we lang geleden begonnen, verderzetten en deze keer tot een goed einde brengen. Wat we tot nu deden is slechts een proloog, een opwarmertje. Bij de verdwijningen kregen we enige bovennatuurlijke hulp, zeker bij de meest recente, de zeven bestuursleden van biljartclub 'De drie ballen', in feite een soort mantelorganisatie van sympathisanten van het 'Vlaams Belang'. Tussen haakjes: alle verdwenen personen zijn onmiddellijk in het hemelse hiernamaals opgenomen, ze hoeven dus niet te klagen want, eerlijk gezegd, normaal hadden ze daar geen recht op.

Van nu af wordt het ernstig.'

~~~

Walvisch was woest. Zal me een zorg zijn. Vrijheid is toch het hoogste goed volgens de herauten van de maatschappij waarin wij weer werden gedropt. Ik heb Auschwitz en Birkenau dus bezocht, op eigen initiatief. Een driedaagse uitstap, met goedvinden van Goebbels. Goedvinden, overigens, met duidelijke tegenzin. Maar uiteindelijk besefte hij dat ik, ook zonder zijn fiat, mijn zin had doorgedreven. Uiteindelijk is mijn naam Reinhard Heydrich, opnieuw en nog altijd moet er met mij rekening worden gehouden.

Het was niet eenvoudig, en het zou ook niet gelukt zijn zonder de stiekeme hulp van Cyriel, de Vlaming in ons gezelschap.

Ik begrijp zelf niet zo best waarom ik absoluut die plaatsen wou terugzien. Een masochistische trek in mijn karakter? Ik beken het, ik kreeg tranen in de ogen toen ik dacht aan de tijd van toen, aan de triomf, aan de eer waarmee ik werd ontvangen. Niemand stelde toen vragen.

Nu heerst er stilte en desolaatheid. Weinig bezoekers. Het weer was vrij koud. Ik herkende alles, zoals men ook de levende in een dode herkent.

In Birkenau stond een groepje joden in een barak. Ze hielden een gebedsstonde bij een brits. Ik ben beleefd op afstand gebleven. Ik heb ze geruime tijd gadegeslagen. Het is blijkbaar een taai volk, dat grote kracht put uit het geloof – en dat lessen trekt uit het verleden. Ik ben op de hoogte van wat nu in Israël en Palestina gaande is. Deze ellende had kunnen vermeden worden als wij onze oplossing van het jodenprobleem hadden mogen realiseren. Halfslachtigheid en zelfs onwil in de aanpak toen om het ons moeilijk te maken, en ook hypocrisie hebben, in onze glorietijd, afdoende bewezen dat niemand echt afkerig was van onze aanpak. Zelfs blij omdat wij het vuile werk opknapten. Nu zijn onze inspanningen gereduceerd tot uitingen van afkeer, even doorleefd en oprecht als een nationaal volkslied dat door een soldatenkoor wordt gezongen. Horror als middel om te ont-snappen aan de grauwe alledaagsheid, heldhaftigheid als volksver-maak.

Ik heb me herinnerd. Ik zag ze terug, de kameraden van toen, ik hoorde de golf van toejuichingen, de muziek, het ritme van de pa-rade, flarden uit toespraken doken weer in mijn geheugen op. Nee, het was geen eenvoudige of aangename taak die we onszelf hadden opgelegd, maar een noodzakelijke actie van universele betekenis, daar ben ik nog altijd heilig van overtuigd. Heden blijkt dat de toekomst ons gelijk zal geven. Het waren harde maatregelen, dat wil ik on-middellijk toegeven, maar het waren de enige met kans op succes, ze waren noodzakelijk.

Het heeft niet mogen zijn.

Urenlang heb ik door het kamp gezworven. Ik had natuurlijk an-dere locaties kunnen bezoeken, plaatsen waar ik aangenamere her-inneringen aan bewaar, te veel om op te sommen, maar ze leken me uiteindelijk toch minder belangrijk dan dit concentratiekamp, sym-bool van onze mislukking, van de ultieme nederlaag.

Darna heb ik de kathedraal van Krakau bezocht, en daar heb ik gebeden, geknield als iedereen. Woordeloos, zonder vragen, zonder biecht.

En ten slotte heb ik me bezopen natuurlijk.

~~~
~~~

De onopgehelderde gebeurtenissen bleven in de media natuurlijk een populair onderwerp. Zelfs buitenlandse kranten brachten er uitgebreide artikelen over. 'Le Figaro' was van mening dat de angst Vlaanderen en Wallonië opnieuw nader tot elkaar zou brengen en 'De Telegraaf' noemde Vlaanderen 'het Palestina van Europa'.

Een soort 'Bijzondere Commissie' werd geïnstalleerd om het verschijnsel te onderzoeken. Overal in de stad hingen affiches met de foto's van de verdwenen personen, er werden op televisie extra nieuwsuitzendingen aan gewijd en de belangrijkste kopstukken van de extreemrechtse partijen kregen speciale politiebewaking. Het leek er even op dat de maatregelen efficiënt waren, want enkele dagen werden geen nieuwe feiten meer gemeld. Maar de spanning en de onrust bleven.

Het was wel vreemd dat niemand in de pers en de publieke opinie nadrukkelijker aanwezig was dan de verdwenen personen, zeker die in groep verdwenen biljarters. 'Driebanders', specifieerde men altijd. Niemand begreep hoe het gebeurde, of waarom, aanvankelijk. De gebeurtenis, half april, sloeg in als een bom. Journalisten gingen op speurtocht, familieleden, collega's, de baas van de stamkroeg, de buren, werden geïnterviewd en men kwam, soms gniffelend, de meest merkwaardige dingen over de onschuldige biljarters te weten. Bijvoorbeeld dat Albert Wielemans, prominent lid van de kerkfabriek van de kathedraal, er altijd had van gedroomd ooit polsstokspringer op wereldniveau te worden, dat Staf Kempeneers als vierjarige kleuter al spelend zijn oma van de trap had geduwd. De rest van haar leven had zij in een rolstoel gezeten. Dat Freddy Driebergen een stille drinker was, dat Thiery Verdonk, muziekrecensent en medewerker van ''t Pallieterke' vooral bedrijvig als commentator van klassieke concerten op radio en televisie, thuis een fervent liefhebber was van Mantovani, Rieu, en doedelzak, en dat gemeenteraadslid Hervé Desmytere van het VB de werkelijke auteur was van de ongeveer 120 lezersbrieven die onder de naam van zijn zwager en andere familieleden gepubliceerd waren in meer dan een dozijn kranten en tijdschriften en die zonder uitzondering handelden over zaken waar hij geen reet van afwist. Maar het grote nieuws was dat hij regelmatig vrouwenkleren droeg, en een anonieme vrouw zei zelfs dat hij enkel met haar kon vrijen als zij mannen- en hij vrouwenkleren droeg.

♒

'De echte machthebbers blijven onzichtbaar.'

Ze zaten gezellig bij elkaar in de lounge van het herenhuis aan de Charlottalei. Er prijkten een ontelbaar aantal bibelots op kasten en bijzettafeltjes en op de drie vensterbanken, stuk voor stuk even duur als kitscherig. Enkel op de monumentale marmeren schouw stond iets echt moois, een prachtig uitgevoerde miniatuur van een met zes paarden bespannen postkoets uit het Wilde Westen. De overheersende kleur in het salon was berebruin, opgefleurd met het okergeel van diepe fauteuils en twee donkerrode berbertapijten. Het televisietoestel zat verborgen in wat een oude scheepskist leek. Ze dronken cola. Bij iedereen zat er een flinke scheut whisky in. Goebbels was natuurlijk aan het woord.

'En daar moeten wij gebruik van maken.'

Hij sprak op een voor hem merkwaardig ingetogen toon, maar precies daardoor maakte hij des te meer indruk.

'We zijn onherkenbaar en onzichtbaar, sterker nog, we zijn zelfs ondenkbaar. Het werk dat we eens zijn begonnen, waar we toen ons hele leven aan gewijd hebben, kunnen en moeten we nu tot een goed en definitief einde brengen.'

'Ik heb het al dikwijls gezegd,' merkte een lichtjes geërgerde Bomber Harris op, 'maar ik zou liever hebben dat je er rekening mee houdt dat hier ook de overwinnaars, je oude vijanden, vertegenwoordigd zijn.'

'Ik hou enkel rekening met de toekomst en met de essentie. De conflicten van toen zijn onbelangrijk in de wereld van vandaag. Er is veel dat ons bindt, nietwaar? Dat is evenwel geen vraag maar een nuchtere vaststelling.'

Hij zweeg, keek uitdagend rond, niemand repliceerde.

'Het verleden heeft ons duidelijk geleerd dat machthebbers die zich te duidelijk manifesteren precies daardoor verzet creëren. Hitler was een genie, maar ook genieën maken wel eens fouten. Hij heeft die fout betaald met zijn ondergang, wij moeten hem eer bewijzen, hem restitueren, door zijn werk verder te zetten. Geen grote manifestaties meer, geen demonstraties van macht, ook ik heb me daar indertijd in vergist. Officiële roem laat ons onverschillig. Voor de activiteiten die wij ontwikkelen is de democratie een ideaal terrein, of strijdperk, of podium. Het kapitalisme, zo verguisd maar zo sterk en bekwaam, weet die democratie geraffineerd te manipuleren. De televisie is een sterker wapen dan het zwaard, het kanon of de bommenwerper.'

'Daar ben ik het niet mee eens,' zei Bomber Harris.

'Ik evenmin,' zei Haig.

Goebbels negeerde hun opmerking volkomen.

'De verkozenen des volks zijn niet meer dan poppen in een poesjenellenkast. Het volk mag de poppen kiezen, de onzichtbare poppenspeler beslist wat de poppen doen. Schijndemocratie.'

Op die woorden volgde algemene instemming. Goebbels drukte op een belknopje en onmiddellijk verscheen Walvisch, die alle glazen bijvulde, dit keer zonder cola.

'Hoe moet het verder?' vroeg von Braun.

''Ik heb deze vergadering belegd om dat te bespreken.'

'We werden nauwelijks geraadpleegd tot nu toe.'

'Ik weet het. De verdwijningen waren uitsluitend mijn initiatief. Het was nu eenmaal eens onze specialiteit. Ik had hulp van boven natuurlijk, en ik heb, zoals net gezegd, enige ervaring. De praktische uitvoering was het werk van onze Amerikaanse collega Calley, bijgestaan door onze goede vriend Heydrich. Keurig werk was dat, waar ik hen van harte voor wens te feliciteren. Maar dit alles was enkel inleidend werk. Er moest een bepaald klimaat worden gecreëerd, en dat is voortreffelijk geslaagd.'

'Geslaagd?' riep Cyriel Verschaeve. 'Het zijn stuk voor stuk voor Vlaanderen waardevolle mensen die zijn verdwenen, het waren medestrijders. Mensen die geloven in onze idealen.'

'Men kan geen omelet maken zonder eieren te breken,' zei Bomber Harris.

'Ik heb ervoor gezorgd dat zij een belangrijke rol in onze strijd konden spelen.' Goebbels klonk opeens grimmiger. 'Hun verdwijnen maakt het voor iedereen duidelijk dat zogezegd een misdadige linkse organisatie een terreurcampagne aan het voeren is. Wat ze langs democratische weg niet kunnen, willen ze met criminele activiteiten bereiken. Er is een belangrijk moment aangebroken. Het is tijd om tot een volgende fase over te gaan. We moeten verwarring creëren, het raadsel vergroten. We mogen niet vergeten wat Hitler ook aan Rauschning, die miserabele kazakdraaier, heeft gezegd: 'Verwarrende gevoelens, morele conflicten, onzekerheid, paniek, dat zijn onze wapens.'

'En ik,' zei Heydrich met ongeveinsde trots, 'heb eens gezegd: Men bestrijdt geen ratten met een revolver, maar met gif of gas.'

Goebbels hief het glas.

'Op de overwinning,' tootste hij.

'Op de overwinning,' zeiden ze en ledigden hun glazen tot op de bodem.

$$\approx$$

Noot van de schrijver

:Over de verdwenen personen werd inderdaad nooit meer iets vernomen, en ook hoe ze verdwenen werd nooit opgehelderd. En dit niettegenstaande de enorme aandacht van de overheid en de pers. De zaak blijft een van de vele onopgeloste gerechtelijke zaken, maar is als dusdanig helemaal niet uitzonderlijk.

Denk maar aan het geval van de Bende van Nijvel.

In een realistisch verhaal als dit is iets dergelijks dus helemaal geen lacune of geen bewijs van zwakte, maar een volkomen natuurlijk en aanvaardbaar feit.

∿

Het lijkt wel alsof ik voor mezelf een buitenstaander ben geworden. Niettegenstaande ik trouw mijn medicijnen neem, blijft de depressie. Constant gevoel van moeheid, onverschilligheid, inertie. Hoe groter de massa mensen rond mij, hoe intenser mijn eenzaamheid. Vriendschap kwetst me meer dan onverschilligheid, want ze creëert verplichtingen. De medicijnen die ik moet nemen, hebben volgens de bijsluiter ongeveer 120 kwalijke bijwerkingen. Aan de meeste ben ik onderhevig, impotentie is niet eens de ergste, ook al ben ik zo impotent als een 100-jarige eunuch. Impotentie blijkt overigens zeer frequent voor te komen, maar dat is moeilijk een troost te noemen Ik heb weinig eetlust, wat mijn al minieme energie ook niet stimuleert. Ik voel me constant overbodig in eigen leven. Elke morgen ontwaak ik met één enkel verlangen: mijn ogen weer dicht kunnen doen. Maar ik moet actief blijven. Niet omdat mijn opdracht me absorbeert, maar omdat ik nu eenmaal dringend in mijn levensonderhoud moet voorzien.

Ik voer de bevelen uit die me worden gegeven door de leden van het gezelschap. Het is me onmogelijk de echte opdrachtgevers te contacteren of te kennen. Sommige opdrachten bereiken me via 'Allround'. Het is dus niet mogelijk zin of bedoeling van de activiteiten te achterhalen, wat mijn situatie nogal wazig maakt. Ik voer uit wat me wordt opgedragen zonder vragen te stellen, alsof ik een militair ben. Of een gevangene. Maar dat er een film wordt voorbereid, daar geloof ik nog nauwelijks in.

De mensen die me zijn toevertrouwd ken ik niet, hun personages wel natuurlijk. Ik heb me discreet gedocumenteerd. Het zijn stuk voor stuk illustere historische figuren, maar op mij maken ze een zeer banale indruk. De naam van de regisseur kom ik niet te weten. Ik heb het eens aan die Heydrich gevraagd. Hij aarzelde even, zei toen 'Gottlieb' en snoot zijn neus. Ik heb die naam opgezocht, maar naslagwerken noch Google kenden hem. Heydrich maakte een grapje, zoveel is dus duidelijk. Hun voortdurende verbazing over alledaagse zaken vond ik aanvankelijk komisch. Ze vroegen me honderduit over alles en nog wat. Eerwaarde heer Cyriel Verschaeve kende ik uiteraard best, op school heb ik nog over hem geleerd en zijn zogenaamde verzen moeten lezen. Hij maakte moeilijkheden toen ik hem beleefd vroeg, daarna moest bevelen, om zijn opvallende soutane uit te trekken en in clergy op straat te komen. Hij zag dat als een aantasting van zijn waardigheid. Alsof zijn houding in en na de oorlog dat niet was. Ik had nu eenmaal de opdracht ervoor te zorgen dat de leden van het gezelschap zo min mogelijk zouden opvallen. Uiteindelijk heeft hij toegegeven. In een burgerpak voelt hij zich, dat is duidelijk, net zo thuis als een oude kwezel in een minirok. Haig is de meest ontoegankelijke en pretentieuze. Een typische Engelse militair van de oude school.

Waarom precies ik deze taak heb gekregen is en blijft voorlopig een raadsel. Ik ben geen BV, ik blink in niets uit, ik ben geen historicus, ik ben een doodgewone vrijgezel die zich door het leven tracht te slaan.

Ik heb niet de indruk met iets illegaals bezig te zijn, al duikt dat vermoeden steeds frequenter op.

Mysteries zijn me vertrouwd, ik heb een zeer katholieke opvoeding gekregen. De 'Catechismus van Mechelen' was mijn Bijbel, de Gewijde Geschiedenis mijn avonturenboek, de Heilige Drievuldigheid mijn musketiers, de Romeinen mijn indianen.

Tot laat in mijn puberjaren was ik uitzonderlijk braaf en gelovig. Heiligen waren me dierbaarder dan voetbalkampioenen en wielrenners. Vele jaren was ik misdienaar, ik was actief in allerlei organisaties van naar het schijnt menslievende aard, ik ging elke zondag naar de mis, elke maand te biechten, at elke vrijdag vis en als ik masturbeerde, wat dikwijls het geval was, voelde ik me, zoals in die periode en in die omgeving gebruikelijk was, zeer schuldig. Twee keer in mijn leven heb ik ernstig verkering gehad, maar twee keer liep het mis. Door mijn schuld, moet ik bekennen, omdat ik blijkbaar zeer onpraktisch was in de seksuele praktijk, en van nature uit ook niet erg geschikt voor het samenleven. In wezen ben ik een solitair. Ooit las ik gefascineerd het indertijd ophefmakende boek 'Le Matin des Magiciens' van Pauwels en Bergier (in een interview had ik gelezen dat Hugo Claus, lang geleden, het een fascinerend boek vond) en de volgende jaren las ik nauwelijks nog iets anders dan boeken over alchemie, occultisme, verdwenen beschavingen, astrologie en tutti quanti.

Ach, die periode ligt ver achter mij, maar ze werkt blijkbaar nog na Ik ben ervan overtuigd dat er meer is dan de zichtbare en begrijpelijke wereld, ik aanvaard de menselijke beperktheid.

Ook geschiedenis heeft me lange tijd kunnen boeien, helaas te oppervlakkig, te anekdotisch, wat bedrieglijk is. Dit is geen excuus, maar geschiedenis was een vak dat buiten de lesuren niets te betekenen had. De geschiedenis op school stopte trouwens bij Napoleon, hooguit bij de Verklaring van de Belgische Onafhankelijkheid. Van het Belgisch volkslied kenden wij enkel de apocriefe versie, over een oude aap met moeilijkheden aan zijn teelballen. Ik herinner me dat mijn vader me lachend vertelde dat bij de destijds fel betwiste jaarlijkse derby België-Nederland alle tienduizenden Nederlanders uit volle borst hun Wilhelmus van Nassaue meezongen of meebrulden en verontwaardigd reageerden als de schaarse de Brabançonne meezingende Belgen de voorkeur gaven aan de niet-officiële versie.

Ik had de indruk dat ik oordeelkundig handelde door trouw voor de socialistische partij te stemmen, de partij van de kleine man, een ras waarvan ik deel uitmaakte.

Partijprogramma's las ik overigens nooit.

'Laten we bidden,' beval Cyriel Verschaeve.

Iedereen boog het hoofd en Heydrich vouwde zelfs de handen in navolging van de priester (die binnenshuis nog altijd in soutane liep).

'Wij zijn kinderen Gods, meer zelfs, wij zijn de soldaten van God. Laten we vooral niet vergeten dat we in een uitzonderlijke situatie verkeren, dat wij afgezanten zijn van de Heer in de meest letterlijke betekenis van het woord. Wij zijn weer op aarde gezet om zijn wil te volbrengen. Tot het uiterste moeten we gaan om deze, onze heilige plicht, te vervullen. Vragen stellen is een teken van twijfel en dus van zwakte. Gods wegen zijn nu eenmaal ondoorgrondelijk en zelfs als het doel ons onduidelijk zou zijn, moeten wij nog als dappere soldaten oprukken ter verdediging van ons geloof, onze cultuur, kortom onze beschaving. Trots moeten wij ons verzetten tegen de ons bedreigende barbaren. Ongetwijfeld zijn wij op een kritiek punt beland, zijn de mensen, ook de meest bekwame, niet meer in staat om de zaken naar behoren te besturen en heeft God in zijn goedertierenheid besloten om in te grijpen. Laten we bidden. In de naam van de Vader en de Zoon en de Heilige Geest…'

Ze prevelden de gebeden mee.

Na de gebedsstonde diende Walvisch, die blijkbaar achter de deur had staan luisteren, koffie, thee en gebakjes op.

'Eerwaarde,' zei Von Braun, met volle mond, 'sta me toe een vraag te stellen.'

'Ik luister.'

'We zijn hier met zeven mannen…'

'Een heilig getal, een mystiek getal…'

'… en als we inderdaad hier een taak te vervullen hebben vraag

56

ik me toch af waarom precies wij werden uitverkoren. Ik zie het verband tussen ons niet.'

'Ieder van ons bezit de kwaliteiten die nodig zijn om…'

'Ik mis goede vrienden, ik mis zeer bekwame mensen, die ons ongetwijfeld enorm zouden kunnen helpen.'

'Vergeet niet dat onze oude kameraden niet altijd ook goede christenen waren. Niet elk van ons bereikte de Hemel. Velen hebben zwaar gezondigd tegen diverse geboden, of ontkenden zelfs staalhard het bestaan van Onze Heer, of waren niet gedoopt.'

Von Braun bleef bedenkelijk kijken.

'De Hemel is niet alleen moeilijk toegankelijk, hij is, dat weet u toch, zeer streng georganiseerd. Het is mogelijk dat uw vrienden in andere sectoren…'

'Wij hoorden bij elkaar.'

'Twijfel nooit aan de goddelijke wijsheid. Aanvaard in nederigheid.'

'Ik zal me inzetten met al mijn kracht,' beloofde Von Braun, 'maar ik blijf het betreuren dat ik de steun moet missen van zovele trouwe kameraden en bekwame mannen.'

'Ik kan u begrijpen. Ik zal voor u bidden.'

'En nu aan het werk,' besloot Goebbels vrij blasfemisch.

〰

Antwerpen ontwaakte en zag op de morgen van 25 april dat een gevel van de Boerentoren haast volledig bedekt was met een doek waarop stond

God

Is

Dood

(klein Pierke)

Het doek was haast dubbel zo groot als dat waarop eens een gedicht van toenmalig stadsdichter Tom Lanoye had gestaan.

De ontzetting was vooral groot bij de directie van KB, want zij wisten nergens van, de verantwoordelijken voor het gebouw evenmin. Ook op het stadhuis heersten opwinding en verontwaardiging.

Het ochtendverkeer in de binnenstad, dat normaal al zo druk is, kwam volledig in de knoop te zitten en natuurlijk stonden er de volgende dag foto's in alle kranten, prominent op de voorpagina. In een opgemerkt redactioneel artikel stelde 'De Standaard' dat het geduld van de bevolking op was, en dat een resoluter optreden van de overheid werd geëist. Ook vroeg men zich natuurlijk nogmaals af welke organisatie achter de actie zat.

'Het is meer dan vreemd dat deze actie, en ook niet de verdwijningen van de vorige weken, door geen enkele organisatie werd opgeëist. En het moet geen geringe of amateuristische organisatie zijn die verantwoordelijk is, ze weet grandioos alle sporen uit te wissen. Het is duidelijk dat het geen sinecure is om een dergelijk doek naar de haast hoogste verdieping te smokkelen en dan op een professionele manier uit te hangen. Navraag bij de verantwoordelijken van de Kredietbank leverde niets op, behalve een bijna beschaamd en geïrriteerd klinkend 'Geen commentaar in het belang van het onderzoek'.

De 'man in de straat' vraagt zich ondertussen, terecht ongerust, af welke bedoeling er achter deze 'boodschap' zit, en of er inderdaad een verband is met de onrustwekkende verdwijningen. En vooral wacht hij angstig af wat zal volgen.'

Het doek bleef, in het belang van het onderzoek, hangen tot even na de middag, tot grote verontwaardiging van talrijke gelovigen. Er werden ook twee nonnetjes gesignaleerd die ruim een uur, geknield op het trottoir van de Meirbrug, hadden zitten bidden.

♒

Goebbels noteerde in zijn dagboek:
'Succes. Eerwaarde Heer Cyriel Verschaeve, die ik bewust niet van onze actie op de hoogte had gebracht, was woedend. Godslas-

terlijk, riep hij uit. Wij moesten er hartelijk om lachen, wat niet van aard was om zijn woede te bekoelen.

Het was een huzarenstukje, waar we trots op zijn. Al beken ik in alle nederigheid en eerlijkheid dat we het nooit hadden kunnen uitvoeren zonder een goddelijk zetje. Dat vind ik er ook zo mooi aan: God heeft gevoel voor humor.

Effect ressorteert de stunt in elk geval. Ik zal onze vriend Cyriel direct uitnodigen om de verwarring nog te vergroten door een lezersbrief naar de kranten te sturen. De moeilijkheid wat dat betreft is dat sommige kranten de identiteit van de schrijver van brieven die ze publiceren natrekken, en dat wil ik in ons geval om voor de hand liggende redenen vermijden. Ik zal dus onze aardse bewaarengel Walter Walvisch moeten inschakelen.

〜〜

Walter Walvisch noteerde op vrijwel hetzelfde ogenbik in zijn dagboek:

'Ik voel me als een huiskat die met de baasjes wil communiceren, maar er niet kan toe komen zich verstaanbaar te maken. Ik zit gevangen in mezelf. Soms heb ik de indruk dat ik niet besta, soms dat enkel ik reëel ben en de buitenwereld fictie, soms dat ik me ontdubbel en buiten mezelf leef.'

〜〜

'Ik heb een probleem,' zei Walter Walvisch

'Ik heb er wel een dozijn,' lachte Dirk. 'Om te beginnen al met de onregelmatige werkwoorden, dan met de Heilige Drievuldigheid, met het boek van Multatuli dat we op school moeten lezen, met...'

'Met de liefde,' vulde Sim aan.

We zaten op het terras van het café in Kalmthout waar we al eens waren geweest en waren net, voor de verandering, met een zweefvliegtuig, dat Sim in elkaar had geknutseld zonder bouwplan, enkele uren bezig geweest, zonder veel succes.

'Ik heb een probleem,' herhaalde Walter, 'met de heren voor wie ik moet zorgen. Ze hebben een lezersbrief geschreven die ze naar 'Het Laatste Nieuws', de krant met de grootste oplage, willen zenden, maar ze willen dat in mijn naam doen.'

Hij pauzeerde even, we keken hem nieuwsgierig aan.

'Ik moet hem ondertekenen omdat zij, zeggen ze, contractueel verplicht zijn volkomen anoniem te blijven. En het is een zonderlinge brief. Ze hebben een theorie over de reeks gebeurtenissen die hier hebben plaatsgevonden. In die brief stellen ze dat die het werk zijn van… schrik niet… van buitenaardse wezens.'

'Kwaak ,' zei Dirk.

Walter haalde zijn portefeuille boven en nam er een papier uit.

Dit is de brief:

'Geachte redactie,

Zoals iedereen maak ook ik me zorgen over de reeks verdwijningen in onze geliefde stad, en over de bedoeling van acties als het spandoek op het torengebouw aan de Meir. Natuurlijk vertrouw ik erop dat de bevoegde diensten energiek bezig zijn met het opsporen van de daders. Dat ze zich daarbij concentreren op extreemlinkse milieus en figuren lijkt logisch. Maar wat logisch lijkt, is niet altijd juist. Men mag andere pistes niet verwaarlozen; en persoonlijk vraag ik me af of we hier niet te maken hebben met het werk van bewoners van een andere planeet.

Dat er nog niet het minste resultaat werd geboekt in het opsporingswerk kan ons al doen vermoeden dat hier uitermate intelligente en nauwgezette mensen, of wezens, aan het werk zijn.

'De grens tussen werkelijkheid en verbeelding is erg vaag. De wetenschap heeft niet voor alles een verklaring. Niet enkel in de Oudheid werden als wetenschappelijk vaststaande feiten dingen verkondigd die enkel bestonden in de niet altijd heldere hoofden van soms overspannen geleerden, profeten en schrijvers. Heel wat foute

60

theorieën kon men toen niet corrigeren omdat wetenschap of techniek daar nog niet toe in staat waren. Vroeger dacht men dat de aarde plat was en dat de zon rond de aarde draaide. Niet verwonderlijk. Wie het tegendeel beweerde, werd gek verklaard. Wie durft nu te beweren dat de wetenschap zich niet vergissen kan? Het onderzoek van zowel de macro- als de microkosmos bewijst regelmatig dat zogezegd wetenschappelijk vaststaande feiten slechts een effect zijn van onze verbeelding, van gebreken van onze zintuigen, van de onvolmaaktheid van de techniek. Van gezichtsbedrog. Van vooroordelen. Eeuwenlang heeft men onweerlegbaar bewezen dat vliegen onmogelijk was. Dat een atoom onsplitsbaar is. Het fantastische is nauwelijks vreemder dan de realiteit. We zijn beperkt, we leven ergens tussen het onwaarschijnlijk grote en het even onwaarschijnlijk kleine. Je weet dat er miljarden, triljoenen hemellichamen bestaan, je weet welke onvoorstelbare afstanden ze scheiden. Maar ook in de wereld van het onvoorstelbaar kleine bestaan afstanden die, alle verhoudingen in acht genomen, vergelijkbaar zijn. Moleculen worden gevormd door atomen. Die atomen bestaan uit protonen, neutronen, elektronen. Maar ze bestaan vooral uit niets, uit lege ruimte. Een klein stukje hout of ijzer bevat triljoenen moleculen. Een triljoen schrijf je met achttien nullen. Maar toch zijn die moleculen bijna onbestaande in verhouding tot de ruimte waarin ze bewegen. In verhouding zijn ze haast even ver van elkaar verwijderd als sterren en melkwegstelsels. Nog niet zo heel lang geleden zou men die wetenschappelijke gegevens als louter fantasie hebben beschouwd. Wat ons leert dat we moeten oppassen om niet schokschouderend iets al te vlug als onmogelijk of als een effect van een ziekelijke verbeelding te beschouwen. De mens landde op de maan, ooit zal hij ongetwijfeld op andere planeten arriveren. Waarom zouden bewoners van andere planeten ons niet kunnen bereiken? Er zijn geluiden die we niet kunnen horen, kleuren die we niet kunnen zien. Ons gezichtsvermogen is beperkt. Bovendien zouden deze bezoekers een soort kameleons kunnen zijn die er totaal identiek aan ons gaan uitzien. Of misschien zijn het zuivere geesten, die bezit kunnen nemen van het lichaam van een aardbewoner, zoals men vroeger dacht dat een duivel bezit kon nemen van een mens. Veronderstel even dat deze ruimtewezens hebben besloten om onze planeet te koloniseren. Waarom? Misschien uit wetenschappelijke nieuwsgierigheid, misschien uit veroveringsdrift, misschien uit noodzaak omdat hun planeet bedreigd wordt door een botsing of uitputting. Geen vreemde motieven voor ons, aardbewoners, die hopen ooit eens op andere planeten te kunnen landen en onwaarschijnlijk hoge bedragen aan dat plan spenderen. We kunnen ons de vraag stellen: Waarom doen zij mensen verdwijnen? Mogelijk om ze te gebruiken als proefpersonen, om ze te bestuderen, Waarom dan enkel mensen van uitgesproken rechtse signatuur? Iets in hun mentaliteit sluit daar misschien bij aan. Zij kunnen zich misschien identiek maken aan ons, zich gedragen, denken en voelen als wij. Ze voelen zich hier veilig, want ze weten dat wij niet echt in hun bestaan geloven. Iemand die aan de noordpool rondloopt gaat ook niet achter elke ijsberg kijken of er een leeuw verborgen zit. Eigenlijk zou ons dat minder verbazen dan met bewoners van een andere planeet te worden geconfronteerd. Wij houden nogal van ons uniek zijn, maar dat mag ons niet verblinden. Die anderen zijn hier misschien al lang, al eeuwen, aanwezig, zij hebben ons in alle rust kunnen bestuderen. Natuurlijk beschikken zij over vermogens die wij ons niet kunnen voorstellen, kennen zij ons beter dan wijzelf ons kennen. Hoogachtend.'

Walter zuchtte.

'En hier zou ik mijn naam onder moeten zetten.'

'Kwaak ,' zei Dirk.

Zouden wij inderdaad de machteloze slachtoffers kunnen zijn van interplanetaire wezens? Het was een even opwindende als schrikwekkende veronderstelling. Sim en Dirk leken al even ontdaan als ik.

'Ik ben ervan overtuigd dat onze leraar wiskunde van een andere planeet komt,' zei Dirk, maar niemand lachte.

'Hoe zou men zich kunnen verdedigen tegen vijanden over wie

we niets weten, die we niet eens kunnen onderscheiden van onze vrienden?' vroeg ik. Het klonk vreemd dramatisch.

'We weten niet eens of het wel vijanden zijn,' zei Dirk, die altijd de nuchterste van ons was.

De inhoud van de brief prikkelde in elk geval onze verbeelding, we voelden ons opgewonden, begonnen druk te speculeren en fantaseren over marsmannetjes en dergelijke. Maar Walvisch bleef zorgelijk kijken, en opeens kreeg ik een inval, een inval die, ik beken het hier onmiddellijk, te wijten was aan mijn ijdelheid.

'Ik heb een oplossing voor je probleem. Zet mijn naam onder die brief.'

'Onze naam,' corrigeerde Dirk onmiddellijk.

Walter leek eerst te aarzelen, maar dan klaarde zijn gezicht op.

'Zouden jullie dat voor mij willen doen?'

'Natuurlijk,' zeiden we in koor.

Het vooruitzicht mijn naam in de krant te zien wond me enorm op.

♒

Twee dagen later stond de brief in de krant, in een kadertje, zodat de aandacht er extra werd op gevestigd. We kochten vijf exemplaren van die editie en waren er vervolgens echt van overtuigd dat buitenaardse wezens de oorzaak van alles waren.

Ook viel het me op dat mijn gedrukte naam een heel andere indruk maakte dan mijn met de hand geschreven naam. Voor het eerst was ik ook verzoend met mijn voornaam. Bas leek me krachtig. Mijn ambitie om auteur te worden groeide.

♒

De mogelijkheid dat bewoners van een vreemde planeet verantwoordelijk zouden zijn voor de mysterieuze voorvallen werd aanvankelijk door niemand ernstig genomen, maar kreeg wel ruime aandacht. Enkele dagen later bracht 'De Standaard' een lang uitgewerkt epistel over hetzelfde thema, en een kort interview met een wetenschapper die vast in UFO's geloofde en die theorie niet als zwakzinnig afwees. Onmiddellijk reageerde een professor van de Leuvense universiteit, wat een stroom van lezersbrieven tot gevolg had, met als resultaat dat wat haast iedereen fantasie noemde steeds reëler werd. Uit de archieven werden studies opgediept, reportages en getuigenissen over vreemde en onverklaarbare verschijnselen overal in de wereld, lange verhalen over grote raadselen van onze beschaving. Zelfs Toet Anch Amon werd weer populair. In de openbare bibliotheken bleken werken over UFO's en de Bijbel opeens weer erg in trek. Een artikel in 'Dag Allemaal' citeerde, op de voorpagina, zelfs Einstein, onder de kop 'Ook Einstein geloofde in planeetbewoners'. Een sterke indruk maakte ook het bericht dat eraan herinnerde dat in de Chileense Aracamawoestijn de grootste megatelescoop ter wereld al jarenlang naar leven in de ruimte speurt. Wat bewijst dat ook ernstige wetenschappers met de mogelijkheid rekening houden. Er werd uiteindelijk meer gediscussieerd over ruimtewezens dan over voetballers. En ik kreeg, voor mijn verjaardag, een bouwdoos cadeau waarmee een zogezegd ruimtetuig kon worden nagebouwd. We waren daar een heel weekend mee zoet.

Maar opeens werd de situatie nog veel ernstiger dan werd gevreesd. Op zondagavond 24 april viel in heel Antwerpen de elektriciteit uit. Het was alsof de stad onder een zwart deken verdween. Door de zware bewolking was er niet eens een ster te zien. Op enkele plaatsen brak paniek uit, want sommige mensen brachten de panne onmiddellijk in verband met buitenaardse wezens.

We zaten thuis naar een tv-film te kijken toen alles duister werd, het beeld wegviel, natuurlijk net op een spannend moment.

'Godverdomme,' zei vader.

Ik stommelde naar het raam. Wij wonen op de vijfde en hoogste verdieping van een van die nogal moderne flatgebouwen aan de rand van de stad. Nergens was een lichtje te bespeuren.

Het was alsof de nacht boven de stad was ontploft.

Op dat moment dacht ook ik aan bezoekers van een andere planeet, en het was geen prettig idee. We staarden met z'n allen door het raam en dachten aan hetzelfde. Ik betrapte me erop dat ik naar de hemel keek, alsof ik verwachtte elk ogenblik een ruimteschip te zien verschijnen, en dan weer naar de zwarte kuil waarin de stad lag. Niemand zei wat.

In de huizen aan de overkant van de straat begon hier en daar een vaag licht te schijnen, vol bewegende schaduwen, kleine kwetsbare eilandjes van wapperend licht. Vader schuifelde weg van het raam en diepte uit een lade een eindje kaars op. De vlam walmde. We spraken met gedempte stemmen, ik weet niet waarom.

Na ongeveer een halfuur floepte in de hele stad het licht weer aan en leek het alsof er niets was gebeurd.

Maar toen we van zowat overal gierende banden en sirenes hoorden van brandweerwagens, politiecombi's en ziekenwagens beseften we dat er heel wat was gebeurd. Op de radio meldde men in een extra nieuwsuitzending dat op verscheidene plaatsen, in theater- en bioscoopzalen en in de disco 'King Kong', paniek was uitgebroken. In de vlucht naar uitgangen waren mensen vertrappeld, men hield rekening met de mogelijkheid dat er zelfs enkele doden te betreuren waren. Zenuwachtige en gehaaste automobilisten hadden heel wat aanrijdingen veroorzaakt, met zowat overal verkeerschaos tot gevolg. In ettelijke cafés was men met elkaar op de vuist gegaan en van de chaos bleken snelle en koelbloedige dieven gebruik te hebben gemaakt om hun slag te slaan. Een man, die lang voor de elektriciteitspanne in een ongeval betrokken was geweest en in het ziekenhuis Stuivenberg was behandeld, keerde met omzwachteld hoofd naar huis terug en werd in het vage licht van een passerende auto door enkele mensen als een buitenaards wezen aanzien en grondig in elkaar geslagen. De politie bracht hem terug naar het ziekenhuis waar hij net vandaan kwam. Ook was door een omvallende kaars het interi-

eur van het net naast het station gelegen hotel 'Splendid' in brand ge-
vlogen. Mensen die van op afstand de vuurgloed zagen, dachten dat
het station brandde en vermoedden daar het werk van de interplanetaire bezoekers in, wat tot een paniekvlucht leidde. In de chaos
werd een vrouw verkracht. Het was een ware hel, zei iemand de volgende dag op de radio, en dat kon ik best geloven.

Toen het licht weer aanflitste, keerde de rust weliswaar vlug terug,
maar de hele nacht bleven de sirenes van de hulpdiensten hoorbaar,
slapen was gewoon onmogelijk. Ik lag te woelen in bed, de vraag of
we inderdaad werden bezocht door buitenaardse wezens liet me niet
los en pas tegen de morgen viel ik in een loodzware slaap, waaruit ik
door moeder opgewonden en moe werd gewekt. Want de school,
die zou enkel sluiten als de wereld definitief verging. Te oordelen
naar hun uiterlijk had niemand een rustigere nacht doorgemaakt dan
ik.

Natuurlijk brachten alle kranten sensationele verhalen over de gebeurtenissen. De elektriciteitsmaatschappij verontschuldigde zich,
maar verklaarde wel dat een panne van die omvang niet enkel uitzonderlijk maar eigenlijk onverklaarbaar was. Uit een onmiddellijk
ingesteld onderzoek was gebleken dat nergens een technisch man-
kement was vastgesteld, dat ook menselijke fouten uitgesloten waren,
evenals misdadig opzet. Een uitzonderlijke en nog niet geanalyseerde
samenloop van omstandigheden moest de oorzaak zijn geweest. Het
onderzoek zou intensief verder worden gezet.

Onmiddellijk na schooltijd telefoneerden we naar Walvisch.

'Ik had verwacht dat jullie me zouden bellen,' zei hij lachend.

En hij antwoordde op onze vraag nog voor we ze hadden gesteld.

'Uiteraard kan het toeval zijn. Enkele jaren geleden zat zelfs heel
New York eens zonder licht.'

'Geboortenpiek,' wist Sim wereldwijs.

'Men moet met alles rekening houden.'

'Dus ook met marsmannetjes,' zei Sim.

'Wat zouden die met hun acties willen bereiken?'

'Paniek veroorzaken,' zei Walter bedachtzaam. 'De onzekerheid kan fatale gevolgen hebben, fataler zelfs dan een echte interplanetaire invasie. En het maakt niet uit of de daders linkse terroristen zijn of marsmannetjes.'

(Ik was, tussen haakjes opgemerkt, helemaal niet ontevreden over de kwaliteit van mijn verslag.)

~~~

Op Canvas zond de VRT een gesprek uit met Vlaams Belang prominente Filip Dewinter en Bart De Wever aan de ene kant en professor Vermeersch met publicist Wim van Rooy aan de andere kant. Dewinter poneerde dat de theorie van de ruimtewezens pure kitsch was, dat men hiermee zand in de ogen strooide en dat de aard van de acties onloochenbaar bewees dat er linkse extremisten, al of niet gesteund door islamitische organisaties, aan het werk waren. Bart De Wever was van mening dat men inderdaad een belangrijke piste had verwaarloosd, met name die van de Ayatollahs en islamitische extremisten, Al Qaida behoorde tot de mogelijkheden, terwijl professor Vermeersch alle standpunten relativeerde en Van Rooy de stellingen van hun opponenten ondergroef en belachelijk maakte, zonder evenwel de Islamieten vrij te pleiten. Het werd een verwarrende uitzending, die dus veel weerklank had.

~~~

Er heerste een gezellige sfeer in het salon. De flessen werden vlot doorgegeven. Goebbels had zijn meest recente initiatief toegelicht. Enkel My Lai (zoals William Calley soms plagerig werd genoemd, omdat het hem duidelijk ergerde) had kritiek.

'Maar we wisten nergens van. We hadden afgesproken dat alles eerst zou worden besproken.'

'Dat zal in de toekomst ook gebeuren. Beloofd.'

'Natuurlijk in de toekomst.'

'Dit was niet meer dan een experiment. Ik was helemaal niet zeker of het zou lukken. We hebben speciale vermogens, maar we zijn geen goden. In elk geval, het werd een succes, vooral dankzij de inzet en de kennis van onze goede vriend Von Braun. We hadden net zo goed de atoomcentrale in Doel kunnen uitschakelen. Of erger. Maar laten we niet vooruitlopen op ons schema. Het effect van de actie heeft mijn stoutste verwachtingen overtroffen, het is op lokaal vlak zelfs te vergelijken met wat ontstond na de beruchte vliegtuigaanvallen op de towers in New York. Wat zij konden, dat kunnen wij ook.'

'Ik vond die actie in New York verwerpelijk,' zei Harris, die al behoorlijk bezopen was. 'Vliegtuigen mogen niet als bommen worden gebruikt. Dat is misdadige degradatie van superieure techniek.'

'De tijden veranderen.'

Er werd spottend gelachen.

'Ik blijf bij mijn mening dat het een fout is, nee, een misdaad, om een vliegtuig op een dergelijke wijze in te zetten. Ik zou met zo'n actie nooit akkoord kunnen gaan. Een vliegtuig, daar moet je respect voor hebben, dat is een wonder van techniek, een toppunt van menselijk vernuft, daar staan te weinig mensen bij stil.'

'Het doel heiligt de middelen,' zei Goebbels, die niet hield van dergelijke discussies. Onvruchtbaar noemde hij ze.

'Over televisie gesproken,' kwam Haig tussenbeide.

'Wie zei wat over televisie?'

'Ik. Nu. Als er in mijn tijd televisie was geweest, zou de oorlog nooit zo lang hebben aangesleept. Van in mijn bureau op het hoofdkwartier hadden we de toestand op het front nauwgezet kunnen beoordelen en ingrijpen waar nodig.'

'Ook de Duitsers zouden televisie hebben gehad.'

'Ik blijf bij mijn mening. Met gepaste bescheidenheid zeg ik het, maar tactisch was ik superieur aan mijn Duitse collega's. Ik heb geen vergissingen begaan, mijn bijnaam is totaal onterecht, maar mijn acties hadden betere resultaten op kunnen leveren. Ik verwijs naar het verloop van de gevechten bij Passendale. Dat was geen akkefietje, het was mijn bedoeling om de haven van Zeebrugge te bereiken en zo de acties van de Duitse U-boten te bemoeilijken en…'

'Honderdzestig duizend doden,' zei Harris, gniffelde, en vulde zijn glas opnieuw.

'En hoeveel in Dresden?' riposteerde Haig geprikkeld.

'Heren,' zei Goebbels.

'Mijn soldaten,' beweerde Haig, 'zijn niet nutteloos gesneuveld. Dat kan men van de burgers in Dresden niet zeggen.'

'Haast zoveel als in Hiroshima.'

'Ook dat was verantwoord, het maakte een einde aan de oorlog.'

'Nagasaki.'

Niemand reageerde, het was onduidelijk wie dat had opgeworpen.

'Vooruitgang,' zei Haig smalend. 'Hoeveel slachtoffers in de Peloponesische oorlogen, door de Kruistochten, door…'

'Wij vechten niet voor de toekomst, wij vechten altijd tegen de toekomst.'

Cyriel Verschaeve mengde zich voor het eerst in het gesprek.

'Hoe bedoel je?'

'Daar hoeft geen verklaring bij. Kijk maar wat er gebeurt tussen Joden en Palestijnen. Dat is niet waar wij voor vochten, ons leven voor opofferden.'

'Heb jij gevochten?'

Verschaeve keek speurend rond, het was hem ontgaan wie dat had gezegd, maar hij vervolgde onverstoord.

'Jawel. Ieder vecht op zijn manier. Het woord was mijn wapen.'

'Inderdaad,' viel Goebbels hem bij.

Verschaeve keek hem dankbaar aan.

'Die sabotage van het elektriciteitsnet,' zei hij, 'was een verrukkelijk symbool. De wereld van nu is in het duister gedompeld, maar wij zullen licht brengen. Hemels licht.'

'Daar drinken we op,' zei William Calley.

Antwerpen lijkt me een mooie en gezellige stad, dacht een rustig fla-nerende Von Braun. Hij had erop gestaan helemaal alleen, dus zelfs zonder Walter Walvisch, de stad te gaan verkennen. De sfeer op-snuiven, noemde hij het. En hij zei ook: 'In een stad verloren lopen is de enige goede manier om haar echt te leren kennen.'

De stad was hem niet helemaal onbekend, al was hij er nooit eer-der geweest. De verklaring daarvoor was eenvoudig: gedurende 175 dagen, in 1944/45 had men er 8696 V2's en 1610 V1's op afgevuurd. Zijn geheugen voor cijfers was altijd al uitstekend geweest. Tijdens luchtige cafégesprekken verraste hij er graag de mensen mee.

Hij was van de Charlottalei, vertrouwend op zijn instinct, on-middellijk de richting van het centrum ingeslagen, was via de Quel-linstraat op de De Keyserlei terechtgekomen en had zich uiteraard herinnerd dat hier cinema Rex had gestaan waar een bom de nokvol gevulde bioscoop had vernield en in één klap ongeveer 1200 men-sen, overwegend vrouwen en kinderen, had gedood. Het exacte aan-tal ontsnapte hem, wat uitzonderlijk was.

De stad had zich helemaal hersteld van de oorlogsschade, stelde hij vast. Men had hem verteld dat er ook niet het kleinste aandenken aan die periode bewaard was gebleven. Sommige steden bewaarden een puinhoop of een vernield monumentaal gebouw, onaangeroerd, bij wijze van herinnering.

Rustig wandelde hij over de Meir tot aan de Groenplaats, bezocht de kathedraal, dronk koffie op de Handschoenmarkt, liep over het wan-delterras en verdwaalde ten slotte een tijdje in het Schipperskwartier.

Niemand herkende hem uiteraard. Aan de gedempte zuiderdok-ken keek hij een tijdje naar spelende kinderen en dronk er enkele gla-zen bier. Hij voelde zich ontspannen, besloot later een taxi te nemen om terug te keren naar de Charlottalei. Ondertussen herinnerde hij zich en speelde met de cijfers. Woorden waren altijd geladen met emoties, ook de meest onschuldige en zogezegd nietszeggende woorden konden bij iemand de functie hebben van sleutels op zware emoties, cijfers waren altijd koel en neutraal, reden waarom hij ervan hield. Er waren in totaal ongeveer 8000 'Vergeltungswaffen' afgevuurd op Londen, meer op Antwerpen, een veel kleinere stad. Hij betreurde het dat men de haven wel had kunnen beschadigen, maar niet uitschakelen, ook dankzij het Engelse afweergeschut dat een enorm aantal projectielen onschadelijk had weten te maken, meer dan hij ooit had gevreesd. Het hinderde hem nog altijd, het voelde aan alsof men iets van hem had geamputeerd. In 1932 al had hij meegewerkt aan de realisatie van een eerste raket, exact tien jaar later was de eerste V-bom op Londen terechtgekomen.

Op Antwerpen had hij soms meer dan 100 V2's per week kunnen afvuren, op sommige dagen zelfs 98 V1's per dag.

Hij bezocht, nauwelijks een halfuur voor sluitingstijd, ook even het Museum voor Schone Kunsten, zwaar beschadigd door de eerste vliegende bom die op Antwerpen terechtkwam. Het lijkt wel of ik op bedevaart ben, realiseerde hij zich. Van de schade was uiteraard, meer dan 60 jaar later, niets meer te merken, en dat deed hem genoegen. Hij was een groot bewonderaar van Peter-Paul Rubens en zou het zwaar betreurd hebben als werk van hem vernietigd was. De meer dan 4200 doden betreurde hij zoals hij alle oorlogsslachtoffers betreurde, ze wekten evenwel geen sterkere emoties bij hem op dan het beluisteren van het vaderlands lied. In Amerika had hij dikwijls mensen zien wenen tijdens het spelen van de Star Bangled Banner, en dat had hij nooit goed kunnen begrijpen. Overigens had hij ook niet geweend, zoals sommigen, toen de eerste mens op de maan rondwandelde. Naast al die doden waren er 7000 gewonden en 3120 vernielde huizen in Antwerpen, de cijfers kwamen in hem op zoals een schietgebedje in een kwezel.

Eerder toevallig vond hij op het plein voor het museum tussen de plaveien de plaket die eraan herinnerde dat hier de eerste bom was gevallen. Hij las ze en liep er dan overheen, omdat hij nieuwsgierig het soort vijver voor het museum nog even wou inspecteren.

Zoals hij zich had voorgenomen, nam hij een taxi terug en arriveerde nog net op tijd voor het avondeten.

~~~

's Nachts zonk de Flandria die aan de vlotbrug gemeerd lag.

Het College van Burgemeester en Schepenen kwam in spoedvergadering bijeen en op de geïmproviseerde persconferentie werd gezegd dat niets erop wees dat ook dit het werk was van een terroristisch geïnspireerde organisatie. Onmiddellijk daarna liet rederij Flandria weten dat haar schip altijd volledig in orde was geweest en dat het tot zinken brengen duidelijk een actie van buitenaf was. Nog dezelfde dag werd het met behulp van de vlotkraan weer bovengehaald en kon een grondig onderzoek beginnen.

~~~

Wernher Von Braun had contact opgenomen met talrijke wetenschapsmensen die op zijn werk en kennis verder hadden gebouwd. Als hij zijn naam zei, werd er gelachen of opgehangen, maar dat euvel wist hij slim te omzeilen door te zeggen dat hij een neef en naamgenoot was van zichzelf. Na een week op aarde had hij zich vertrouwd gemaakt met internet en alles wat daarbij hoorde, en telefoneerde en e-mailde hij met een dozijn medewerkers van NASA en verwante organisaties. Goebbels had zich heel even wantrouwig getoond tegenover internet, het wondere medium, maar er al na een dag studie de enorme mogelijkheden van ingezien. Ook 's nachts zat Von Braun nog urenlang verdiept in literatuur over ruimtevaart, maakte hij onophoudend notities en soms schrok hij uit zijn slaap wakker en verwonderde zich erover dat men nog niet verder was gevorderd op het gebied van ruimtereizen.

Zijn reputatie verspreidde zich razendsnel en hij kreeg een uitnodiging van 'National Geographic Magazine' voor een groot interview. Goebbels verbood hem formeel de uitnodiging te aanvaarden.

'Je weet het, we moeten elke vorm van publiciteit mijden, dat is van essentieel belang.'

'Waarom zou ik jouw gezag nog aanvaarden? We zijn in een ander leven gearriveerd, in een andere tijd.'

'Dat moet je niet, dat doe je vrijwillig omdat wij een gemeenschappelijk ideaal hebben.'

'Maar ik zie een andere weg dan jij.'

'Die is er niet, en dat weet jij net zo goed als ik. We moeten onszelf kunnen wegcijferen in het belang van iedereen.'

'Dat moet precies iemand als jij zeggen,' grinnikte Von Braun.

Het was volkomen onbekend dat ze indertijd enkele aanvaringen hadden gehad, die ze evenwel volkomen uit de actualiteit hadden weten te houden. Hun eerzucht was te groot geweest om conflicten te kunnen vermijden, maar hun intelligentie en doelbewustheid hadden een neutraliserende rol gespeeld.

'We moeten niet hervallen in de oude fouten.'

'De geschiedenis zal oordelen.'

Goebbels kon niet aan de verleiding weerstaan om een nummertje op te voeren.

'Geschiedenis, mijn waarde, dat is een sprookje, altijd, hoe men ze ook schrijft. Geschiedenis is het schuim van de realiteit. Als wij het spel goed spelen, zullen wij nu beslissen wat geschiedenis zal worden. Het belangrijkste blijft altijd verborgen, zoals de wortels van planten, van bloemen, van bomen, van alles wat groeit en bloeit. Altijd lijkt het alsof wij denken het goede te doen om het goede, dat we bezield zijn met goede voornemens. Meestal geloven wij daar zelf in, maar in feite willen we maar één ding: macht. In een milde bui noemen we het waardering, maar het gaat uitsluitend om de macht. Sommigen spelen het spel te ruw, anderen te geraffineerd. Wij moeten proberen het intelligent te spelen. En, hopelijk zullen veel mensen kunnen profiteren van het feit dat wij de macht hebben om de wereld naar onze hand te zetten, de sociale ordening te herdenken, de oude idealen weer geloofwaardig te maken. Er is veel minder verschil tussen goed en kwaad dan tussen macht en machteloosheid. Goed en kwaad, dat zijn artificiële begrippen, die fluctueren met de tijd, met de plaats op de aardbol, met het geloof dat men nodig heeft, met de werking van onze hormonen. Macht en machteloosheid, die zijn overal en altijd hetzelfde, dat verschil is duidelijk en voelbaar.'

Niettegenstaande hij behoorlijk geïrriteerd was, moest Von Braun lachen, ook omdat hij wist dat die reactie Goebbels op de zenuwen werkte.

'Het zou te riskant zijn, dat interview,' herhaalde Goebbels.

'Nogmaals, waarom? Het is zogezegd mijn neef die geïnterviewd wordt, niet ik.'

'Wat zou je neef moeten antwoorden als hem bijvoorbeeld werd gevraagd naar een rechtvaardiging voor de afschuwelijke werkomstandigheden die heersten in Nordhausen?'

'Wat ik zou antwoorden? Dat is heel eenvoudig, mijn beste. A la guerre comme à la guerre. De hoge productie was noodzakelijk, de Duitse arbeiders hadden legerdienst, we hadden geen andere mogelijkheid. Er waren constant 40.000 man aan het werk.'

'Dat weet ik.'

'Dat zou ik antwoorden. We wilden het niet, maar de eisen van de oorlog dwongen ons ertoe. Met de dood in het hart.' Hij lachte even. 'De Engelsen, met hun ervaringen in India en Zuid-Afrika, moeten er begrip voor kunnen opbrengen.'

'Jouw neef is uit het niets opgedoken en krijgt aandacht omdat hij beweert onuitgegeven documentatie en teksten en brieven van jou in zijn bezit te hebben…'

'Inderdaad, en dat is zeer plausibel. Ik heb me gedocumenteerd, Ik zou enkele suggesties kunnen doen van groot belang. Dat ik die indertijd niet heb kunnen realiseren bewijst dat ook ik een slachtoffer van de oorlog was, want…'

'Dat gelooft niemand.'

'Dan zou ik ze naar waarheid duidelijk maken dat in elke oorlog niet alleen onschuldige maar ook onverwachte slachtoffers vallen. Collateral damage noemt men dat nu. Klinkt fraaier. Kromtaal natuurlijk, maar dat is nu eenmaal de meest gangbare taal geworden, Onschuldig lijkende woorden moet men wantrouwen. Of men een uniform draagt of een driedelig maatpak maakt in de oorlog van vandaag geen bal meer uit. We hadden niet de middelen, niet de tijd, om die mensen een beetje menswaardiger te behandelen. We moesten een doel bereiken, met de inzet van al onze krachten en middelen. Daar gaat het om, zoals in elke religie. Het nazisme is een religie. Dat weet jij best. Dat is de motivatie en dus de rechtvaardiging. Als wij ons menselijk en zwak hadden opgesteld, zou de vijand daarvan hebben geprofiteerd, en als de vijand overwon, zou dat in het nadeel zijn geweest van de hele mensheid. Zo dachten wij er toen althans over. Ik voel me niet schuldig.'

Hij glimlachte zelfvoldaan, want niet enkel had hij een antwoord op de opmerking van Goebbels ontweken, hij had hem mooi geplagieerd, en Goebbels trapte erin.

'Zo hoor ik het graag,' zei Goebbels en automatisch, zonder dat ze dat afgesproken hadden, klapten ze de hielen tegen elkaar en strekten de rechterarm. Maar ze zeiden niet: 'Heil Hitler'.

∿∿

'Voorwaar,' zei Eerwaarde Heer Verschaeve, 'het verblijf in het Hiernamaals heeft ons goed gedaan.'

Dat beaamden ze allen.

'We hebben de leeftijd bewaard die vermeld staat op onze doodsprenten, maar onze wijsheid is toegenomen, onze ervaringen zijn rijker dan die van alle andere stervelingen en...'

'En ik besta dubbel,' zei Calley langs zijn neus weg.

'...onze gezondheid is beter geworden door ons sterven,' vulde Haig aan.

Het was hem ontsnapt, want hij was altijd te trots geweest om te bekennen dat hij de laatste jaren van zijn leven incontinent was geweest.

'Ik heb ooit je biografie gelezen,' zei Heydrich, 'ik wist niet dat je met de gezondheid sukkelde.'

'Dat deed ik niet, wat niet belet dat ze momenteel toch beter is.'

'We hadden allemaal wel eens te maken met de typische ziekten, kwalen en gebreken van oude mannen,' zei Harris.

'Het soldatenleven is hard maar gezond.'

'Dat laatste vooral als je generaal bent,' merkte Calley op.

Er groeiden onmiskenbaar spanningen in het gezelschap. De dagelijkse vergaderingen verliepen niet altijd even rustig en ontspannen.

Enkele keren luisterde Walvisch mee aan de deur, maar hij kon aan hun gesprekken, in verschillende talen en meestal nogal gedempt gevoerd, kop noch staart krijgen. Repetities voor filmscènes leken het in elk geval niet.

Er ging hem wel een licht op over iets dat hen hinderde toen hij op een avond door Bomber Harris discreet werd aangesproken.

'Hoe voelt u zich bij ons?'

'Uitstekend.'

'Gaat uw vrouw akkoord met uw uithuizigheid?'

'Ik ben niet gehuwd.'

'Oh nee? Weduwnaar?'

'Nooit gehuwd geweest.'

'Toch geen homo?'

'Ik heb vriendinnen, goede vriendinnen, gehad.'

'Nu ook?'

'Momenteel niet, nee. Maar ik kan opperbest alleen zijn.'

'Alleen zijn vereist een talent dat weinigen is gegeven.'

'Bah, het went wel.'

'De ene kan er allicht beter tegen dan de andere.'

Harris was normaal eerder autoritair, maar nu gedroeg hij zich onwennig, iets zat hem duidelijk dwars, hij vocht met zichzelf.

'Het leger,' zei hij, 'is een uitstekende leerschool.'

'Ik heb er leren schoenen poetsen.'

Dat vatte Harris duidelijk niet op als een grapje, en dus voegde Walvisch daar vlug aan toe dat het een grapje was.

'Juist. Ik bedoel: je leeft er constant met anderen, je moet constant rekening houden met anderen, maar toch hoort een zekere eenzaamheid daar onverbrekelijk bij. Alleen kunnen zijn behoort tot de militaire discipline.'

Walvisch knikte, al was hij het daar niet mee eens.

'Het is een typische mannenmaatschappij.'

'Tegenwoordig niet meer zo erg,' wierp Walvisch op. 'Er zijn nu ook veel vrouwen die dienst nemen, er is zelfs al een vrouwelijke generaal in het Belgisch leger, als ik het goed heb.'

'Dat is me ondertussen ook bekend. Ik aarzel om dat een verbetering te noemen.'

'Er wordt veel geklaagd over iets wat ze ongewenste seksuele handelingen noemen.'

'Men mag de kat niet bij de melk zetten.'

'De kater.'

'Maar het is menselijk natuurlijk.'

Walvisch kreeg er een vermoeden van waar Harris naartoe wou.

'In het leger had je uitlaatkleppen. Noodzakelijk voor de gezondheid en het geestelijk evenwicht.'

'Die uitlaatkleppen noemden wij hoeren,' zei Walvisch en het klonk brutaler dan hij had bedoeld.

'Ik was gehuwd.'

Er viel een stilte.

'Er bestaan escortediensten,' zei Walvisch. 'Ze zijn niet goedkoop, maar veilig en discreet. Ik heb er nooit gebruik van gemaakt, maar wel vernomen dat er knappe dames kunnen worden gehuurd voor een uur of een hele nacht.'

Harris keek hem zwijgend aan.

'Je kunt natuurlijk ook gewoon naar een seksclub gaan, of naar een bordeel.'

'Dit blijft tussen ons,' zei Harris. 'Voorlopig. Ik wil er eerst met de anderen over praten, dat lijkt me collegiaal verantwoord.'

∿

'Ik haat leugenachtigheid en hypocrisie, vooral bij anderen.'

Dag na dag groeide het aantal notities en observaties, indrukken en ideeën, zelfs dromen, die Walvisch in zijn dagboek opschreef. Hij trachtte eerlijk en openhartig te zijn, en niettegenstaande hij niet van plan was het ooit aan iemand te laten lezen (voor de zakelijke notities, bestemd voor 'Allround', had hij een apart schrift) ondervond hij toch grote weerstand, eigenlijk zelfs weerzin, om iets neer te pennen dat verband hield met zijn seksuele behoeften.

Ze waren nochtans niet pervers of wat men tegennatuurlijk noemt. In perioden dat hij door omstandigheden waar hij geen vat op had (zoals de onaangename kanten van zijn karakter), zonder partner zat, masturbeerde hij met losse hand en gaf daarbij zijn fantasie complete vrijheid. Achter in de linnenkast (dat hoorde zo, dacht hij) bewaarde hij nog altijd drie pornovideo's, lang geleden in Amsterdam voor een prikje gekocht, die hij regelmatig speelde, soms ook als er een vriendin op bezoek was. Dames beweerden altijd dat ze niet van porno hielden, maar ze werden er wel behoorlijk geil van. Meer dan hij, want hij had ze al te dikwijls gezien. En na het kijken neuken liet hem altijd achter met het gevoel ondermaats te hebben gepresteerd.

Sinds hij voor het gezelschap zorgen moest, had hij geen seksueel contact meer gehad, en het gemis begon zich te laten voelen. Om een of andere reden lukte het hem niet zich met eerlijk handwerk te bevredigen. Hij voelde zich als een poppenspeler die de verkeerde harlekijn Hamlet wou laten spelen. Het gesprek met Harris opende evenwel zekere perspectieven. Hij hoopte zeer dat de heren zouden besluiten dat er contact moest worden opgenomen met een bureau voor 'relationele problemen', want dan kon hij uiteraard meteen in eigen behoefte voorzien zonder dat het hem een euro hoefde te kosten.

Hij wist niet wat de zin is van het leven, de vraag ernaar is waarschijnlijk dom en onoplosbaar, maar het betekent wel dat de vraag naar de zin van het seksuele even dom en onoplosbaar is, dacht hij, terwijl hij naar de sterren staarde.

De heren bleken niet makkelijk tot een akkoord te komen, en zijn ongeduld groeide. Hij droomde van wellustige vrouwen met mooie ronde billen en rechtopstaande borsten en liefst groene ogen, maar dromen veroorzaakten zelfs geen erectie, wat hem zeer bezorgd maakte. Hij vreesde dat door zijn te lange onthouding de impotentie van zijn depressie nog was verergerd.

Uiteindelijk sprak hij er Harris zelf over aan.

'Iedereen heeft dezelfde problemen, iedereen gaat met me akkoord om met een relatiebureau contact op te nemen, maar niemand wil dat toegeven.'

Hij schreef in zijn dagboek 'Ik haat hypocrisie, vooral bij anderen' en realiseerde zich pas al schrijvende dat hij het al genoteerd had.

Gelukkig gaf Harris hem een dag later de opdracht onmiddellijk met een agentschap contact op te nemen.

'Hoeveel?'

'De prijs heeft geen belang.'

'Ik bedoel hoeveel dames.'

'Zeven, natuurlijk.'

'Ook een voor de Eerwaarde Heer?' vroeg hij met meesterlijk gespeelde verwondering.

'Vanzelfsprekend.'

Hij bestelde dus negen vrouwen.

Een triootje had hij nog nooit meegemaakt, maar hij had er altijd van gedroomd.

De ploeg escortmeisjes arriveerde in drie taxi's. De twee vrouwen die voor Walvisch waren gereserveerd, zeiden alle twee dat Wendy hun naam was. Hij voelde zich bijzonder opgewonden toen ze naast elkaar, lief glimlachend, hun opwachting maakten. De linkse had een leren minirok aan, de andere een lange broek die zo spande dat ze haar reet eerder accentueerde dan verborg, wat volgens hem een gevolg was van het feit dat ze er geen slipje onder droeg. Hij serveerde witte porto, op hun verzoek.

'Wensen jullie muziek?'

'Die maken we zelf wel. Samen met jou.'

Met een elegant gebaar nodigde hij ze uit op de sofa plaats te nemen.

Ze spraken Antwerps, wat aan het samenzijn meteen iets ongedwongens gaf.

'Wie zijn dat hier?' vroeg Wendy met de minirok. 'Ik bedoel, de anderen.'

'Filmmensen,' zei hij.

'En jij?'

'Ik ben een soort butler, of conciërge, of syndic.'

'Zullen we dan maar?' zei Wendy met de nauwe broek en stapte er ongegeneerd uit.

Voor het eerst sinds lang had hij een erectie. Hij keek naar de andere Wendy die langzaam van haar glas dronk, het voorzichtig op het tafeltje zette, en vervolgens op zijn schoot plaatsnam, haar minieme rokje nog iets opschortend.

'Hoe heb je het graag, schatje?'

Hij antwoordde niet. Het was afschuwelijk om de erectie te voelen verdwijnen in plaats van net andersom.

Wendy deed alsof er niets aan de hand was, ze streelde heel teder de binnenkant van zijn dijen.

'Uit die broek.'

Hij gehoorzaamde.

'Er zijn veel mogelijkheden,' zei hij luchtig.

'De klant is koning. Jij zegt het maar.'

'Zal ik je pijpen?'

'En jij mij beffen?'

'Nee.'

'Je kunt haar neuken terwijl je mij beft. Of ik kan ondertussen een dildo in je kont steken, er zijn meer mannen die dat fijn vinden dan je zou denken.'

'Nee.'

Hij vulde de glazen bij, de Wendy's ontdeden zich ondertussen van nog enkele dingetjes die in de bladen ondeugende lingerie werden genoemd. Ze hadden mooie lichamen, met een gave en gladde, lichtjes gebruinde huid, ze waren jong, ze hadden beroepsernst en geen remmingen.

Ze zoenden elkaar even.

'Vind je dat leuk?'

'Ja.'

Ze tongzoenden deze keer.

'Zijn jullie lesbisch?'

'Nee. Wij zijn allrounders. Ben jij al eens met een man naar bed geweest?'

'Nee.'

Hij zei het te luid.

De blondste Wendy nam zijn hand en legde ze op haar kont.

'Ik kan dat zien, jij bent een kontenman. Ik hou ervan dat men in mijn holletje zit. Mijn roosje noemen sommigen dat.'

Ze lachte. Hij luisterde of hij iets hoorde uit de andere kamers, maar alles bleef doodstil.

'Wat is er met je?' vroeg de andere Wendy en liet zijn slappe penis op en neer dansen in haar hand.

'De emotie,' loog hij en trachtte te lachen. 'Jullie zijn te mooi en te aardig voor me.'

'Daar worden we voor betaald, voor dat aardig zijn. Soms maak ik me daar kwaad over. Ze vinden het cynisch als ik dat zeg. Waarom? Als godverdomme een kelner zijn best doet om de klant vriendelijk, snel en goed te bedienen, dan vindt men dat prima, ons neemt men het kwalijk, dat vinden ze commerciële platheid, komedie. Als een boekhouder goed werkt, dan noemt men hem een goede boekhouder, terwijl het bedrijf waar hij voor werkt hem misschien totaal onverschillig laat, óns verwijt men dat.'

Ze legde een arm rond zijn schouder en presenteerde zijn lul aan de andere Wendy die zich vooroverboog en ijverig begon te zuigen. Er kwam nauwelijks reactie.

'Het overkwam me nog nooit,' zei hij.

'Wij maken het regelmatig mee.'

'Sorry.'

Ze hadden veel geduld en technische kwaliteiten maar er gebeurde niets. Hij begon hevig te transpireren.

'We hebben tijd,' zei Wendy nadat ze vlug op haar horloge had gekeken.

'Het lijkt wel een lolly. Hoe meer ik eraan zuig, hoe kleiner hij wordt.'

'Hij ziet er lief uit,' zei de andere Wendy.

Hij keek, ondanks zichzelf. Zijn penis zag eruit als iets wat je in een goedkoop Chinees restaurant wel eens op je bord krijgt.

Het is een vies bedrijf, dacht hij. We stinken allemaal.

''Ik krijg er wel dorst van,' zei Wendy en stopte haar inspanning.

De heilige Augustinus had gelijk, groot gelijk, dacht hij. Of was het Paulus? Ze zien er aantrekkelijk uit maar straks zitten ze op het toilet te zeiken en te schijten dat het niet mooi meer is. Elke spiegel is een horror. Terwijl we bezig zijn, voorspel, neuken, naspel, hebben we de indruk intens te leven, maar in feite is het precies andersom. We oefenen het doodgaan. Elk orgasme is een triomf van de dood, van het verdwijnen in de vuiligheid, de vernedering, de ontbinding, elk orgasme is een nederlaag, het toegeven aan bewusteloosheid, het zich wentelen in stinkend slijm en het vergeten wie we zijn en wat we echt zouden willen zijn. Conventie belet ons dat in te zien. Hypocrisie triomfeert. Leugen tot norm van zelfverheerlijking verheven. Als we copuleren houden we alleen maar van onszelf, zoals we onszelf verheerlijken als we in God geloven.

Hij hield zich sterk.

Ik moet dat straks in mijn dagboek noteren, dacht hij met grote tegenwoordigheid van geest.

Ze kleedden zich gezamenlijk weer aan, hij ledigde de fles in hun glaasjes, hij verontschuldigde zich en zei dat het geen invloed zou hebben op de betaling. Ze hadden duidelijk met hem te doen, en dat ontroerde hem.

Even meende hij op ze verliefd te zijn.

≈≈

Noot van de schrijver

Niets schreef Walvisch over het gebeuren in zijn dagboek. Wel noteerde hij gelezen te hebben dat er om de 5 seconden ergens op de wereld een kind crepeerde van de honger. En ook dat zijn depressie soms voorbij leek en dan toch weer opdook. Natuurlijk dacht hij daarbij aan impotentie, maar hij schreef dat vooral een gevoel van naderend en onontkoombaar onheil hem overviel. Hem tot machteloosheid veroordeelde. Hij was ervan overtuigd dat hem, als hij de deur zou uitgaan, een onherstelbaar malheur zou overkomen.

De escortdames waren vertrokken zoals ze gekomen waren, allemaal samen, en in drie taxi's. Ongeveer een uur na hun vertrek had hij gemasturbeerd.

≈≈

Er verschenen in de kranten nog altijd artikelen over allerlei onopgehelderde en onverklaarbare gebeurtenissen die zich in de loop der eeuwen op aarde hadden voorgedaan, vooral als de tussenkomst van buitenaardse wezens een mogelijke verklaring leek. Er werd zwaar gediscussieerd over de constructie van de piramides, de tempels van de Inca's, Maya's en Azteken, over de zeven wereldwonderen en de tocht door de Rode Zee, over Atlantis en het Paaseiland, over de Bermudadriehoek en Tiahuanaco. De eventuele buitenaardse wezens die voor de verdwijningen verantwoordelijk konden zijn kregen de naam 'kameleons', omdat ze zich waarschijnlijk als aardse wezens konden vermommen.

Een officiële commissie had de elektriciteitspanne onderzocht en er geen verklaring kunnen voor vinden. Het personeel was grondig ondervraagd, niets verdachts was geconstateerd.

Het was woensdag, vrije namiddag. Dirk, Sim en ik liepen door de stad. We lieten ons leiden door onze invallen en kwamen zo terecht in de buurt van de oude vestingwallen. Ik weet niet hoe het kwam, maar mij leek er in de sfeer van de stad iets veranderd. Ik voelde me onbehaaglijk, en ook de anderen waren stiller dan normaal. Of was het mijn verbeelding die me parten speelde? Alles was vertrouwd en leek vreemd tegelijkertijd.

Ik hou van mijn stad. Vooral de wijk langs de oude vestingwallen is zeer aantrekkelijk. De huizen dateren nog van uit een andere eeuw, de verbeelding krijgt er vrij spel. Maar nu leken zelfs de mensen anders. Er hing een nerveuze sfeer. De vele cafeetjes, waarvan de terrassen anders altijd druk bezet waren, hadden slechts enkele klanten, die landerig over hun glas staarden. Voor het uitgebrande gebouw naast het station verdrongen zich nog altijd nieuwsgierigen – ramptoeristen noemde men ze – die haast vijandig naar de zwartgeblakerde muren keken. Het wantrouwen was voelbaar, een soort kilte.

Onze wandeling was niet prettig. Een vreemdeling, ik denk een Indiër of Pakistaan, die helemaal geen vermoeden scheen te hebben van wat er zich in zijn omgeving afspeelde, en rustig door de straten wandelde, vol belangstelling voor uitstalramen en historische gevels, werkte duidelijk irriterend op vele mensen. Wie anders was, werd gevreesd.

Op televisie werd die avond gemeld dat de stad rustig was gebleven, dat er geen vreemde voorvallen waren gesignaleerd.

Ook de volgende dag gebeurde er niets. Maar het gekke was dat de rust niemand ontspande. Integendeel. Iedereen leek er steeds meer van overtuigd dat er iets verschrikkelijks stond te gebeuren, weldra. Het was de stilte voor de storm.

De Bijzondere Commissie vergaderde naar het schijnt vrijwel ononderbroken. En hun inspanningen hadden een eerste resultaat: de actieve leden van een tot nu toe onbetekenende extreemlinkse organisatie werden gearresteerd. De cel had de naam CTC, wat stond voor 'Communistisch Terroristische Cel – Cellule Terroriste Communiste'. Dat overal linkse mensen, die uitsluitend acties hadden gevoerd tegen de globalisering en de nucleaire lobby, zouden samenwerken met buitenaardse wezens, zoals in een artikel in 'Kerk en Leven' werd verondersteld, was te gek voor woorden, maar werd toch door een groeiend aantal burgers als plausibel aanvaard. Vervolgens werden ook een aantal vreemdelingen ondervraagd, haast uitsluitend moslims, en een half dozijn illegalen opgepakt en meteen het land uitgezet. Ook deze maatregel werd vrijwel unaniem goedgekeurd. Enkele allochtonen hadden met klem geprotesteerd tegen de brutale manier van ondervragen, ambassadeurs waren ingeschakeld, officiële protesten werden ingediend, en de stad bleef in de internationale belangstelling. Er arriveerde zelfs een televisieploeg die een reportage zou maken voor Al Jazeera. Straatinterviews werden schering en inslag en de zenuwachtigheid nam voelbaar toe. Straatinterviews zijn voor het televisienieuws wat siliconen zijn voor vrouwenborsten, beweerde mijn vader.

Een dolle schutter schoot op zaterdagmiddag vanuit zijn huis drie voorbijgangers neer. Volkomen over zijn toeren kwam hij vervolgens de straat op waar hij door voorbijgangers kon worden overmeesterd. De politie kon slechts op het laatste nippertje vermijden dat hij werd gelyncht. Lucas, een bekende straatfiguur, in wiens bovenkamer het niet helemaal in orde was en die reeds jaren, uitgedost in een lange knalrode overjas, rondventte met potloden, had op de Grote Markt plotseling zijn voorraad potloden in het rond geslingerd, was op een caféterras op een stoel geklommen en had een onsamenhangende toespraak afgescheiden waarin hij het einde van de wereld voorspelde in een zeer nabije toekomst, waarschijnlijk nog binnen de week. De kameleons, stelde hij, leefden trouwens al eeuwenlang onder ons, soms genoten ze van onze waardering omdat ze zich volkomen hadden geassimileerd. Hij riep dat het evenwel nog niet te laat was en de mensheid kans had op redding als er boetetochten zouden worden georganiseerd in alle wijken van de stad. Bovendien moest alles worden vernield wat wij waarschijnlijk 'te danken' hadden aan de verderfelijke invloed van deze wezens, en dat bleek nogal wat te zijn. Zelfs tandems, dildo's en zonnebrillen moesten worden vernietigd. Ook zei hij dat de buitenaardse wezens makkelijk konden worden herkend, want het waren zonder uitzondering homo's. Hij had al een aanzienlijk aantal toehoorders rond zich weten te verzamelen. Zijn schriele vogelkop leek wel te gloeien, vertelde iemand later, toen een aantal combi's van de politie arriveerde. Met luidsprekers werden de mensen verzocht door te lopen. Terwijl een aantal dat ook deed, wierpen enkele heethoofden zich op een protesterende Lucas. Toen hij op de grond lag, probeerden enkele mensen hem te beschermen, en onmiddellijk ontstond er een ware veldslag. Een bewusteloze Lucas werd weggevoerd, maar tijdens het tumult was er uit zijn jaszak een bundel briefjes van 200 euro's gevallen. Hoe was de straatarme Lucas, die aan medelijdende zielen nauwelijks enkele potloden per dag kwijt kon, aan dat geld gekomen? In de kliniek werd zijn kamer constant bewaakt, meldde de politie.

's Avonds was er een nieuw incident.

In de donkere Blokstraat, waarvan de linkerkant haast helemaal werd gevormd door de trieste muur van het Stedelijk Ouderlingenhome 'Zilverberk', was alles rustig, zoals altijd. Enkel de imposante toegangspoort werd verlicht door een kale lamp. Opeens werd die poort opengeworpen en enkele oudjes renden, duidelijk in paniek, gillend naar buiten. Toevallige voorbijgangers, in plaats van hulp te bieden, sloegen ijlings op de vlucht. Niemand begreep wat de oude mensen aan het schrikken had gemaakt. De politie had uren werk om ze terug te vinden. Een man van zeventig zat zelfs in een plataan in het stadspark. Hij kon zich niet meer herinneren hoe hij er in terecht was gekomen.

De zondag verliep aanvankelijk rustig, maar 's avonds werden er stenen door de mooie glasramen van de kathedraal geworpen, en trachtte men brand te stichten in het gebouw van de Centrale Bibliotheek. Gelukkig mislukte de poging . De sfeer werkte duidelijk stimulerend op vandalen.

's Avonds konden we bij Walvisch even door zijn telescoop kijken.

'Misschien zien we wel ruimteschepen naderen,' lachte Sim.

Die zagen we niet, maar het was in elk geval boeiender dan televisie, soms leek Walter wel een dichter, zo gedreven sprak hij over de ruimte en de hemellichamen.

Nooit hadden we er een duidelijker besef van hoe klein en nietig onze aardbol is in het heelal, onbetekenend stofdeeltje, dansend in het licht. Of in de duisternis, het verschil was onduidelijk. Dat er zogenaamde Kameleons konden bestaan, leek ons minder vreemd dan het bestaan van de Getuigen van Jehova.

♒

Op het salontafeltje van zeer licht eikenhout lag een stapeltje kranten waar Goebbels met de vlakke hand op sloeg.

'Succes,' zei hij haast juichend.

'Succes?' herhaalde Heydrich op duidelijk smalende wijze. 'Succes omdat je die boot liet zinken? Wat was daar de bedoeling van, als ik vragen mag?'

'Verwarring, mijn beste. Onbehagen. Onrust. Bedreiging. Ik denk er trouwens aan nu eens een vooraanstaand links iemand te liquideren. Vraagtekens zijn de uitroeptekens van elke geheime beweging.'

Heydrich schokschouderde.

'Jij had schrijver moeten worden,' zei hij giftig.

Goebbels keek vernietigend, maar beheerste zich.

'Schrijvers zijn zieners,' zei hij op afgemeten toon. 'En critici zijn bijziende. Maar dit terzijde. Ik moet hier trouwens Arthur feliciteren voor de manier waarop hij deze opdracht uitvoerde…'

'Ook dank zij het tijdmechanisme ontworpen door Von Braun,' voegde die er bescheiden aan toe.

'We mogen niet uit het oog verliezen,' vervolgde Goebbels, 'dat onze strijd op een heel andere wijze wordt gevoerd dan vroeger. Het moment is aangebroken om jarenlange ondergrondse acties te laten renderen. Eindelijk. En ik herinner me hier, nu we het toch over schrijvers hebben, wat Ilja Ehrenburg schreef in zijn 'Memoires'. Ik citeer uit het geheugen: 'Het gaat erom dat aan de vijftig miljoen slachtoffers van de Tweede Wereldoorlog er één ontbreekt: het fascisme. Het fascisme overleefde de oorlog en de nederlaag. Het kende weliswaar een periode van neergang, maar het is niet dood.' Als iemand als Ehrenburg dat zegt…'

Iedereen zweeg.

'En dat het niet dood is, wordt niet bewezen door kleine politieke partijtjes vol nostalgie, door gewelddadige muziek, door kale koppen, die zogenaamde neonazi's, door stupide blaadjes. Integendeel, zij besmeuren ons blazoen, zij veroorzaken vooroordelen, zij maken het ons moeilijk. Onze strijd, de echte strijd, wordt ondergronds en onderhuids gevoerd.'

In het vuur van zijn betoog was hij opgestaan en had hij opnieuw de houding aangenomen die hij aannam toen hij achter het katheder tijdens een massale bijeenkomst stond.

'Succes dus,' herhaalde hij trots. 'Onze campagne overtreft mijn stoutste verwachtingen, we halen nu al regelmatig de internationale pers.'

Triomfantelijk toonde hij een exemplaar van 'Le Monde' met op de eerste pagina de kop: 'Le Mystère des Caméléons à Anvers'.

'Hitler heeft ons de weg getoond,' trachtte Cyriel Verschaeve de triomf van Goebbels te relativeren.

'Natuurlijk,' zei Goebels vergenoegd. 'Een genie begrijpen is niet altijd eenvoudig, en Hitler is een genie. Hij kende als geen ander de magische kracht van verwarring en angst in een wereld die vooral rust en orde wil.'

'Hij was een genie,' merkte Haig droog op, met zware nadruk op 'was'.

Zijn stem kraakte, want hij moest zich inspannen om ze niet al te sarcastisch te laten klinken. Hij nam een slok van zijn whisky. Het was elf uur in de voormiddag.

Goebbels fronste de wenkbrauwen.

'Was, inderdaad, hij is niet meer tussen ons, een jammerlijke afwezigheid. Een vergissing van Hogerhand, een...'

De woorden lieten hem in de steek, ze hingen hinderlijk aan elkaar als Siamese tweelingen.

'Ik bedoel iets anders,' zei Haig. 'Ik heb gedaan wat jij me hebt opgelegd...'

'Gesuggereerd,' zei Goebbels.

'... en de laatste dagen een aantal werken over hem ingekeken, de biografieën van Alan Bullock en Ian Kershaw diagonaal gelezen en nog een aantal andere boeken over dat zogenaamd verderfelijke nazisme. Wat ze met de Joden hebben gedaan, vind ik begrijpelijk, maar verkeerd, tactisch gezien volkomen fout. De energie die ze daar hebben vergooid, hadden ze beter aan de oorlog besteed en...'

'Heb je 'Mein Kampf' gelezen?'

'Nee. Je moet nooit proberen iemand door eigen ogen te bekijken, anderen zien veel helderder. Maar goed, ik ken de man nu. En ik ga akkoord met je, hij was een genie. Hij had ideeën, meer dan ideeën, hij had visie. Ik las dat zelfs Churchill dat ooit heeft toegegeven. Een visie die zijn tijd ver vooruit was.'

'We kunnen er nu van profiteren.'

'Hitler was niet, zoals velen menen, een origineel denker, hij was geen vernieuwer, hij situeert zich integendeel in een eeuwenlange traditie. Wat hij bedoelde met het duizendjarig rijk was geen fantasie. Hij gaf er een eigentijdse vorm aan. Hij ontdeed het van politiek en democratisch geneuzel, maakte het tot een haast economisch gegeven.'

'Interessant,' zei Goebbels en boog theatraal voorover als om beter te kunnen luisteren, geen woord te missen.

'Of het nu de Hunnen waren of de Kruisvaarders,' vervolgde Haig onbewogen, 'het maakt echt niet uit om welk conflict, opstand, oorlog het ging, altijd vielen er duizenden slachtoffers, doden, daklozen, ellende… Dat noemt men nu dus 'collateral dammage'. Mooi. Maar die doden werden geëerd, gerespecteerd, men richtte monumenten voor ze op, gewoonlijk niet om aan te zien, maar daar gaat het niet om, het is de geste die telt. Die traditie eindigde met Adolf Hitler.'

'Dat begrijp ik niet,' zei Heydrich, oprecht verwonderd. 'Hij had een ideaal, zoals wij allemaal. Hij besefte dat mensen als stofdeeltjes zijn, niet enkel in het heelal, ook in onze kleine aardse geschiedenis. Stof dat zich op de geschiedenis verzamelde zoals stof op geschiedenisboeken. Ik heb inderdaad duizenden, tienduizenden levens geofferd, in dienst van het ideaal waar ik voor vocht, maar ik voel me helemaal niet schuldig. Mijn geweten is zuiver, en het bewijs is wel dat ik in de hemel ben terechtgekomen. Maar dat wou ik niet zeggen. Ik bedoel dat we die mensen hebben opgeofferd omdat het noodzakelijk was om een ideaal te realiseren dat de hele mensheid ten goede zou komen.'

'Dat zei Stalin ook,' meende Harris.

'Ken ik niet.' Haig maakte een wegwerpgebaar. 'Ik heb nu natuurlijk over hem gelezen, maar hij interesseert me niet erg. Meestal zijn idealen pretentieuze zinsbegoochelingen. Wij geloofden, en dus was het onze plicht te vechten voor dat geloof. Voor de slachtoffers die wij veroorzaakten, aan beide zijden van de frontlijn, hadden we een zeker respect. Dat was misschien wel onze zwakheid. De reden van ons uiteindelijk falen.'

'Een falen dat door Hitler werd rechtgezet.'

' Hitler behandelde mensen als dingen, niet als wezens die in aanmerking kwamen voor het ideaal dat ons voor ogen stond. Dingen die ons behulpzaam konden zijn, of dingen die in de weg stonden. Zo hoort het ook. Het kapitalisme doet niet anders. De Joden waren zijn tegenstanders, terecht of niet, daar gaat het nu niet om, al geloof ik dat hij gelijk had, en hij behandelde ze als materiaal dat hij moest verwijderen. Hij had geen respect voor hen, omdat hij ze niet als mensen beschouwde, en dat maakt hem groot. Bovenmenselijk dus. Zijn visie overwon menselijke kleingeestigheid. Dat was zijn genie. Maar vervolgens faalde hij.'

'Het eten is opgediend,' kondigde Walvisch aan.

'Konijn met pruimen?' informeerde Verschaeve gretig.

$$\approx$$

Het nieuwste nummer van ''t Pallieterke' publiceerde de mening van een half dozijn rechtse kopstukken en denkers die, voor de zoveelste keer, unaniem de theorie over buitenaardse kameleons in het rijk der fabeltjes klasseerden, en even unaniem een drastisch optreden eisten van de overheid tegen zowel links als tegen moslims die samen duidelijk een antidemocratisch en terroristisch offensief hadden ingezet. Ze eisten meer arrestaties. De linksen zijn in paniek, schreef een van hen, omdat ze sinds jaren constateren dat het rechtse denken in opgang is, onstuitbaar is en dus zetten ze hun machteloosheid om in redeloos geweld. Dat het een samenzwering betrof was volgens alle briefschrijvers zonneklaar, de kameleons waren door links in het leven geroepen om de aandacht af te leiden.

'We hadden het zelf niet beter kunnen formuleren,' juichte Goebbels in zijn onafscheidelijke dagboek, nadat Verschaeve voor hem de essentie van de stukken had vertaald. 'Toen wij verslagen waren was de overwinningsroes bij de geallieerden vlug ten einde, de feeststemming veranderde in Koude Oorlog. Mooie naam, betere is niet te verzinnen. Die periode heeft me heel wat geleerd over de tactiek die wij nu hanteren. Hier opereerden eerder de zogenaamde Bende van Nijvel en de CCC. Amateuristisch opgezet, dat is duidelijk, maar toch hebben ze heel wat resultaten bereikt. Rekening mee houden.'

〜〜

In de schemering, op weg van zijn appartement naar de Charlottalei, hoorde Walvisch een kat klaaglijk miauwen. Hij kon zich niet herinneren dat hij ooit een kat zo triest had horen janken. Hij keek rond, zag aanvankelijk niets, wou verder stappen, hoorde opnieuw het huilen, en zag een magere zwart-wit gevlekte straatkat weggekropen zitten in het portaal van een gesloten juwelierszaak. Ze had grote, intelligente ogen, en toegevend aan een opwelling stapte hij op haar af en stak zijn hand uit. Ze bleef miauwen, stond op, kromde haar rug, wreef zich tegen zijn hand.

'Poes,' zei hij.

Ze miauwde en hij tilde haar op. Ze reageerde niet, voelde eerder slap aan, en plooide zich in zijn arm, tegen zijn borst.

'Wat moet ik met jou?'

Ze miauwde en begon haar buik te likken. Aarzelend bleef hij staan, niet goed wetend wat hij moest doen. Hij kon het niet over zijn hart krijgen het duidelijk verwaarloosde en uitgehongerde beestje aan zijn lot over te laten, bedacht dat hij er de volgende dag wel vanaf kon komen, en nam de kat mee naar de Charlottalei, want op zijn appartement kwam hij slechts af en toe, en dan uitsluitend 's avonds.

Hij gaf haar alle charcuterie en kaas te eten die hij in huis had, en keek tevreden naar de gretigheid waarmee ze alles verslond, het bordje schoon likte en klagelijk om meer miauwde. Hij besloot haar te houden.

De volgende dag kocht hij een voorraad katteneten en een bak met kattenzand, waar zij onmiddellijk gebruik van maakte. Vervolgens kotste ze op het vloerkleed. William Calley bleek eveneens een grote kattenfan te zijn, hij wist te vertellen dat het een kater was van ongeveer een halfjaar, dat het beest gezond leek, nog zou groeien, en tot het edele ras van de straatkatten behoorde. Walvisch speelde graag met hem, maar hij had scherpe tanden en nagels.

Soms zat hij in zijn fauteuil en kon hem heel lang gadeslaan terwijl hij een balletje najoeg, met een eindje koord speelde, of gewoon lag te mediteren of te slapen.

Ik vraag me af, dacht hij, hoe zo'n kat de wereld ervaart. Er gebeuren voortdurend dingen rond hem waar hij geen besef van heeft, de betekenis of bedoeling niet van kan begrijpen. Hij moet bijvoorbeeld rekening houden met deuren die hij niet kan openen, met vele andere beperkingen waar hij de betekenis of de functie onmogelijk van kan begrijpen. Hij leert wel in bepaalde gevallen gebruik te maken van menselijke activiteiten, bedelt om eten als ik de koelkast openmaak, wil buiten als ik naar de deur loop. Voor ik in bed stap, zit hij al op het voeteneinde te wachten, en de hele nacht blijft hij daar liggen. Maar ongeveer alles wat in zijn omgeving bestaat en gebeurt, moet voor hem een raadsel zijn in een wereld volgestouwd met voorwerpen waarvan hij de functie niet kan begrijpen. Hij kijkt voortdurend rond, alsof hij constant op zijn hoede is, hij volgt alles met zijn slimme ogen. Hij is niet bang, maar ik zou hem kunnen verpletteren onder een steen, verbranden met een gloeiend strijkijzer, elektrocuteren, zonder dat hij een poging zou doen om het te vermijden, want hij begrijpt toch niet wat er rond haar gebeurt. Dat soort bedreigingen bestaat voor hem niet, maar ze zijn daarom niet minder reëel.

Misschien leven wij als die kat, in een hogere beschaving van ruimtereizigers, die voor ons even onbegrijpelijk is als de onze is voor die kat.

Hij kon niet aan de verleiding weerstaan om te miauwen. Het was duidelijk geen geslaagde poging, want de kat, die hij ondertussen Scharminkel had geheten, een naam waar hij trouwens niet naar luisterde, reageerde niet.

'Stomme kat,' zei hij hardop.

〜〜

Een week na het bezoek van de erotische delegatie werd er omstreeks het middaguur gebeld, iets wat nog nooit eerder was gebeurd. Walvisch haastte zich naar beneden, opende de deur, en stond oog in oog met een mooie vrouw. Verblindend mooi omschreef hij haar in zijn dagboek. Zoals het hoorde in een filmgezelschap droeg ze een mantel van witte pels.

'Mevrouw?'

'Goede middag. Betaalt u mijn taxi even, want ik heb nog geen geld.'

Walvisch keek haar sprakeloos aan en ze glimlachte vol vertrouwen.

'Tachtig euro,' zei de chauffeur en zette een koffertje op de drempel.

Nog voor hij iets kon zeggen verscheen Goebbels op de trap.

'Regel dat,' zei hij. 'En welkom in ons gezelschap, mevrouw.'

Walvisch betaalde de chauffeur en sloot de deur. Goebbels en de dame stonden stil maar vertrouwelijk met elkaar te praten.

'Mag ik je voorstellen,' zei Goebbels. 'Marilyn Monroe. Zij behoort vanaf nu tot ons gezelschap, moet op precies dezelfde wijze worden behandeld. Zij krijgt de ene lege kamer op de tweede verdieping.'

'Gegroet, heer Walvisch,' zei ze lief. 'Ik wil nu eerst een bad nemen, want dat is jaren geleden.'

'Grapje natuurlijk,' zei Goebbels.

〜〜

'Proficiat!'

Generaal Haig was zichtbaar ontroerd. Zijn hand beefde lichtjes toen ook hij een slok van zijn whisky nam. J.B. Haig natuurlijk.

'Geen familie, voor zover me bekend,' zei hij bescheiden, toen Harris hem vragend aankeek.

Harris klopte hem amicaal op de rug.

'Maakt niet uit, beste vriend. Hij wordt er niet minder lekker door.'

'Hoe oud wordt u nu?' vroeg Bomber Harris.

'149' zei Haig zonder aarzelen. 'Ik werd geboren op 19 juni 1861. Maar het is, waarde vriend, niet mijn verjaardag die we vieren, het is het resultaat van mijn zopas uitgevoerde opdracht.'

'Dat is inderdaad een feestje waard.'

Iedereen lachte. Hij had, na een tip van boven, drie mannen gehuurd die een politiecommissaris, van wie bekend was geworden dat hij enkele gearresteerde linksen erg hardhandig had ondervraagd, grondig hadden bijgewerkt in zijn bureau, dat ze daarna even grondig tot een puinhoop hadden herschapen. De sfeer was uitstekend en Haig had helemaal niet verwacht dat men hem zou huldigen. Hij maakte het voornemen om na elke geslaagde activiteit de betrokkene te huldigen, een vriendelijk woordje tot hem te richten. want hij was een welopgevoed man. In zijn latere jaren had hij zich trouwens gewijd aan de belangen van oud-strijders. Men had hem daartoe verplicht, om zijn reputatie enigszins op te vijzelen. Maar dat werd er nooit bij gezegd. En hij had er wel voor gezorgd dat er niet te veel oud-strijders zouden zijn, zei een cynicus.

Walvisch opende een tweede fles, plooide als een volleerde ober een kraakhelder wit doekje over zijn pols en vulde alle glazen opnieuw.

Even viel er een stilte.

Goebbels was de enige die zich vrij gereserveerd had gedragen, er zat hem duidelijk iets dwars. Hij maakte van een stilte gebruik om opeens theatraal op te staan.

'Heren, beste kameraden, ik wil geen spelbreker zijn. Ik wil de feestvreugde absoluut niet verstoren, maar toch moet ik uw aandacht vragen voor een ernstige zaak.'

De stilte werd nog stiller.

'We waren het er allemaal over eens dat we na onze wedergeboorte, ik zal het zo maar noemen, opnieuw een taak te vervullen hebben. We gingen ook akkoord over de te volgen tactiek. We hebben de eerste resultaten bereikt. Toch moet ik u, tot mijn grote spijt, melden dat iemand van ons de afgesproken gedragscode heeft doorbroken.'

'Er is altijd een Hoger Doel,' zei Cyriel Verschaeve haast onhoorbaar, maar toch had iedereen het gehoord.

'Cyriel,' vervolgde Goebbels, 'heeft op eigen initiatief ons zo belangrijke incognito in gevaar gebracht.'

De stilte was oorverdovend. Walvisch verwonderde er zich over dat men hem niet, zoals anders altijd gebeurde, had verzocht om de vergadering te verlaten. Vrezend dat het een vergetelheid was, zette hij de fles die hij nog steeds in handen had onhoorbaar neer en stapte richting deur, maar Goebbels deed hem teken dat hij moest blijven.

'U hebt mijn post geopend,' protesteerde Verschaeve, luid en verontwaardigd.

'Uw post? Alle post die hier arriveert, is voor iedereen, is voor ons,' snauwde Goebbels.

Hij dronk een slok.

'Onze collega Verschaeve was zo vrij een verzoek te richten aan de paus om ons te ontvangen.'

'Jezus,' riep Heydrich verrast uit. 'Hij wil dat we onze hemel verdienen.'

Niemand lachte.

'Ik dacht,' verontschuldigde Verschaeve zich, 'dat het voor ons een eer zou zijn om door Zijne Heiligheid in audiëntie te worden ontvangen, zeker omdat hij een Duitser is.'

'Het zou de aandacht van de wereldpers op ons hebben gevestigd, onze filmopdracht zou worden ontmaskerd, wat meteen het einde zou betekenen van de taak die ons werd opgelegd.'

Walter Walvisch verslikte zich haast en begreep steeds duidelijker waarom hij zo nadrukkelijk zwijgplicht had moeten beloven.

'Er is altijd een Hoger Doel,' zei Verschaeve. 'Onze aanwezigheid op aarde zou het beste, het onweerlegbare bewijs zijn van het bestaan van God. Het zou een einde maken aan de twijfel, het zou een einde maken aan alle discussies, het zou een grote geruststelling zijn voor de mensheid, het zou een triomf zijn voor ons aller moeder de Heilige Kerk, het zou…'

'Nonsens. Het bestaan van God verandert niets aan deze wereld.'

Begrijpen deed Walvisch niet.

Verschaeve sloeg een kruis.

'Dat is een godslastering.'

'Kinderpraat. De wereld waarin wij leven is mensenwerk, en de mensen moeten hem besturen en zo nodig veranderen. Daarom zijn wij hier. Wij zijn mensen nu, geen wezens uit hogere sferen. Dat is de bedoeling van God. Jij hebt hem verraden.'

Verschaeve sloeg opnieuw een kruis en vouwde de handen biddend samen.

'Gelukkig kon ik tijdig ingrijpen. Het was een vergissing, een misstap. Ik til er verder niet meer aan. Vergeten en vergeven.'

Hij wendde zich tot Walvisch.

'Ik neem aan,' zei hij, 'dat onze aanwezigheid in de stad, althans in deze buurt, niet helemaal onopgemerkt is gebleven. Wat wordt er gezegd?'

'Niet veel. Een vage vraag als ik boodschappen doe. Soms. Altijd van een vrouw natuurlijk. Wat jullie doen.'

'En wat zeg je dan?'

'Dat jullie bezig zijn met de voorbereiding van een film. Internationale film. Dure film. Oorlogsfilm waarin zelfs wat sciencefiction lijkt op de werkelijkheid is gebaseerd.'

'En daar houden we ons aan,' zei Goebbels. 'Incident gesloten.'

Walvisch ging opnieuw rond met de fles.

De gesprekken werden hervat, iedereen wou duidelijk het gebeurde zo vlug mogelijk uit het hoofd zetten. Alleen Verschaeve hield zich apart, alsof hij diep in gebed was verzonken, maar hij deed zijn biddende handen wel uit elkaar om op zijn beurt het glas te laten bijvullen.

'Wat eten we vandaag?' vroeg Haig.

'Verrassing,' zei Walvisch met een knipoog.

〜〜

Na enkele kalme dagen werd de stad tijdens het weekend opnieuw opgeschrikt.

Op zaterdagavond werd Bruno Davids, de president van het beruchte 'Gezelschap voor Burgerlijke Waakzaamheid', een ogenschijnlijk bedaagde vereniging van deftige burgers die zich zorgen maakten over het verval van de zeden, vooral bij de jeugd, neergeschoten voor zijn woning.

Bovendien maakten, tijdens een voetbalmatch op Antwerp, een aantal zogenaamde hooligans van een inderdaad zeer foute scheidsrechterlijke beslissing gebruik om het veld op te stormen. Ze leverden slag met de spelers van de bezoekende ploeg, sloegen de scheidsrechter en een van de grensrechters het ziekenhuis in en trokken een spoor van vernieling door het stadion. Ze wisten, tot verontwaardiging van zowat iedereen, allemaal te ontkomen en ze lieten een primitief vervaardigd spandoek achter met de woorden 'Wij zijn de Kameleons.' De voetbalwedstrijd werd uiteraard stilgelegd. (Achter de groene tafel verloor Antwerp de wedstrijd met forfaitcijfers, wat weinig betekenis had want voor de incidenten stonden ze al 0-3 in het verlies.)

De lokale televisiezender ATV putte zich uit in het opnemen van straatinterviews.

'Die kameleons, dat is zand-in-de-ogen-strooierij, het is allemaal duidelijk het werk van linkse zakken. Sorry.'

'Opknopen dat links crapuul.'

'Tegen de muur moeten ze die zetten, meneer. Iedereen zijn gedacht, zeg ik, en dat is mijn eigen gedacht.'

In een editoriaal verwoordde de hoofdredacteur van 'Het Laatste Nieuws' wat vrijwel iedereen dacht:

'Er is duidelijk een criminele organisatie aan het werk. Voorlopig lijkt ze ongrijpbaar, maar het is van nationaal, neen, van internationaal belang, dat ze wordt ontmaskerd en de verantwoordelijken worden veroordeeld.'

De volgende dagen publiceerden de kranten ook overzichten van wat de internationale pers over de gebeurtenissen berichtte. Zowel Nederlandse als Franse en Engelse kranten brachten hun Antwerpse verhalen op de frontpagina. Niet zonder trots werd gemeld dat zelfs Japanse en Indische kranten aandacht aan de gebeurtenissen hadden besteed. In een cursiefje in 'De Morgen' werd er trouwens op gewezen dat in die berichten alle eigennamen fout waren gespeld, van de voetbalmatch een rugbymatch was gemaakt, en de stad verkeerdelijk in het uiterste zuiden van het land werd gesitueerd.

De Hoofdcommissaris van politie verklaarde voor de radio dat er een grootscheeps onderzoek liep, dat enkele ernstige sporen werden gevolgd, dat er helemaal geen reden tot paniek was, en dat hij eerstdaags meer dan waarschijnlijk enkele zeer positieve verklaringen zou kunnen afleggen.

Walvisch kocht in opdracht van het gezelschap alle kranten die hij kon vinden, ook en vooral de buitenlandse. Met het stapeltje nam hij plaats aan het raam van een rustig café en doorbladerde het vluchtig. Hij vroeg zich af sinds wanneer sudoka's zo populair waren geworden en verbaasde zich over het feit dat in vrijwel alle kranten het katern met financiële en economische berichten uitgebreider was dan de sportpagina's.

〜〜

Met een haast zweverig gebaar liet Marilyn Monroe de jurk van haar schouders glijden, zakte routineus door de knieën om hem op te rapen Ze bewoog zich in haar naaktheid als in een dure avondjurk.

'Het spijt me. Ik heb nooit van je gehoord,' zei Heydrich.

'Maakt niet uit. Maar je moet wel dat boek van Norman Mailer over mij eens lezen.'

'Waarom? Van wie? Zoals jij hier voor me staat, dat is ruim voldoende. En straks ken ik je nog beter.'

Hij probeerde elegant uit zijn broek te stappen, maar viel achterover op het bed en onmiddellijk lag ze giechelend op hem.

'Jij hebt ervaring, dat merk ik zo. Aan je ogen, je stem, je penis.'

'Jij ook.'

'Bij een vrouw noemt men dat geen ervaring maar raffinement.'

Zijn hand gleed langs haar been, en ze bewoog het zo dat hij niet anders kon dan haar kut strelen. Hij hapte naar adem.

'Pussy,' zuchtte hij.

Ze lachte.

'Gek,' zei ze. 'Gisteren noemde die pastoor het een muis. A mouse.'

'Typisch Vlaams, denk ik,' zei hij.

'Dat is jaren geleden,' loog hij even later en trachtte met zijn vingers tussen haar dijen turnoefeningen te doen.

'Dat lieg je,' zei ze, 'want er zijn hier al dames op bezoek geweest. Professionele dames.'

'Dat is niet hetzelfde.'

'Oh nee? Had je toen misschien een ander soort erectie?'

Hij kreunde.

'Zwijg en hou van me,' zei hij, opeens verwonderlijk zacht en lief. 'Ik weet best dat ontelbaar meer mensen me hebben gehaat dan liefgehad. Ik heb trouwens ook meer gehaat dan bemind, en de haat heeft me verder gebracht dan de liefde. Erger zelfs, de liefde was een handicap. Ik heb heel wat vrouwen gehad in mijn jonge jaren, en dat heeft de carrière die ik toen ambieerde kapotgemaakt. Jaloersheid, verbittering van oude mannen, ze hebben die affaires tegen me uitgespeeld. Maar ik heb teruggevochten. En met enig succes mag ik wel zeggen.'

'Zwijg en neuk me,' zei ze.

Dat deed hij.

Van tristesse na de coïtus bleek ze geen hinder te hebben. Hij trouwens evenmin. En hij bleef zich opgewonden voelen,

'In de hemel is iedereen impotent. Niemand heeft herinneringen of verlangens, en alleen zijn is er een staat van genade. De tijd staat er stil. Zelfs mijn dood liet me er onverschillig.'

'Hoe bedoel je?'

De vraag was duidelijk meer een vorm van beleefdheid dan van interesse, maar hij leek dat niet te merken. Terwijl hij langzaam haar rug en haar kont streelde, werd hij furieus.

'Toen ik stierf was ik een van de machtigste mannen van deze wereld. Geloof me, ik overdrijf niet. Ik kon over leven en dood van haast alle anderen beslissen. Ik deed het ook, zonder scrupules, als het noodzakelijk was.'

Hij had zonet 'Heydrich, das Gesicht des Bösen' van een zekere Mario R. Dederichs gelezen. Opgewonden, en niet zonder trots, was hij beginnen lezen en aanvankelijk had hij zich zeer versierd gevoeld. Natuurlijk, dat begreep hij best, was het een kritische benadering van zijn persoonlijkheid en zijn prestaties, maar hij was helemaal niet geborneerd, dat kon hij best verwerken, want het totaalbeeld bleef volgens hem vrij correct, al leek de invulling van de begrippen goed en kwaad hem enigszins zonderling. Pas iets over de helft van het boek fronste hij de wenkbrauwen, toen verteld werd hoe hij, in de St.-Vitusdom in Praag, als rijksprotector, SS-Obergruppenführer en hoofd van de politie, de zeven sleutels van de Kroningskamer overhandigd kreeg. Dederichs schreef: 'Toen stonden de mannen voor het allerheiligste van de Tsjechen, de Wenceslaskroon, voorzien van een kruis vol juwelen, bezet met een stekel, naar verluidt uit de doornenkroon van Jezus Christus. Er rust een vloek op: wie de kroon onbevoegd opzet, zal binnen een jaar een gewelddadige dood sterven, en vervolgens ook zijn oudste zoon.'

Hij had de kroon uitdagend op zijn hoofd gezet.

Hij ergerde zich om te beginnen mateloos aan dat 'onbevoegd' en vervolgens nog meer aan de vermelding van het oude bijgeloof, wat hij als een aanslag op zijn dood beschouwde. Hij was niet vredig van vermoeidheid of kortademigheid in zijn bed gestorven, hij had niet laffelijk zelfmoord gepleegd, hij was niet toevallig in een ramp omgekomen, hij was neergeschoten, het bewees zijn belangrijkheid. Dat Tsjechisch fabeltje ontnam hem die glorie. En natuurlijk kwam de auteur er later nog op terug, hij vermeldde dat de vloek een realiteit was: 'Want in het jaar na zijn gewelddadig einde, op 24 oktober 1943, stierf ook zijn oudste zoon Klaus.'

'Ik kan die schrijver niet vergeven dat hij van mijn tragische dood een soort folkloristisch spektakel maakt. De aanslag, die vroeg om represailles, en die zijn er gekomen. Ooit van Lidice gehoord? Dat dorp werd totaal van de kaart geveegd, alle mannen werden neergeschoten, 173 mannen, alle vrouwen en kinderen naar het concentratiekamp gestuurd. Nee, natuurlijk, nooit van gehoord. En meer nog. In totaal zeker 5000 mensen hebben mijn dood met hun leven betaald. Folkloristisch, laat me lachen.'

'De dood is nooit belachelijk, het leven meestal wel,' zei Marilyn. Haast verontschuldigend voegde ze daar onmiddellijk aan toe: 'Dat heb ik niet zelf bedacht, dat heeft Arthur me eens gezegd, geloof ik.'

Ze neukten opnieuw.

'Nu moet ik gaan,' zei Marilyn.

'Wanneer zie ik je opnieuw?'

'Vanavond bij het eten.'

'Dat bedoel ik natuurlijk niet.'

'Ik moet bij iedereen langs,' zei ze, heel gewoon. 'Elke dag iemand. Volgende week ben jij dus weer aan de beurt.'

~~
~~

Het is een paradox, zoals alles in het leven, maar dat besefte hij nog niet. Hij voelde zich, als huishouder van het vreemde gezelschap, beter dan gewoonlijk. Anderzijds werd hij bezwaard door de impotentie die zich zo vernederend had gemanifesteerd. Het idee dat hij een dokter zou opzoeken verwierp hij onmiddellijk, omdat hij vreesde dat de oorzaak duidelijk was en dieper lag dan een tijdelijke fysieke onbekwaamheid. Hij besefte dat hij niet meer tot liefde in staat was. Een voorbode van de dood.

Men had hem dikwijls onverschilligheid verweten, en hij had dat verwijt zonder meer geaccepteerd, al noemde hij het bij zichzelf eerder een besef van machteloosheid. Zijn moeder had altijd vertederd en met een zekere trots, wat hij niet begreep, aan iedereen verteld dat hij het rustigste en braafste kind ter wereld was geweest. 'Hij weende nooit, hij protesteerde nooit als we hem iets verboden,' zei ze. 'Wat zou je later willen worden?' De klassieke vraag had hij altijd zonder antwoord gelaten, tot zijn vader besliste dat hij best boekhouder kon worden. De studies had hij zonder veel problemen met succes beëindigd, en daarna had hij de aquariumwinkel geopend. Ook dat was meer het gevolg geweest van toeval dan van een bewuste beslissing.

Hij accepteerde de wereld waarin hij leefde, zowel de straatomgeving en de familie als de politieke constellatie, maar hij voelde zich er niet thuis, eigenlijk verafschuwde hij de wereld.

Hij had een geweten, zoals iedereen, maar het bezwaarde hem niet. Een van de beste cliënten van de winkel in aquaria bleek een romancier te zijn, een beetje grootsprakerig maar sympathiek, met wie hij een soort vriendschap opbouwde. De man was gelukkig bescheiden en gesloten over zijn literair werk, want op literair gebied was Walvisch, niettegenstaande zijn ambitie, nooit veel verder gevorderd dan populaire bestsellers, vooral thrillers, maar de schrijver kon eindeloos uitweiden over de belabberde politieke situatie waarin de wereld volgens hem verkeerde. Hij was in talrijke verenigingen actief en nam deel aan zowat alle protestmeetings die werden georganiseerd. Uit nieuwsgierigheid, en omdat hij een goede cliënt ter wille wou zijn, had Walvisch eenmaal deelgenomen aan een betoging in Brussel. Hij kon zich nauwelijks nog herinneren waartegen er werd geprotesteerd, en ontdekte zo meteen voor dergelijke manifestaties totaal ongeschikt te zijn. Halfweg het parcours had hij er dan ook de brui aan gegeven, in een kroegje het stof uit zijn keel gespoeld, en hij zat al comfortabel op de trein voor de eerste manifestanten het station hadden bereikt.

De grote optocht had natuurlijk geen enkel resultaat, en ze bevestigde hem in zijn mening dat ook in een democratie de mens zo goed als machteloos is. Hoe goed hij zijn zaak ook had gerund, hij kon niet op tegen de veranderingen die in zijn buurt plaatsvonden en de oorzaak van zijn bankroet werden. Omdat er kiesplicht was, stemde hij trouw, en hij had nooit op een andere partij gestemd dan op de socialisten, behalve één keer. Toen had hij voor Amada gekozen omdat hij een beetje verliefd was op een roodharig en langbenig lid ervan. In de kranten las hij de artikelen over politieke onderwerpen enkel om een beetje mee te kunnen praten met de mensen uit zijn omgeving, maar hij moest herhaaldelijk in een atlas kijken om precies te weten te komen waar bijvoorbeeld Kosovo of Burundi zich bevinden.

Uiteraard vermeed hij angstvallig meningsverschillen, hij gaf iedereen gelijk, ofwel met enigszins geveinsde participatie in het verkondigde standpunt, ofwel met een afstandelijke hoofdknik. Een enkele keer, als de meestal opgewonden discussies echt de spuigaten uitliepen, reageerde hij met een schokkende, theatrale, beweging van zijn schouders, een beweging die zowel lichtjes afwijzend kon worden geïnterpreteerd als van een berustende mentaliteit, 'maak je niet druk, we weten dat we gelijk hebben, maar er is nu eenmaal toch niets aan te doen'.

Zowat het enige waar hij echt kon in opgaan was een voetbalwedstrijd. Hij ging zelden naar een wedstrijd kijken, maar volgde wel alle uitzendingen op televisie en betrapte er zich op soms juichend uit zijn fauteuil op te springen of luidop te vloeken bij een goal of een misser. Hij verwenste de scheidsrechters. Hij supporterde voor

Manchester United, hield meer van Barcelona dan van Real Madrid en haatte Bayern München.

En hij had er, als vrij aantrekkelijke man, een actief seksueel leven op na gehouden, met nogal wat wisselende partners. Van een aantal had hij echt gehouden, en telkens er aan de relatie een einde kwam, had hij duistere periodes meegemaakt, was door diepe dalen van ellende gewankeld.

Maar het vermogen echt van iemand te houden was verdwenen en dat vond hij zeer zorgelijk. Eenmaal bezocht hij een seksclub, neukte er met enkele dames, en leefde vervolgens drie maanden in volstrekte onthouding. Hij hield niet eens van zichzelf.

De telescoop had hij, lichtjes dronken, gekocht op een veiling en de wereld die zich zo voor hem openbaarde, was hem gaan boeien. Op een plank had hij meer dan een dozijn boeken over het heelal verzameld, hij wist meer over de atmosfeer van Saturnus dan over de economische organisatie van Europa.

'Je bent gek,' beweerde een vriend ernstig.

'Waarom?'

'Dat je interesse voor wat men het heelal noemt, groter is dan die voor de wereld waarmee je dagelijks te maken hebt.'

'Hij interesseert me wel. De prijs van benzine, van prei en tomaten, van sokken en condooms…'

'Je hebt de mentaliteit van een kruidenier.'

Het klonk minachtend.

'Ik dacht dat jij je inspande voor de rechten en belangen van de kleine man, van de kruidenier.'

'Ik zet me in voor rechtvaardigheid.'

'Dat is sinds lang een abstract begrip geworden.'

'Onze schuld, door laksheid en onverschilligheid.'

'Onze onmacht. Vandaag kan een mens zijn lot niet meer veranderen. Het individuele bewustzijn is een illusie geworden, de ikjescultuur een kermisattractie.'

'De wereld verandert.'

'Niets is wat het lijkt. Het was een bon mot, maar het werd een tactiek van het establishment.'

'Als ik door mijn sterrenkijker kijk, krijg ik eigenlijk steeds hetzelfde te zien, maar toch verandert dat universum constant. Wat ik zie is geen realiteit, sommige sterren zijn al lang uitgedoofd, hun plaats is verleden tijd. We zijn onvoorstelbaar klein en dus machteloos, en het universum is een spiegelbeeld van onze situatie. De kleine atomaire wereld ziet er net uit als de even onvoorstelbare grote. Ik wou dat ik iets duidelijker kon zijn.'

'Je vertelt onzin. Je had romancier moeten worden.'

'Dank je. Het is allemaal futiel. Alles verandert, maar het gaat zo snel of zo traag dat we het niet merken. Wat is het essentiële verschil tussen de Duitse concentratiekampen en wat er nu gebeurt in vele landen? Wetenschappelijke vooruitgang kwam de hypocrisie ten goede. Genocide. Het woord behoort nu tot het dagelijks taalgebruik. Massamoord en terreur zijn faits divers geworden.'

'Maar jij vindt het niet de moeite waard daar iets tegen te ondernemen?'

'Als ik dat deed, zou ik alleen maar verschrikkelijk gaan haten, en haat zal de wereld niet beter maken.'

Soms haatte Walvisch zichzelf.

〰〰

Enkele dagen nadat onze (nou ja…) brief was gepubliceerd, verschenen er twee heren in identieke grijze pakken op school en werden wij in een zwarte Amerikaanse slee naar het stadhuis gebracht. Zonder verdere plichtplegingen bracht men ons naar een zaal waar een aantal bleke maar indrukwekkende heren, sommige in legeruniform, achter een lange tafel zaten. Ze keken ons doordringend aan. Dat meende ik toch. We stonden er alle drie, vermoed ik, nogal bedremmeld bij.

'Je hoeft geen angst te hebben,' trachtte een van de heren ons gerust te stellen. Op zijn vest zat een ereteken dat groter was dan de knoop van zijn das. Hij bleek de voorzitter te zijn van de 'Bijzondere Commissie', en droeg een zware hoornen bril waarin duidelijk ook een hoorapparaatje zat. Terwijl hij praatte, keek hij ons aan alsof we internationaal opgespoorde misdadigers waren. Althans in het begin waren we echt wel onder de indruk. Gelukkig hadden we, samen met Walter, afgesproken hoe we zouden reageren als er over de brief zou worden gesproken.

'Je hoeft geen angst te hebben,' herhaalde hij op weinig geruststellende wijze.

Een van de heren van de commissie liet zijn aansteker vallen en verdween even geheel onder tafel, wat me zeer komisch leek.

'We willen alleen maar een kleine inlichting. Niks speciaals. We zouden namelijk wel eens willen weten wie jullie op de idee van die zogenaamde Kameleons heeft gebracht.'

'Niemand,' zei Dirk die zich blijkbaar als eerste van de emotie had hersteld.

'Hoezo niemand?'

'Dat is gewoon onze overtuiging.'

De man links van de voorzitter schraapte zijn keel, nam zorgvuldig de bril van zijn belachelijke mopsneus en zei:

'Jongens, die brief moet deel uitmaken van ons onderzoek. We zijn van mening dat wat jullie erin suggereren kolder is, verwarrende hersenspinsels van enkele jongeren, jullie dus, die zich interessant willen maken, maar toch is het onze plicht hem ernstig te nemen. Deze brief zou ons immers kunnen leiden naar wie er belang bij heeft dat men liever in zogenaamde Kameleons dan in linkse terroristen gelooft.'

'Hij kan op het goedgelovige publiek bovendien een negatieve uitwerking hebben,' zei een heer met een glanzend kaal hoofd waarin een deukje zat. 'Als iets niet past in het alledaagse gedoe worden de mensen vlug uit hun evenwicht gebracht en kunnen er ernstige gevolgen uit voortvloeien. Men slikt ongelooflijk veel, de grootste onzin lijkt soms opeens tot de alledaagse mogelijkheden te behoren.'

'Hoe bedoelt u?' vroeg Dirk en Sim lachte hoorbaar. Zenuwen, dacht ik.

Dirk kreeg er duidelijk zin in.

'Het klopt niet,' zei hij droogjes.

De heer links van de voorzitter zette zorgvuldig zijn bril weer op en leek verbaasd.

Ook ik vond mijn evenwicht terug.

'U zegt dat onze brief kolder is, maar vindt hem wel belangrijk genoeg om ons ervoor van school te halen.'

'Dat is geen paradox,' zei een man die ik herkende als de politie-commissaris van onze wijk.

'Wij weten dat het onzin is maar we moeten rekening houden met de mogelijke reactie van het grote publiek. En vooral, zoals mijn collega zei, de brief kan ons op het spoor zetten van de mensen die deze onzin bewust verspreiden om de aandacht af te leiden, sporen verwarrend te maken.'

'U gelooft dus niet in Kameleons?' vroeg Dirk met duidelijk ge-kunstelde verbazing.

De heren begonnen door elkaar te praten, maar de voorzitter legde de commissieleden resoluut het zwijgen op.

'Professor André, de man hier rechts van mij, is een internatio-naal bekend astronoom. Hij neemt al jaren deel aan allerlei onder-zoeken in de ruimte. Hij zegt dat jullie veronderstelling, niet enkel die van jullie uiteraard, wetenschappelijk gezien prietpraat is. Maar goed, daarover wil ik het voorlopig niet hebben. Wij willen enkel weten waarom of hoe jullie op dat onzalige idee bent gekomen om die brief te schrijven.'

'Wij hebben nagedacht,' zei Dirk met grote overtuiging.

De heren aan de tafel bekeken ons nog doordringender.

'Ernstig blijven,' zei iemand in legeruniform.

'Zegt u dan maar eens, meneer de generaal, wat de verklaring voor al die vreemde gebeurtenissen kan zijn,' daagde Dirk brutaal uit.

108

Ze zwegen, behalve de militair die zei 'Kapitein, niet generaal.'

'Omdat er geen zinnige verklaring is voor al die vreemde gebeurtenissen,' zei Dirk, op een toon alsof hij al jaren volwassen was, 'dachten wij dat die van ons best wel eens waar kon zijn.'

'Willen jullie ons blijven wijsmaken dat die lezersbrief door niemand aan jullie werd gedicteerd?'

'Natuurlijk.'

Ik voelde me gekwetst door de neerbuigende wijze waarop de heren eraan twijfelden of wij wel voldoende intelligent waren om die brief zelf te hebben bedacht en geschreven. Dat was natuurlijk wel zo, maar ik was ervan overtuigd dat wij het hadden kunnen doen.

'Hebben jullie de brief zelf bedacht, het allemaal door pseudo geleerde prietpraat een schijn van degelijkheid gegeven en beslist dat het jullie plicht was dat wereldkundig te maken?'

'Zo zit het ongeveer in elkaar,' zei Dirk rustig.

Daarmee was de kous natuurlijk niet af. De heren begonnen opgewonden met elkaar te discussiëren in het Nederlands, het Frans en het Engels door elkaar en ten slotte richtte de voorzitter zich weer tot ons.

'Wij geloven dat niet.'

'Toch is het zo,' zei ik. 'En het lijkt ons dat iedereen die ooit door een telescoop in de ruimte heeft gekeken zal toegeven dat die veronderstelling niet zo fantastisch is als ze lijkt.'

'We hebben er ook boeken over gelezen,' vulde Dirk aan. 'En dan bedoel ik niet alleen Jules Verne. Ik kan je een lijstje van die boeken bezorgen. Er staan er ook enkele bij van Julien Weverbergh, onze stadsgenoot.'

'Telescoop? Wie van jullie heeft een telescoop?'

'Geen van ons,' zei ik. 'Een vriend van ons heeft er een, en daar kunnen we regelmatig door kijken. Hij kan boeiend vertellen over de ruimte en de sterrenwereld en over planeten en…'

'Hoe heet die vriend?'

'Walvisch.'

'Kennen jullie die man al lang?'

Ik wist het heel precies, maar deed alsof ik lang moest nadenken, telde het na op mijn vingers. Ik genoot van dat nummertje.

'Sinds enkele maanden.'

De commissie verzonk in diep gepeins.

'Zozo,' zei iemand ten slotte.

'Je moet ons zijn adres geven.'

Dat deden we en toen mochten we gaan.

〰

Op zaterdagmorgen 30 mei werd Adolf Pannemans dood aangetroffen op de hoek van de Verversrui en het Falconplein. Aangereden door een auto, dat was duidelijk, en de dader had vluchtmisdrijf gepleegd. Pannemans was vast niet de meest populaire, maar wel een van de meest bedrijvige en meest bekende plaatselijke politici , oprichter en voorzitter van de in de stad redelijk groot geworden splinterpartij RR of Rechts Radikaal. Velen twijfelden of het wel een ongeluk was, of hij niet koelbloedig was vermoord. Door de Kameleons, of door politieke tegenstanders. Het was bekend dat hij niet alleen een actief politicus was, maar ook een nog actiever fuifnummer, al van in zijn studententijd. De buurt waar hij was aangereden was niet de meest deftige van de stad en in enkele buurtkroegen was hij een graag geziene gast, ook bekend om zijn vrijgevigheid, want hij stamde uit een van de meest welvarende families van het land. Als hij gedronken had, werd hij zeer scabreus en vertelde vuile moppen met de snelheid van een machinegeweer. Twee kranten brachten het nieuws onder de alarmerende kop: 'Pannemans vermoord?'

De volgende dag, zondag, ging een groot tankstation op de uitvalsweg naar Brussel in de vlammen op. Een deel van de omgeving werd ontruimd en de brandweercommandant was positief: het vuur was aangestoken.

En op maandag vuurde een dolle schutter op de kooplustige menigte op de Meir, drukste winkelstraat van de stad. Het feit op zichzelf was dramatisch, maar dat de 'dolle schutter' erin slaagde ongezien weg te komen, niettegenstaande de politie haast onmiddellijk ter plekke was en diverse mensen het huis en het raam hadden aangewezen van waaruit was gevuurd, leek totaal onwaarschijnlijk, onbegrijpelijk. 'Met medewerking van de politie?' was de meest alarmerende krantenkop, maar niemand nam er aanstoot aan.

≈≈

De parelgrijze limousine reed niet maar gleed over de hobbelige middeleeuwse kasseiweg. Walvisch zag hem naderen van op het terras van de zogezegd landelijke afspanning waar hij op zijn gezelschap zat te wachten. Ze hadden rustig een groot deel van de Kempen bezocht, als keurige toeristen.

Het was een mooie dag, een blauwe lucht met enkele onbeschaamde wolken. De zon reflecteerde in de ruiten van de limousine, ook in die van een landbouwtractor, en in het water van het vijvertje met waterlelies dat in het midden van het terras was aangelegd. De limousine stoorde het landschap niet.

Hij dronk Trappistenbier, de dag was vlot en aangenaam geweest en toch voelde hij zich niet ontspannen. Hij voelde zich nooit echt ontspannen als hij uit zijn vertrouwde milieu was. Hij hield helemaal niet van drukke winkelstraten, hij meed ze als de pest, maar in die straten voelde hij zich toch nog altijd meer thuis dan in de rustige en mooie landelijke omgeving waar hij constant naar hunkerde, maar waar hij telkens met zichzelf werd geconfronteerd als met een stoet penitenten. Hij begreep zichzelf niet en had het opgegeven zich daar nog zorgen over te maken.

De limousine verdween even achter een rij hoge rij kastanjelaars waar een zwerm vogels uit opfladderde en toen hij weer tevoorschijn kwam was hij verrassend dichtbij. Walvisch dronk zijn glas leeg. Hij had een tafel gereserveerd vlak naast de vijver en een lichte lunch besteld.

Hij hoorde de wagen niet, hij hoorde enkel het water van het fonteintje dat naast de vijver feestelijk actief was, en hij hoorde het zingen van een aantal vogels in een bijzonder grote volière achterin de tuin. De eigenaar van de herberg was een liefhebber, het waren allemaal Afrikaanse vogels en hij was elke dag uren met de verzorging bezig. De natuur bloeide ijverig, hij trachtte nog even ontspannen te profiteren van de rust die hem werd gegund. De grijze auto gleed naderbij, hij meende de rozen die tegen de gevel groeiden te kunnen ruiken, er sprong een citroenkleurige siervis op uit de vijver, er zoemde even een libelle over het wateroppervlak.

〰〰

In de limousine keek niemand naar buiten. Ze hadden duidelijk allemaal iets teveel op, William Calley was zelfs echt dronken.

'We beseffen niet wat we in de hemel allemaal hebben gemist,' zei Haig. 'Iets als Bokrijk, dat is toch prachtig.'

'Graag uw aandacht,' beval Goebbels.

Het werd ook onmiddellijk stil in de wagen, de motor zoemde zacht, ergens buiten loeide een koe.

'Waarde vrienden, vlug een woordje voor we ons weer mogen verheugen in het gezelschap van onze nieuwe bewaarengel, Walvisch.'

Hij hield zijn gsm in de hoogte.

'Schitterende uitvinding. Terwijl jullie (een steelse blik op een papiertje dat voor hem lag) Bokrijk bezochten, ben ik in deze wagen gebleven en heb ik een aantal telefoontjes ontvangen en gepleegd. Zij bevestigen het ondubbelzinnig succes van onze acties en, beste vrienden, dit is dus nog maar een bescheiden begin. We creëren paniek, maken de voedingsbodem klaar, en tegelijkertijd krijgen we aandacht en belangstelling van de wereldpers. Zowel de 'Washington Post' als die Japanse krant met onuitspreekbare naam, zowel 'Le Monde' als zelfs de Iraakse pers hebben vandaag hun hoofdartikel gewijd aan de gebeurtenissen in wat ik voortaan maar onze stad zal noemen. Wij moeten onze strijd dus onverdroten verderzetten, hierbij gesteund door ons onwankelbaar geloof in de goede zaak en de faciliteiten die ons tijdelijk verblijf bij God nu eenmaal hebben opgeleverd. Wij mogen deze mogelijkheden en onze talenten niet ongebruikt laten, dat zou godslasterlijk zijn. Natuurlijk moeten wij, menselijkerwijs gesproken, risico's nemen, maar daarvoor zijn wij niet bevreesd. Onze inspanningen mogen niet afnemen, onze verdiensten zullen groot zijn, de reputatie van het nazisme zal, nadat wij onze opdracht hebben uitgevoerd, hersteld zijn, de nieuwe wereldorde zal eindelijk gevestigd worden. Natuurlijk kan het niet anders of onderweg moeten er zogezegd onschuldige slachtoffers vallen. Dat betreuren wij, maar het kan nu eenmaal niet anders.'

'Dat besef ik zeer duidelijk,' zei von Braun met een snik in de stem, wat overigens geen indruk maakte, want Wernher liet nooit een gelegenheid voorbijgaan om de aandacht op zijn geweten te vestigen.

'Je valt altijd weer in herhaling,' mompelde Calley dronken, tussen zijn tanden.

'Mijn mening,' vervolgde Goebbels, na even een blik door het raampje te hebben geworpen, 'is enigszins anders dan die van de gewone stervelingen, en dat liet me toe zonder het minste probleem de heer Pannemans onder een auto te laten duwen. Het effect overtrof mijn stoutste verwachtingen, zowel wat de fatale schade aan Pannemans betrof als de weerslag ervan in de pers.'

'Het brandende benzinestation was evenmin een probleem,' zei Bomber Harris, niet zonder trots. 'Het ontstekingsmechanisme heb ik zelf in elkaar geknutseld. Dat herinnert er me aan dat onze vriend Walvisch wel enigszins verbaasd was toen ik hem de opdracht gaf bepaalde dingen voor me te kopen. Hij begreep niet waarvoor ik die allemaal nodig had en ik heb hem toen wijsgemaakt dat ik wil deelnemen aan een wedstrijd. Ik las toevallig in de krant dat er een humoristische wedstrijd werd ingericht door de plaatselijke horeca om de meest ingewikkelde maar efficiënt functionerende apparatuur te bedenken voor het onthoofden, of hoe noem je dat, van een ei. Geef dat dus als reden op als hij zijn nieuwsgierigheid bij jullie wil bevredigen.'

'Genoteerd,' zei Goebbels. 'En ten slotte luisteren we graag nog even naar onze vriend William, want zo direct eindigt onze uitstap.'

'Ik heb mijn uitstekende opleiding als schutter nogmaals in de praktijk toegepast,' zei die met dubbele tong maar bescheiden.

Er werd gelachen.

'Er waren twee onschuldige kinderen bij de slachtoffers in dat tankstation,' wierp Verschaeve op.

'Twee maar.'

In een flits zag Calley zichzelf weer in My Lai. Hij nam een kind op, wierp het met zijn gezicht in het slijk en schoot een kogel door het achterhoofdje.

'Twee is twee te veel.'

'Politiek is geen wiskunde.'

'Hoeveel kinderen stierven in de kampen, in Dresden, in Hiroshima en Nagasaki, in Londen en Antwerpen, in de volkerenmoorden die in naam van of met goedkeuring van de zogezegde democratie plaatsvonden?'

'In Palestina,' vulde von Braun aan.

'In India.'

'India?'

'Hongersnood.'

'Dat is iets heel anders.'

'Toch niet. Wij, ik bedoel de zogenaamde westerse mens, van arm tot rijk, jong tot oud, links of rechts, zijn ook verantwoordelijk voor de hongersnood elders en wij…'

'Nog twee zakelijke mededelingen,' onderbrak Goebbels. 'Een. Morgen zullen we afscheid nemen van onze collega Wernher Von

Braun. Hij heeft zijn deel in onze opdracht schitterend vervuld, en hij kan dus terugkeren naar de eeuwigheid. Hij zal vervangen worden door Edward Teller.'

'Wie is dat?' vroeg Haig.

'De atoomgeleerde, de vader van de waterstofbom. Zijn kennis en ingesteldheid zijn noodzakelijk voor onze slotactiviteit. Morgen stel ik hem aan jullie voor.'

'En die tweede mededeling?' vroeg Cyriel Verschaeve.

'We zijn nu opnieuw aardse wezens en hebben dus aardse, of menselijke, behoeften, zoals we allemaal aan den lijve ondervinden. Daarom is er dus een dame in ons gezelschap opgenomen. Ik eis opnieuw uiterste discretie. Het experiment met de escorteservice beviel ons allemaal uitstekend, maar het is te riskant, het zou onze anonimiteit in gevaar kunnen brengen. Bovendien was Marilyn Monroe een van de mooiste vrouwen op aarde. Er is een beurtrol opgemaakt, zoals je weet. Respecteer hem. Deze avond bezoekt ze Cyriel Verschaeve.'

Cyriel Verschaeve sloeg de ogen neer.

'We zijn er,' zei Goebbels, overbodig, want de limousine stopte en haast gelijktijdig opende een glimlachende Walvisch de portieren.

'Welkom in de streek van het voortreffelijke Trappistenbier,' zei hij.

♒

Of God bestaat is een onbelangrijke kwestie. Voor de meeste mensen is de vraag of en met hoeveel de benzineprijzen zullen stijgen veel importanter. Theologie is cabaret, maar dan voor zuurpruimen en fossielen. Theologen, dat zijn de pr-mensen van God, zij zoeken niet, hun vragen zijn volksverlakkerij, hun problemen zijn van dezelfde orde als de vraag wat er witter wast dan Dash. Het zijn geen onderzoekers maar manipulatoren, zij beschikken over een leger van doden, heiligen en zaligverklaarden, een indrukwekkender leger dan de beroemde Chinese Xi-ang-soldaten. van klei. Zij hebben, omdat het hen zo beter uitkwam, de mensen een volledig fout beeld gegeven van het leven na de dood, van het hiernamaals, van hemel en hel.

Hemel en hel zijn geen antipolen, het zijn buurlanden. 'De Goddelijke Komedie' is een van de meest vervelende boeken uit de wereldliteratuur, maar dankzij een bekwaam gevoerde promotiecampagne wordt het als een meesterwerk gehuldigd. Het geeft een vertekend beeld. Elke engel heeft ook een schaduwzijde, en dat is iets duivelachtigs, zoals trouwens elke duivel ook iets engelachtigs in zich heeft.

In de zogezegde hemel zit er meer volk dan alleen maar heiligen. Trouwens, heiligen zijn hersenspinsels van levende en zieke mensen, die van de toestanden in de hemel geen reet weten. Het is alsof een literaire jury werken bekroont geschreven in een taal die ze niet begrijpen. Heiligen zijn producten van een machinatie die te vergelijken is met het systeem dat popsterren en diva's, BV's en consoorten fabriceert.

Walvisch grinnikte.

Hij las het artikel in een literair tijdschrift dat hij toevallig in handen had gekregen.

Niet de vraag of God bestaat is belangrijk, besloot het artikel, maar de vraag of een bestaande God interesse heeft voor het lot van zijn creatie. Als God zijn handen van de mensheid heeft teruggetrokken, dan is hij inderdaad dood voor ons, dan is God een grote masturbator. En als God een hand heeft in het wereldgebeuren, is hij een grote smeerlap.

Misschien moet ik ooit dat boek van die Dante eens lezen, dacht Walvisch. Hij zocht alvast in zijn encyclopedie enige informatie op.

Het maakte hem niet veel wijzer.

Verstrooid bladerde hij verder en bekeek een aantal foto's van werken van Eugène Delacroix. Ze boeiden hem wel en bij het aanschouwen van die kermis van blote lijven kreeg hij zelfs een erectie.

Het was hoe dan ook een hoopgevend gebeuren en hij dacht 'Ik ben een God in 't diepst van mijn gedachten' en trok zich af, zij het met enige inspanning.

Daarna bestudeerde hij aandachtig het sperma in zijn zakdoek.

Miljoenen mogelijke levens, dacht hij. Misschien had er een wel de loop van de geschiedenis definitief kunnen veranderen. Ik zit in mijn bloot gat aan de tafel in mijn tijdelijk onderkomen op de hoogste verdieping van een fraai burgerhuis en doe zo misschien iets dat onze wereld ernstig schaadt of schitterend had kunnen helpen.

Hij boerde luidruchtig, voelde zich na het aantal Trappisten dat hij had gedronken zweverig en slaperig maar kwam er toch niet toe naar bed te gaan. Hij besloot het artikel te laten lezen aan Cyriel Verschaeve.

Verschaeve las het, met de handen voor de borst gevouwen, zittend aan de grote tafel in de lounge. De kamer rook naar tabak en boenwas.

'Dit is godslasterlijk,' zei Verschaeve, keek op, zette zijn brilletje af. 'Dit is een bewijs dat de tijden aan het verworden zijn.'

'Was het dan vroeger beter?'

'Vroeger hadden de mensen in elk geval meer respect voor het Hogere in het Leven.'

Met de priester had Walvisch het beste contact, gewoon omdat ze min of meer dezelfde taal spraken.

'En de oorlogen?'

'Zij werden gevoerd uit respect voor de waarde van het leven.'

'Leve de dood,' citeerde Walvisch een Spaans generaal van wie hij natuurlijk de naam was vergeten.

'Begrijp dat niet verkeerd. Verkies de dood boven een leven dat zondig en eigenzinnig en wellustig en dus waardeloos is. Wie wil niet sterven voor een verheven, een heilige zaak? Hebt u geen respect voor helden en martelaren?'

'Die stonden wel aan beide zijden van de frontlinie.'

'Het geloof rechtvaardigt.'

'Het doel heiligt de middelen, bedoelt u?'

'Mijn waarde vriend, mensen hebben altijd hun leven geofferd voor het welzijn en de waardigheid van anderen.'

Walvisch ruimde wat rommel op die was achtergebleven en maakte aanstalten om de kamer te verlaten. Hij vond het jammer dat hij niet meer echt woedend kon worden. Toch keerde hij zich bij de deur om.

'Wie wordt er beter van een oorlog?'

'Een oorlog kan, dankzij de offers van velen, de kans scheppen op een wereld waarin de mensen beter worden.'

'Kan men beter worden in een wereld vol concentratiekampen?'

Verschaeve richtte zich in zijn volle lengte op. Met zijn weelderige grijze en lange haren zag hij er indrukwekkend uit.

'Kan men beter worden in een wereld die verandert in een groot Sodom en Gomorra?'

Walvisch barstte in lachen uit.

'Ik niet, voorlopig toch niet,' zei hij en sloot de deur achter zich met een klap.

Eerwaarde heer Verschaeve wierp een blik op zijn horloge en stelde vast dat hij nog ruim een uur had om, in peis en vree, en van geen mens gestoord, een stevige borrel te drinken.

〜〜

Een bom vernielde, in de nacht van 6 op 7 juni een groot gedeelte van het 'Museum voor Hedendaagse Kunst Antwerpen' aan de gedempte Zuiderdokken.

Voor het eerst werd de aanslag opgeëist, en wel door een individu of organisatie die ondertekende als 'Klein Pierke'.

〜〜

De dikke zaterdageditie van 'Gazet van Antwerpen' stond haast integraal in het teken van de gebeurtenissen en de Kameleons. Prominent was een foto over drie kolommen van de ravage aan het

MUHKA, onder de titel: 'Maakt het museum nu zelf deel uit van de hedendaagse kunst?' De 'Gazet' had nooit hoog opgelopen met hedendaagse kunst.

De kop op de voorpagina luidde: 'Paniek in de stad'. Gevolgd door een ? tussen haakjes. En dan twee ondertitels: 'Bezoekers uit de ruimte?' en 'De burgers keren zich tegen elkaar.' De vorige avond waren in de buurt van het St.-Jansplein verscheidene vechtpartijen uitgebroken, met vele slachtoffers als gevolg. De hele nacht had de politie er moeten patrouilleren.

Toen we samenkwamen, bleken we alle drie een exemplaar van de krant mee te hebben.

Het hoofdartikel:

'Wij vertolken ongetwijfeld de gevoelens van een aanzienlijk deel van de bevolking als wij hier als onze mening te kennen geven dat de inderhaast georganiseerde 'Bijzondere Commissie' helemaal niet tegen haar taak opgewassen blijkt.

Sinds de eerste man in niet opgehelderde omstandigheden verdween, hebben zich in onze goede stad haast dagelijks raadselachtige en dramatische gebeurtenissen afgespeeld, met de even geslaagde als trieste aanslag op het MUHKA als (voorlopig?) laatste. Wat werd er reeds gepresteerd om hier paal en perk aan te stellen?

Wij kunnen, zonder vrees de waarheid geweld aan te doen, deze vraag beantwoorden met een kort, krachtig en overduidelijk: niets.

Als men de nodige en strenge maatregelen had genomen, zouden meer dan waarschijnlijk de daders al zijn ontmaskerd.

Wij zijn erin geslaagd de waakzaamheid van de politie om de tuin te leiden en dankzij list door te dringen tot de ziekenkamer waar de 23-jarige L.M., de onbedoelde oorzaak van de gebeurtenissen op en rond het St.-Jansplein die het leven hebben gekost aan één man en 13 slachtoffers met min of meer zware verwondingen in de kliniek deden belanden.

Ziehier wat hij ons kon vertellen: 'Ik ben vrijgezel, woon alleen en werk als hulp bij een pasteibakker. Ik kook mijn eigen potje, wat me best bevalt en ik heb een grote voorliefde voor spaghetti Bolognaise. Gewoonlijk wordt daar te veel saus bij gemaakt, maar dit terzijde. Gisteren ben ik met enkele vrienden een partijtje biljart gaan spelen, heb enkele pintjes gedronken en werd op weg naar huis aangesproken door een vriendelijke heer die me beleefd verzocht of ik een vuurtje had voor zijn sigaret. Een vriendelijke heer, zoals gezegd, driedelig pak, maar er was iets aan die man, dat me een beetje beklemd en onrustig maakte. Daar liet ik natuurlijk niets van merken. Hij hield een sigaret tussen de lippen, maar nauwelijks had ik ze met mijn brandende sigaret aangeraakt om hem vuur te geven of iets als een elektrische schok wierp me tegen de grond. Opeens merkte ik wat er mis was: zijn oogleden sloten niet van boven naar onder, maar van onder naar boven. Zoals dat, geloof ik, ook bij sommige reptielen het geval is. Het drong als een flits tot me door: hij is een Kameleon. Geen twijfel mogelijk. Wat verder gebeurde, is vaag. Mijn ontdekking en de angst gaven me de kracht van een reus. Ik kon de man van me afduwen en luid gillend holde ik de Oude Steenweg in. Ik werd uiteindelijk tegengehouden door enkele mensen die me vroegen wat er aan de hand was. Samen met die mensen, een tiental denk ik, ben ik teruggekeerd naar de plaats waar ik was aangerand. Een politieagent voegde zich onderweg bij ons, met zijn pistool in aanslag. Van het vreemde wezen was echter geen spoor meer te bekennen. Ik vreesde al dat men aan de waarheid van mijn woorden zou gaan twijfelen tot er mensen kwamen aanlopen die beweerden dat ze een man tegen onwaarschijnlijk hoge snelheid door de Sint-Gummarusstraat hadden zien hollen. Ze zeiden, letterlijk, 'onwaarschijnlijk' hoge snelheid. Op zijn ogen hadden ze natuurlijk niet gelet. We zochten verder naar een spoor van hem en steeds meer mensen sloten zich bij ons aan.'

Tot daar het verhaal van de heer L.M.

Hij weigerde er nog iets aan toe te voegen omdat hij van mening was dat hij niet verantwoordelijk was voor wat zich daarna nog heeft afgespeeld.

Men weet ondertussen dat deze groep mensen aangroeide tot een menigte van tientallen burgers die zwijgend maar steeds dreigender door de straten oprukte, in een verbeten jacht op de planeetbewoner met de abnormale ogen.

Eindelijk leek bewezen dat ze bestonden…

De opgekropte angst en spanning van de laatste tijd zijn er ongetwijfeld de oorzaak van dat op een bepaald moment en door een niet bekend en waarschijnlijk nooit te achterhalen miniem feit deze massa zich tegen zichzelf heeft gekeerd.

Enkele mensen beweren dat iemand moet geroepen hebben dat de Kameleon zich onder hen bevond, anderen houden het erbij dat er vanuit zijstraten met stenen werd geworpen, nog anderen houden mordicus vol dat haast onzichtbare en dus ongrijpbare wezens de menigte overvielen.

In de slecht verlichte straten – en het past hier wel er nogmaals de aandacht van onze trouwe lezers op te vestigen dat wij al sinds vele jaren ijveren voor een betere straatverlichting – meende iedereen een vijand te herkennen in de man die naast hem liep. Het kwam tot een hele reeks handtastelijkheden, die in de aanvankelijk eendrachtig oprukkende massa, uitgroeiden tot een ware veldslag.

Angst en wantrouwen maakten de mensen gek. Het gevecht dijde uit over de hele wijk en nietsvermoedende voorbijgangers werden erin betrokken. Volkomen buiten hun zinnen geraakte mensen wierpen ruiten in, winkels werden geplunderd, auto's beschadigd. Een beweging achter een gordijn, een aan- of uitknippend licht volstond soms om agressie op te wekken.

Het was een afschuwelijk schouwspel.

Ontsnappen was onmogelijk.

Wie uit de wriemelende massa wou vluchten werd onmiddellijk door drie, vier man aangevallen en overmeesterd, omdat men meende in elke vluchtende mens een planeetbewoner te hebben ontdekt. Wie zich toch uit een kluwen vechtenden kon bevrijden werd onmiddellijk door anderen aangevallen.

De gealarmeerde politie stond aanvankelijk machteloos en de hulp van het leger werd ingeroepen. Het leek wel een scène uit het Oostblok, lang geleden, of uit Bagdad, recenter. Het duurde tot de dag in de lucht kwam eer de rust enigszins kon worden hersteld.

Slechts enkele heethoofden werden gearresteerd, maar in de klinieken liggen talrijke gewonden en het mag als een klein mirakel worden beschouwd dat dit zinloze gevecht slechts één dode tot gevolg had.

Wij stellen nu nogmaals en nog nadrukkelijker de vraag wat de officiële instanties van plan zijn te doen om herhaling van dergelijke rampzaligheden te vermijden.

Maatregelen dringen zich onverwijld op.

En het is ondertussen ook overduidelijk dat deze gebeurtenissen van meer dan lokaal belang zijn. Wat doet de regering?

Dit probleem moet op nationaal niveau worden aangepakt.

Of zelfs dat niet: dit is een internationale zaak.'

Tot daar de krant.

Rond drie uur de volgende nacht brak gelijktijdig brand uit in drie kerken.

In twee kerken kon het vuur vrij vlug worden gedoofd, beperkte de schade zich tot een aantal verkoolde bidbanken, of gingen de protserige kleren van een of ander heiligenbeeld in vlammen op, maar de kleinste kerk werd grondig in puin gelegd. De omgeving werd ontruimd, van overal arriveerden specialisten om de oorzaak van de brand te onderzoeken.

Wij gingen overal kijken. Op alle plaatsen bleek er pers aanwezig te zijn en Sim, die van ons trio het beste Frans spreekt, werd zelfs geïnterviewd en gefotografeerd door 'Le Figaro'.

∿∿

Toen Walvisch ging slapen had hij, niet helemaal ten onrechte, de indruk een van de vreemdste dagen van zijn leven achter de rug te hebben.

122

Het begon al vroeg in de morgen. Hij moest de vuilniszakken op straat zetten, en vervolgens een reeks boodschappen doen voor het gezelschap. Hij besloot te voet te gaan, maakte zijn schoudertas klaar. Na een grote kop sterke zwarte koffie, zonder suiker, en een droge matzes, want voor de middag was hij altijd een bijzonder sober man, tilde hij de zak huisvuil op, opende de deur en bleef als aan de grond genageld staan. Niettegenstaande de zomer pas begonnen was, de weersvoorspellingen normaal en warm weer aankondigden, waren alle bomen zo goed als kaal. De straat was bedekt met een tapijt van groene maar zieke bladeren, hier en daar dwarrelde nog een enkel blad op de nauwelijks voelbare wind.

Er stonden heel wat mensen druk commentaar te leveren en hij werd onmiddellijk door enkele mannen aangesproken. Hij zei dat hij over luchtvervuiling natuurlijk al wel een en ander had vernomen, maar er verder niets van afwist. Van Kyoto-normen was hij helemaal niet op de hoogte. In de buurt was geen industrie gevestigd, een kleine drukkerij uitgezonderd. Merkwaardig was dat de bomen in de binnentuintjes helemaal niet bleken aangetast door het onnatuurlijke verschijnsel. Er arriveerde een auto van de stadsdiensten en enkele mensen met het gezaghebbende air van specialisten stapten uit, keken rond, raapten enkele bladeren op en roken eraan. Vervolgens maakten ze hun handen schoon aan de witte overalls waarin ze zich gestopt hadden. Een heel pak bladeren werd in een plastiekenzak gestopt en een van de auto's reed luid toeterend onmiddellijk weg. Het werd ook duidelijk dat de ziekte zich niet tot één straat beperkte.

Walvisch besloot zijn boodschappen pas later te doen. De witte experts verdwenen en even later reed een combi van de politie traag door de straten en deelde de bevolking mee dat het ophalen van de vuilniszakken pas de volgende dag zou plaatsvinden. Er werd aangeraden voorlopig de bladeren niet op te ruimen, en er werd omgeroepen dat uit een eerste analyse alvast bleek dat er geen gevaar was voor de volksgezondheid.

In het gezelschap heerste een opvallend opgewekte stemming. Verschaeve wiegde van het ene been op het andere terwijl hij, staande voor het raam, halfluid de eerste verzen scandeerde van wat een lang en episch vers moest worden waarin de toorn Gods zich, zesregelige strofe na strofe, steeds duidelijker en wreder zou manifesteren in een Vlaanderen dat zijn historische opdracht verwaarloosde. De andere heren voerden drukke gesprekken terwijl, eerder dan normaal, de eerste neuten werden genoten.

Alleen Marilyn vertoefde nog op haar kamer.

Walvisch verontschuldigde zich voor het feit dat hij nog geen boodschappen had kunnen doen, maar dat kon de stemming niet drukken. Er was heel veel begrip voor dat kleine 'inconvenient' zoals Haig het noemde. Haig demonstreerde graag dat hij een beetje Frans machtig was.

Het bleef stil in de kamer, en daar maakte Verschaeve gebruik van om Heydrich te zeggen dat hij net met veel waardering een boek over hem had gelezen. Van onder zijn soutane haalde hij een exemplaar van 'Heydrich, das Gesicht des Böses' tevoorschijn.

'De titel is misleidend,' zei hij. 'Want Himmler heeft gezegd dat je wel als staalhard bekend stond, maar toch een geweten had, dat je altijd hebt gehandeld als een echte SS-er die, ik citeer, 'ons verplicht eigen noch vreemd bloed te sparen als het voortbestaan van het land dat eist."

Heydrich zwierde het boek, waar Verschaeve een bruinpapieren wikkel om had gedaan om het niet te beschadigen, door de kamer.

Pas na een derde whisky kalmeerde hij en ging bij de anderen aan het raam staan om te zien hoe een straatveegmachine de massa dode bladeren begon op te ruimen. Heydrich was ook blij dat de schrijver van het boek zijn laatste woorden niet was te weten gekomen. Net voor hij de geest gaf, had hij aan de verpleegster die hem nog een slaappil had gegeven, gezegd: 'Je rok zit in je bilspleet.'

Tot op het laatst had hij een grote opmerkingsgave.

≈

Even na de middag, toen hij net op het punt stond eindelijk boodschappen te doen, werd er gebeld. Er stond een politieagent voor
de deur die Walvisch, tot zijn grote verbazing, sommeerde onmiddellijk mee te gaan. De Commissie bleek hem te hebben opgevor-
derd.

Op het stadhuis werd hij met duidelijk wantrouwen bejegend. Hij
was zich van geen kwaad bewust en beantwoordde duidelijk alle vragen die hem werden gesteld in verband met de brief die hij van
Goebbels had gekregen, en hield zich keurig aan de afspraak die hij
met Bas, Dirk en Sim had gemaakt. Nee, zei hij, het verbaasde hem
helemaal niet dat die jongens in staat waren een dergelijk epistel op
te stellen, ze waren bijzonder intelligent, en hadden grote belangstelling voor astronomie en ruimtevaart. Natuurlijk hadden ze, zoals
alle jonge mensen, een levendige verbeelding.

De ondervraging nam ruim een uur in beslag, en dan mocht hij
gaan. Hij dronk eerst een trappist in café 'Den Engel' naast het stadhuis en deed vervolgens rustig zijn boodschappen.

De derde gebeurtenis die Walvisch die dag aangreep, vond 's
avonds laat plaats. Verschaeve en Haig waren al naar bed, Bomber
Harris was op de sofa in slaap gevallen en Wernher von Braun ver-
deelde zijn aandacht tussen de televisie en het jongste nummer van
Playboy, waarin een interview stond met een van de verantwoordelijken van de succesvolle missie naar Mars, die bevestigde dat het op
Mars soms sneeuwde en dat uit de reeds verkregen resultaten bleek
dat er miljoenen jaren geleden wellicht leven was geweest. Maar toch
had hij duidelijk een erectie.

De televisie gaf een voorstelling van 'Casablanca' met Humphrey
Bogart en Ingrid Bergman. Walvisch had de film, lang geleden, ge-

zien, maar herinnerde er zich niets meer van. Nu keek hij ademloos, alsof hij zelf een rol speelde in dat grandioze melodrama.

En hij bekende zichzelf dat hij in feite altijd alleen maar belangstelling had voor zichzelf, de wereld nooit meer was geweest dan een verwisselbaar decor. Hij kreeg tranen in de ogen, waarvoor hij zich schaamde, bij het onbewogen spel van Bogart, bij die subtiele gezichtsexpressies van Bergman, hij voelde zich alsof hij geamputeerd was van iets belangrijkers dan een arm of een been, alsof hij zichzelf had verloren.

〜〜〜

In de krant stond een alarmerend artikel over de opwarming van de aarde, die veel dramatischer zou zijn dan ooit werd voorspeld. De volgende dag stond in een andere krant het bericht dat de opwarming van de aarde minder dramatisch was dan ooit werd voorspeld. Geen enkele krant meldde dat er een soort Derde Wereldoorlog woedde, maar over de hele wereld verspreid, worden er dagelijks wel honderden, soms duizenden mensen geliquideerd. Ook de voetbaluitslagen waren soms zeer verrassend, maar wel correct, wat het vertrouwen in de pers zeer ten goede kwam.

Vrijwel niemand geloofde wat er stond in een klein maandblad dat onder de vreemde titel 'Kangoeroe' het lijfblad was van de radicaalste fractie van extreemlinks in Vlaanderen. Er stond: 'Kameleons bestaan niet. Maar een grootscheeps complot van links bestaat evenmin. Ze zijn beide een uitvinding van de neoconservatieven, die onder deze dekmantel vrij spel willen krijgen om links te beschuldigen van terroristische acties en ondertussen rustig eigen misdadige activiteiten te organiseren.'

Het tijdschrift had een oplage van nauwelijks 300 exemplaren, waarvan de meeste niet eens werden gelezen.

Een ander weekblad, het populaire 'Humo', schreef naar aanleiding van een tv-debat met Mark Eyskens: 'Nog geen enkele van de misdadige acties werd opgehelderd, en Mark Eyskens leverde een grote bijdrage aan de heersende verwarring, overigens als altijd hautain glimlachend. Onwil of onkunde van de politiediensten? Of beide? Of misschien precies het tegenovergestelde? Wil men extreemlinks nog even verder actie laten voeren, om ten slotte harder, onder algemene toejuichingen, te kunnen toeslaan en de poten van onder de democratie te trappen? We wilden het vragen aan heer Mark, maar hij gaf niet thuis.'

〰〰

De 'Bijzondere Commissie' werd steeds actiever. Kranten, radio en televisie verspreidden een zogezegde 'extra-mededeling' waarin de bevolking nogmaals dringend verzocht werd kalmte en waardigheid te bewaren en zich niet te laten opruien door 'ongure figuren en troebelwatervissers' die er enkel op uit waren om relletjes uit te lokken en van de ontstane verwarring gebruik te maken om te roven en te plunderen.

In verband met de onlusten die waren uitgebroken nadat iemand beweerde een Kameleon te hebben herkend, werd meegedeeld dat de man met wie het allemaal was begonnen aan een psychiatrisch onderzoek werd onderworpen. Uit de eerste conclusies bleek dat hij een zeer labiele persoonlijkheid had. Waarschijnlijk had hij, onder de invloed van de heersende sfeer van angst en onrust, door een of ander toevallig lichteffect in de halfduistere straat, iets vreemds menen op te merken aan de ogen van de man die om een vuurtje vroeg.

Op het einde van het bericht werd, haast terloops, aangekondigd dat de stad voorlopig van de omgeving zou worden geïsoleerd. Haast terloops, maar het sloeg wel in als een bom.

Geïnterviewd in het journaal verklaarde de voorzitter van de Commissie woordelijk:

'Deze maatregel dringt zich op, niet zozeer om te beletten dat er contact bestaat met wat we van nu tot nader bericht de buitenwereld moeten noemen, als wel om te verhinderen dat, door de te verwachten vlucht van een deel van de bevolking, het leven hier totaal ontwricht en zelfs onmogelijk zou worden. Er werd inderdaad en helaas al vastgesteld dat talrijke ingezetenen, onder wie ook belangrijke en leidinggevende personen, de stad verlaten of het voornemen hebben dit in de naaste toekomst te doen. Een situatie, vergelijkbaar met de periode tijdens de V1- en V2-aanvallen. De federale regering heeft, op ons verzoek, dan ook tot deze voorzorgsmaatregel besloten.'

Dirk stelde voor om onze vriend Walvisch een bezoek te brengen. Hij was niet thuis en net toen we, teleurgesteld, hadden besloten om dan maar naar de bioscoop te gaan, arriveerde er een taxi waaruit Walvisch opdook.

'Ik kom net van de Bijzondere Commissie,' zei hij. 'Werd er voor de tweede keer ondervraagd.'

We bekeken hem vragend.

Hij lachte.

'Ik ben belangrijker dan ik ooit heb gedacht.'

'Ben jij iemand van een andere planeet?' vroeg Sim en nam een karatehouding aan.

'Het is allemaal te gek.'

'Zo vreemd zie jij er toch niet uit,' lachte Dirk.

'In tijden als vandaag ziet iedereen er verdacht uit.'

'Wij ook?'

'Natuurlijk jullie ook.'

'Ik dacht altijd wel dat hij niet te vertrouwen is,' zei Dirk en wees beschuldigend naar mij.

We hadden ons ondertussen rond het salontafeltje in zijn kamer geïnstalleerd. Het was verder doodstil in het huis, alsof er niemand woonde. Walvisch zette een gezinsfles cola op tafel, we dronken er om beurten van.

'En?' vroeg ik.

'Ik heb de indruk,' zei Walter en hij leek oprecht bezorgd, 'dat er in die Commissie twee groepen zijn. Een deel gelooft echt in de mogelijkheid van een soort invasie uit de ruimte, het andere deel houdt rekening met een geraffineerde actie van linkse terroristen. Vooral zij waren geïnteresseerd in mijn vreemdelingen. Ik heb lang met ze gepraat, ik weet niet of ik hen helemaal van de onschuld van deze mensen heb kunnen overtuigen. En, maar dat blijft tussen ons, omdat een van de leden zich versprak weet ik dat de C.I.A. contact met de Commissie heeft opgenomen.'

'Kwaak,' zei Dirk

'Maar dat wil men dus voorlopig geheimhouden.'

'We houden onze mond,' beloofde ik plechtig.

'Tenzij we ons verspreken,' voegde Sim daaraan toe.

'Er is nog meer slecht nieuws,' zei Walvisch. 'Tijdens ons gesprek kreeg de Commissie te horen dat in verschillende delen van de stad was vastgesteld dat het leidingwater een vreemde lichtblauwe schijn had. Er werden onmiddellijk analyses gedaan maar, voor zover men die eerste resultaten kan vertrouwen, werden geen schadelijke bestanddelen aangetroffen... Althans toch geen door ons gekende stoffen.'

'Kwaak,' zei Dirk, voor de tweede keer in nauwelijks enkele minuten.

'Wie de stad toch wil of moet verlaten,' vervolgde Walvisch en nam een stevige slok, maar niet uit de colafles, 'moet een geldige reden hebben en zal aan een streng medisch onderzoek worden onderworpen. Inwendig vertonen de mogelijke ruimtewezens wellicht grotere verschillen met ons dan uiterlijk, en zo kan men ze misschien op het spoor komen. De theorie van de buitenaardse wezens krijgt duidelijk steeds meer aanhangers. Men acht links helemaal niet in staat om al die acties te bedenken en zo succesvol, zonder een spoor na te laten, uit te voeren. Het leger heeft alle uitvalswegen van de stad onder controle en er wordt ook aan gedacht om alle luchtverkeer te verbieden. Overal worden voedselvoorraden aangelegd, elk huisgezin hamstert. Reden tot paniek wil men ten allen prijze vermijden. Men stelt ook verschillende subcommissies samen en overal in het land wordt gezocht naar opvangcentra, de klinieken krijgen speciale instructies, alles wordt uitstekend georganiseerd, men wil voorbereid zijn.'

Maar we waren nog niet aan het einde van onze verbazing.

'Hier in de stad worden, om de politie te ontlasten, twee hulpkorpsen georganiseerd. En het zijn eigenaardige korpsen, mag ik wel zeggen. Het eerste zal uitsluitend uit intellectuelen bestaan, wetenschappers zowel als kunstenaars, voor het gemak worden die ook even als intellectuelen beschouwd. Over de vraag of ze zullen worden bewapend, wordt nog discussie gevoerd. Die korpsen zullen constant wachtdiensten moeten vervullen in allerlei centra, hospitalen, scholen, openbare gebouwen, theaters, kortom overal waar veel publiek komt.'

'Misschien zou men de scholen kunnen sluiten,' stelde Dirk voor.

'En het tweede korps?'

'Het tweede korps zal bestaan uit de jeugd.'

'Wij?' riepen we haast eenstemmig uit.

'Ja. Jeugd van 14 tot 18 jaar. Over het algemeen gedragen jonge mensen zich in omstandigheden als deze veel rustiger dan volwassenen. Jeugdcriminaliteit neemt dan eerder af dan toe. Bovendien is de jeugd al grotendeels georganiseerd in talrijke verenigingen. En ten slotte vermijdt men dat, als tot het sluiten van de scholen zou worden beslist, de jongeren doelloos op straat zouden gaan zwerven en dus tot een nieuw publiek gevaar zouden ontaarden. En uiteindelijk kan men jullie op dergelijke wijze ook in de grootst mogelijk mate onttrekken aan de invloed van de volwassenen, die zich steeds paniekeriger gedragen.'

'Het klinkt allemaal alsof het oorlog is,' vond Sim.

'Inderdaad. Er is een dreiging, onmiskenbaar, en het is moeilijk vechten tegen een vijand die we niet zien of kennen. Men moet dus letterlijk op alles voorbereid zijn.'

130

'Schouder geweer,' riep Dirk.

Als een man sprongen we op en schouderden denkbeeldige geweren.

'Worden we bewapend?'

'Er zullen vanaf morgen op school speciale cursussen worden gegeven.'

'Schietoefeningen op de prefect?'

'Soldaten hebben allemaal een lief. Soms twee of meer. Krijgen we ook cursus in het neuken?'

'Hebben we niet meer nodig.'

'Het is dus niet de bedoeling dat wat ik jullie heb verteld wordt rondgetoeterd,' zei Walvisch.

'Nee, mijn generaal.'

Overal in de stad was men druk doende om de dode bladeren op te ruimen. De bomen zaten vol verbaasde vogels.

≈

Noot van de schrijver

Wat Walvisch niet vertelde: de meeste leden van de Commissie waren ervan overtuigd dat ruimtewezens niet bestonden, en de daders derhalve behoorden tot nog onbekende linkse terreurgroepen. Onbekend, maar uitstekend georganiseerd, en efficiënt, gezien de aard van hun acties. Men was van oordeel dat het tactisch best was daar voorlopig over te zwijgen in de hoop dat links daardoor overmoedig zou worden en in de fout zou gaan. Men herinnerde er ook aan dat zelfs het Vaticaan in L'Osservatore Romano had verklaard dat er mogelijk buitenaardse wezens bestonden. Pater José Gabriel Funes, directeur van de sterrenwacht van het Vaticaan, had dat in 2008 verklaard.

∿
∿

Toen Walvisch weer op de Charlottalei arriveerde, bleek de televisie nog aan te staan. Men had die namiddag op BBC naar een voetbalwedstrijd zitten kijken. Zoals altijd kon hij niet aan de verleiding weerstaan om op zijn kamer nog even te zappen, en kwam zo terecht in een uitzending van 'Traviata'. Hij was niet bepaald een operaliefhebber, maar iets in de voorstelling trok hem onmiddellijk aan. Hij bleef kijken, werd tot tranen toe ontroerd door de prestatie van en eigenlijk ook tot over zijn oren verliefd op, Anna Netrebko, die subliem de rol van Violetta zong. Op het einde van de uitzending stond hij spontaan op uit zijn luie stoel en sloot zich aan bij de staande ovatie van het publiek. Hij nam zich voor 's anderendaags op zoek te gaan naar cd's van haar, en knipte haar foto uit zijn tv-magazine.

Het gezelschap had hem die namiddag lang opgehouden. Iedereen verkeerde in een bijzonder opgewekte stemming. Heydrich had viool gespeeld, maar gelukkig niet al te lang, want vioolsolo's waren bij niemand in het gezelschap echt populair. In het begin van de avond hadden ze bezoek gehad van een langwerpige kastanjekleurige man van wie niemand de naam noemde, maar die ze aan Walvisch hadden voorgesteld als de filmregisseur. Een man met niet alleen een imposant statuur, grijze haren, verzorgde baard en wijd uitstaande oren maar met, zeer eigenaardig, een bruin en een blauw oog. Hij converseerde met iedereen in hun taal en met Walvisch, die men, tot zijn grote verbazing, verzocht had te blijven, zelfs in een lichtjes Antwerps gekleurd Nederlands. Nochtans was hij, zei hij, van Italiaanse afkomst. Aan Haig had Walvisch later gevraagd hoe die man heette en Haig had eerst geaarzeld, en ten slotte onduidelijk iets gezegd wat op Fratelli leek. Walter herinnerde zich dat eerder een naam als Gottlieb was genoemd.

Het grootste gedeelte van het gesprek was hem volkomen on-

132

duidelijk gebleven. Op een bepaald ogenblik hadden ze, op verzoek van de 'regisseur', een kort fragment gerepeteerd. Het leek hem vreemd dat ze dat deden zonder dat hij ooit een scenario in hun handen had gezien, maar wat ze opvoerden leek hem overtuigend.

 Het was een passage die zich afspeelde op de top van een besneeuwde berg, maakten ze hem duidelijk. Ze spraken over een man die tijdens de beklimming verongelukt was.

Heydrich

Hij was een begenadigd klimmer.

Goebbels

De tijd heeft hem verraden.

Haig

Wat is dat, grootheid? Is de verdienste echt zo groot als men altijd wil beweren? Een genie in de verkeerde tijd is over het algemeen een beklagenswaardige, onbegrepen, uitgelachen sukkel.

Harris

Een echt groot man zet de tijd waarin hij leeft naar zijn hand.

Marilyn

Ik had best op hem verliefd kunnen worden.

Harris

Jij zou op iedereen verliefd kunnen worden.

Goebbels

Wij kunnen hem best eren door zijn werk verder te zetten, wat betekent dat wij moeten doorgaan tot het einde, overwinnen.

Haig

(Na vrij lange stilte)

Kijk eens rond je. Zo'n vredig landschap.

Verschaeve

Über alle Gipfeln ist Ruh.

Haig

Was dat maar zo.

Marilyn

Alle rust is bedrog. En dus gevaarlijker dan verandering of chaos.

Calley

Heeft die Arthur je ook dat wijsgemaakt?

Goebbels

Wat is chaos? De mens die zich van zijn nietigheid bewust wordt.

Von Braun

De mens is groter en waardiger dan hij denkt.

Goebbels

Dat zullen wij bewijzen.

Marilyn

Ik krijg het hier koud.

De zogezegde regisseur leek tevreden.

'Het moet iets minder nadrukkelijk,' zei hij. 'Niet sentimenteel worden, gevoelens zijn er voor het publiek, niet voor de acteurs.'

Er waren meer dingen die Walvisch verbaasden, maar hij maakte zich er niet druk over. Wat hem ondertussen wel verveelde, was dat hij nooit een duidelijk antwoord kreeg op de vraag hoelang zijn opdracht nog zou duren.

Hij had zijn arts bezocht, die hem andere antidepressiva voorschreef. Ze bleken van een andere kleur te zijn, maar net dezelfde bijwerkingen te hebben, en zijn verhouding met de wereld rond hem bleef verstoord.

♒

'Paniek creëren is gemakkelijk,' oreerde Goebbels, 'maar ze beheersen is een stuk moeilijker'.

Hij stond alleen in zijn kamertje en oefende. Hij was graag alleen, al had hij zijn grootste triomfen in massa's beleefd. Hij haatte massa's omdat hij er nooit toe behoorde, omdat ze zijn visie van de mens, de 'Übermensch', naar beneden haalden. Niet de mens moet worden opgevoed, was een van zijn geheime ideeën, maar de massa.

De massa was een gebruiksmiddel, als waspoeder, als toiletpapier, noodzakelijk maar verder zonder waarde.

Hij strekte de rechterarm en bracht de Hitlergroet.

'Het spijt me dat je dit niet meer kunt beleven. Uiteindelijk zul je winnen, nee, heb je al gewonnen. Wij zullen die overwinning concretiseren. Voor de tweede keer zullen wij ons leven in dienst stellen van jouw idealen. Het loont de moeite.'

De telefoon in zijn kamer rinkelde. Hij keek er verstoord naar, nam de hoorn even van de haak en legde hem onmiddellijk weer op.

'Onze nederlaag was een drukfout in het boek van de geschiedenis,' oreerde hij. 'Wij maken nu een tijd mee die ons meer dan gunstig gezind is. China verstoort de economische wereldorde en onze sportieve pretenties. In Afrika heerst vrijwel overal chaos, zelfs in de landen waar het zogezegd rustig is. Het is haast symbolisch, maar de realiteit is dat er daar nog miljoenen landmijnen verspreid liggen. En fragmentatiebommen. De Balkan is en blijft een bron van onrust. Opus Dei blijft ondergronds met succes actief. Aids, drugs, hongersnood, natuurrampen, kinderporno, corruptie, winstbejag, het doet allemaal mee aan het sloopwerk. De opstand sluimert. Zelfs dit land, het zo brave België, leeft onder spanning. Criminaliteit stijgt, ook bij de politie. Dankzij het onderwijs verdwijnt langzaam het analfabetisme, en stijgt de greep die men dankzij de media op de bevolking kan uitoefenen. De wapenhandel floreert als zelden eerder, alhoewel een van de belangrijkste wapens, verkrachting, gratis is… Recent was er bovendien de internationale bankcrisis.

En we hebben een steun waar we ons in het verleden veel te weinig van bewust waren, we hadden er beter gebruik van moeten maken. Ik betreur het dat paus Pius XII niet tot ons huidig gezelschap behoort, ik veronderstel tenminste dat ook hij de hemel heeft gehaald. Heb hem er overigens nooit ontmoet, maar dat is normaal in het Paradijs. Nu is de steun duidelijker. De man die wij, geloof ik, Fratelli hebben genoemd, is de vertegenwoordiger van God, en hij heeft ons verteld dat zowat overal in de wereld momenteel gezelschappen als het onze actief worden. Alle met hetzelfde doel. Over de samenstelling wou hij niet veel kwijt, enkel dat ze 'lokaal' werden gevormd, met telkens een vertegenwoordiger die het contact met de bevolking moet bevorderen. Fratelli, ik zal hem gemakshalve zo maar blijven noemen, heeft ons de coördinaten van alle contactpersonen bezorgd. Het worden drukke dagen. Ik verwelkom ze van ganser harte.

Jammer blijft het dat wij over niet meer zogezegd bovennatuurlijke middelen beschikken. Maar Fratelli – gekke naam overigens – heeft ons nogmaals duidelijk gemaakt dat dit om tactische redenen weinig opportuun zou zijn. En eveneens jammer is het dat velen van de besten onder ons, mensen met de grootste capaciteiten, niet kunnen meewerken omdat ze nu eenmaal niet tot de hemel werden toegelaten. Wij worden, helaas, gehandicapt door Gods rechtvaardigheid, die op ons meermaals de indruk maakt van willekeur.'

Goebbels voelde dat hij op dreef was.

'Osama Bin Laden, een tegenstrever van uitzonderlijk gehalte – vergelijk hem even met die zak van een Churchill – heeft de wereld op ons voorbereid. Ik ben hem dankbaar. Geniaal.

Voorlopig staan wij dus aan de zijde van de huidige machthebbers, van welke kleur of ideologie ze ook mogen zijn, extreemlinks of -rechts, dat maakt totaal niks uit, en wij helpen ze om de angst voor de zogenaamde terreur te doen groeien.

Angst, dat is een heel positief gegeven, uit angst worden ideeën geboren, angst stimuleert mensen of, beter gezegd, stimuleert ze om aansluiting te vinden bij massa's, waarin ze zich veiliger voelen, en het is de zaak om die massa's te vormen en te beheersen, zoals een regisseur een theatergezelschap moet beheersen, een voetbaltrainer zijn ploeg. Angst maakt de massa creatief en wij zijn de engelen die hen daarbij helpen.'

Hij lachte, en merkte dat hij een erectie had. Het overkwam hem wel meer dat hij een erectie had zonder aan vrouwen te denken. Ook macht werkt erotiserend, zoals iedereen weet, of zou moeten weten. Maar hij realiseerde zich dat zijn algemene politieke overpeinzingen werden doorkruist door herinneringen aan Marilyn, hun nieuwe en vrouwelijke collega.

Al de eerste morgen van haar verblijf in hun gezelschap had hij ze in de corridor ontmoet terwijl ze spiernaakt en geheel complexloos naar het toilet ging, niet eens de moeite nam om de deur te sluiten. Een verdieping hoger, maar met volle zicht op het gebeuren, zag hij Walvisch staan, die naar haar keek als een ambitieuze en gefrustreerde behanger-garnierder naar een modeontwerpster.

Zij leek zich niet bewust van de ophef die ze veroorzaakte, ze hield niet eens de handen voor haar schaamhaar. In de loop van de dag sprak hij haar vermanend over dat incident. Ze was verwonderd.

'Sorry,' zei ze.

En lachte.

'Zo te zien heb je er met grote instemming iets tegen. Lang geleden nog zo'n gebaar van aanbidding meegemaakt. Zal ik je vervoegen?'

Uiteraard had hij niet geweigerd.

〰

Tijdens de daaropvolgende nacht stortten in de omgeving van Antwerpen drie bruggen over het Albertkanaal in. Als bij wonder vielen er geen doden, maar de ravage was enorm en de verkeerschaos die erop volgde haast onvoorstelbaar. De regering kwam in spoedvergadering bijeen.

〰

'Waarom zijn wij hier op aarde?' vroeg Haig gewichtig.

'Een universele vraag,' zei Goebbels en barstte in lachen uit.

Hij was normaal helemaal geen lachebekje, maar de jongste tijd voelde hij zich bijzonder opgeruimd.

'Waarom is dat een belachelijke vraag?'

Goebbels bleef lachen.

'Andere vraag dan,' zei Haig giftig. 'Waarom heb jij een horrelvoet?'

'Omdat niemand volmaakt mag zijn,' zei Goebbels en barstte opnieuw in lachen uit.

Haig verbeet zijn verontwaardiging.

'En niemand mag hier volmaakt zijn omdat de hemel dan overbodig zou zijn en God natuurlijk ook. God bestaat maar dankzij de menselijke beperktheid. Dat is het enige valabele godsbewijs,' hikte Goebbels, maar opeens werd hij bloedernstig.

'Wij brengen nu de hemel op aarde.'

'Te laat,' repliceerde Haig en het klonk duidelijk verbitterd.

'Nooit te laat, soms te vroeg.'

'De oorlog is ontaard,' zei Haig, 'en dat is een duidelijk signaal dat de beschaving ontaard is. Vroeger had je een eerlijke strijd, van man tot man, met georganiseerde, gedrilde regimenten. Alles verliep volgens strikte regels. Als een schaakspel, een bridgetornooi. Het bleef beschaafd, men hield zich aan de regels. De doden werden geteld, ook de dode paarden. Klaroenen en hoornen, het roffelen van trommels.'

'Honderdduizend doden voor vijfhonderd meter winst,' zei von Braun.

'Twaalfhonderdduizend,' verbeterde Haig verontwaardigd.

'Modder, kuilen gevuld met kapotte lijken, boomstronken, stank.'

'Vaderland,' repliceerde Haig gevat.

'Vreemd land.'

'Het land dat wij veroverden, werd vaderland.'

'Mooi land, waar alleen maar doden bestaan.'

'Het was mooi,' zei Haig dromerig. 'We tekenden het aanvalsplan uit op de kaarten. De soldaten trotseerden de vijand met opgeheven hoofd. Moed. Heldhaftigheid.'

'En waar was jij?'

'Ik organiseerde, ik doorzag de vijandelijke tactiek, analyseerde, anticipeerde, zonder mij was de aanval tot mislukken gedoemd.'

'Met jou ook .'

Goebbels kon het niet laten om opnieuw te lachen.

138

'De elementen waren tegen ons. Slechter weer dan voorspeld. Modder die dieper was en heviger zoog. Ben ik daar verantwoordelijk voor?'

'Je had de aanval kunnen afblazen.'

'Heren,' kwam von Braun verrassend tussenbeide, 'laten we ophouden met die onvruchtbare gesprekken. Het verleden is voorbij, tenzij we het herstellen. Dat kan. Een lekke fietsband kan nog goede diensten bewijzen, als hij vakkundig wordt hersteld.'

'De doden zijn onbelangrijk,' ging Haig opgewonden verder, nadat er even een stilte was gevallen. 'Toen er man tegen man werd gevochten, was elke dode van levensbelang, als ik het even zo cynisch mag uitdrukken. Maar die tijd is lang voorbij. Ik heb mensen gemanipuleerd alsof het dingen waren, inderdaad, en ik heb daar geen probleem mee. Daar tienduizend nodig? Verplaats tienduizend soldaten naar die sector, al wist ik ook wel dat ze waarschijnlijk geen kans maakten. Ik zette ze in voor een hoger en belangrijker doel. Wat is daar mis mee? Zoals onze collega Verschaeve zei: Er is altijd een hoger doel.'

Niemand reageerde.

'Gebeurt wat men mij verwijt niet universeel en altijd? Maakt het zoveel uit of die mensen ter plekke kapotgingen of gedurende jaren en jaren in ellendige omstandigheden crepeerden als gevolg van beslissingen die genomen werden door heren achter bureaus in mahoniehout, in banken, in multinationals of regeringen, of wat dan ook, van een moreel niveau nauwelijks iets hoger dan het bestuur van een biljartclub?'

Haig was rood aangelopen.

'Ik weiger om nog langer te worden beschuldigd.'

'Overwinnaars, triomfators, worden niet beschuldigd, dus wij moeten triomferen.'

Goebbels kwam met een wip uit zijn zetel op en nam zijn meest vertrouwde houding aan.

'Heren,' riep hij luider dan ooit, 'laten we de nakende overwinning niet verkwanselen door deze kleinzielige ruzies. Ieder van ons is noodzakelijk in de uitvoering van ons plan. We staan dichter bij de triomf dan we onszelf misschien durven realiseren. Terreur! Terreur is onze bondgenoot, en zonder dat wij er een poot hoeven voor uit te steken wordt die voor ons georganiseerd, in stand gehouden en overroepen. Het kan niet beter. Het maakt niet uit wie of wat de oppositie is, kapitalisme of communisme, westerse cultuur of islam, filosofen of hooligans, want tegenstrevers hebben elkaar nu eenmaal nodig om zelf in stand te blijven. Overheerlijke paradox. En daar zullen wij handig gebruik van maken, als wij tenminste eendrachtig blijven.'

Er volgde een stilte die hun instemming bewees.

〰

William Calley verwonderde er zich over dat hij vrij makkelijk zijn telefoonnummer in Amerika kon vinden. Het was vreemd dat hij het zich niet herinneren kon, maar er waren nu eenmaal nog vreemdere dingen met hem aan de hand.

'Hello,' zei een stem die hij onmiddellijk herkende als die van zijn vrouw, Louise.

Hij wist niet direct hoe te reageren.

'Hello,' herhaalde de stem.

'Hello,' zei hij lullig.

Hij had wel de tegenwoordigheid van geest om zijn neus dicht te knijpen, zodat zijn stem onherkenbaar was.

'Met Calley.'

Hij kreeg haast tranen in de ogen.

'Kan ik William spreken?'

'Met wie spreek ik?'

'Met een oude vriend van hem.'

'En de naam is?'

'Ik weet niet of hij zich mijn naam nog zal herinneren, die doet er dus niet toe. Kan ik hem even aan de lijn hebben?'

'Hebt u een ogenblik?'

Het bleef lange tijd stil en toen hoorde hij zichzelf.

'Hallo. Met William.'

'Hei.'

'Met William.'

Hij wist niet wat te zeggen. De situatie was te vreemd, hij had dit gesprek helemaal niet voorbereid.

'Hello. Is daar nog iemand?'

'Jawel.'

'Met wie spreek ik?'

'Met een oude vriend van je.'

'Wat zeg je?'

'Met een oude vriend van je. Misschien wel je beste vriend.'

'Is dit een grap?'

'Nee, serieus.'

'Hoe heet je?'

'Iedereen noemde me Humperdinck.'

Hij zei dat tot zijn eigen verbazing, hij had geen seconde aan die repliek gedacht.

'Hubert?'

'Men zei dat ik op hem leek.'

'Ik kan het me niet herinneren.'

'Hoe maak je het?'

'Goed. Redelijk toch. Ik hoop althans dat het goed gaat, want je weet uiteraard niet wat er in je lijf allemaal aan het groeien of rotten is.'

'Heel juist. We weten niet wat er met ons aan het gebeuren is.'

Hij had het moeilijk om zich te beheersen en niet opeens in de slappe lach uit te barsten.

'Goed. Humperdinck. En je echte naam?'

'Doet er niet toe. Haast niemand kende die. We zaten samen in Vietnam...'

'Hoho. Wacht even.'

'My Lai, herinner je je dat nog?'

'Ben je een journalist?'

'Nee.'

'Ik ken je niet. Humperdinck. Laat me lachen. Denk je dat ik een onnozelaar ben?'

William dronk van zijn glas whisky op het tafeltje naast hem. De drank brandde opeens in zijn slokdarm en hij vloekte binnensmonds.

'Wat zei je?'

'Niets.'

'Waarom bel je eigenlijk?'

'Omdat ik je stem wou horen, omdat ik contact met je wou. Vertrouw me. Even iets anders. Hoe gaat het met die boom op het plein?'

'Slecht.'

'En jullie petitie?'

'Heeft niets uitgehaald. Hij werd gisteren gekapt.'

De boom, een eeuwenoude eik, moest verdwijnen voor de aanleg van een ondergrondse parking.

'Godverdomme.'

'Woon jij hier in de buurt?'

De vraag bracht hem in verlegenheid.

'Hoe komt het dan dat ik niet weet wie je bent?'

'Ik woon niet in je buurt, maar ik ben wel op de hoogte van je activiteiten.'

'Oh ja? Wil je een juweel kopen voor een zacht prijsje?'

Hij hoorde zichzelf lachen en dat beviel hem helemaal niet.

'Hello?'

'Ik ben er nog. Ik wou even met je praten over vroeger, over Vietnam, over My Lai in het bijzonder.'

'Godverdomme, natuurlijk ben je een journalist. Ik hang op.'

'Niet doen. Ik zweer het. Ik ben geen journalist.'

'Wat wil je dan?'

'Herinner je je My Lai nog?'

'Nee.'

'Dat meen je niet.'

'Ik herinner me My Lai alleen als ze me voor een interview minstens 250 dollar betalen. Dan haal ik alles uit de kast, inclusief dat kindje dat ik tegen de grond kwakte en door het hoofd schoot. Inclusief al dat bloed, die stront, dat slijm. Ik verkoop een prachtig verhaal, misschien verhoog ik mijn prijs nog wel. Alhoewel, wat betekent die smeerlapperij in Vietnam nog voor de mens vandaag? Niets meer. Niet reëler dan de slag om Troje, om maar iets te noemen. Het respect voor soldaten, voor strijders, helden, bestaat niet meer. Het cynisme heerst alom.'

'Je zit er nog mee, hoor ik.'

'Ach, is meneer perfessor in de zielkunde of iets in die omgeving?'

'Nee, ik ben... noem het een collega. Je zou zelfs kunnen zeggen dat ik als een tweelingbroer van je ben.'

'Wel, collega, of broer, vraag me wat over de juwelen die ik hier verkoop, misschien maak ik wel een zacht prijsje voor je, of over de baseballcompetitie, maar hou op met dat gelul over Vietnam. Vietnam is voorbij.'

'Dat ben ik met je eens. Sorry.'

'Dan hang ik maar op.'

'Goed.'

Maar hij hing niet op, er was duidelijk iets wat hem hinderde. Ze luisterden even naar de stilte.

'Ik vraag me af waarom je belde.'

'Misschien ben ik de stem wel van je geweten.'

William had moeite om zijn lach te onderdrukken, maar het was een lach zonder de minste vreugde.

'Grapje,' voegde hij er vlug aan toe.

'Klootzak,' zei William aan de andere kant van de lijn.

De volgende dag ontbrak Von Braun bij het ontbijt.

'Was Marilyn vannacht bij hem?' vroeg Verschaeve.

'Hij had wel een afscheidsborrel kunnen geven.'

'De Heer is met hem,' trachtte Verschaeve zijn foute vraag te herstellen.

'Wanneer komt die Teller?'

'Hij is er al,' zei Goebbels. 'Hij arriveerde op het moment zelf dat Von Braun vertrok. Hij is nog op de kamer. Marilyn is bij hem.'

'Hij komt uit de hemel in de armen van een engel terecht,' zei Heydrich en verslikte zich.

♒

In de schemering leek de hemel doorschijnend, met zicht op de eeuwigheid, of het niets. Walvisch stond bij het raam en luisterde verstrooid naar wat Verschaeve hem hartstochtelijk probeerde duidelijk te maken.

'Godsdienst is geheiligd egoïsme, is dat precies wat ik je heb horen beweren?'

'Ja,' zei Walvisch.

'Hoe kom je daarbij?'

'Op het tv-journaal heb ik gisteren beelden gezien van een aantal natuurrampen, aan de oostkust van de Verenigde Staten zowel als in Aziatische landen, Nepal en omstreken. Honderden doden, duizenden gekwetsten, honderdduizend slachtoffers, mensen die in een klap kwijt zijn waar ze heel hun leven voor hebben gezwoegd, kinderen zonder ouders, ouders zonder kinderen, mensen zonder dak boven het hoofd, zonder middelen van bestaan, mensen die daar, al hadden ze een broek of jurk aan, eigenlijk helemaal in hun blootje stonden. En men interviewde natuurlijk enkele van die mensen. Er was een vrouw bij die haar dochtertje op het laatste nippertje uit een modderstroom had weten te redden. En weet je wat ze zei? Ze zei dat ze God dankbaar was, dat ze hem prees, omdat hij haar dochtertje had laten leven. Ik kan begrijpen dat ze het zei, maar tegelijk gruwde ik ervan. Ze zei dat midden in de puinhopen, het gehuil van de anderen. Is dat misschien geen egoïsme?'

'Je zag dat op televisie… Bah… Televisie is een ramp voor de mensheid,' ontweek Verschaeve een antwoord. 'Televisie geeft geen beeld van de realiteit, het is een andere realiteit. Boekdrukkunst, dat was ook een gewichtig probleem, maar dat wist de Kerk nog efficiënt te controleren. Helaas, tv en internet kunnen niet op de Index.'

'Die Index staat nu ook op de Index. Grapje, ik bedoel dat die Index is afgeschaft.'

'Een duidelijk bewijs van het hedendaagse verval van normen en waarden. Wat was er mis met de Index, wat was er mis met het Lectuurrepertorium van mijn goede vriend kanunnik Baert?'

'Baers,' corrigeerde Walvisch.

'Ze zijn net zo verantwoord en noodzakelijk als een wetboek. Zonder wetboeken is normaal leven in de maatschappij onmogelijk. Dat aanvaarden we toch allemaal. Waarom aanvaarden we dan geen wetten die ons innerlijk leven willen regelen?'

'Mooi gezegd,' gaf Walvisch toe. 'Maar iedereen kan er het nut van inzien dat we verplicht worden rechts te rijden. Dat redt mensenlevens. Maar waarom zouden we de romans van…'

Hij moest even nadenken.

'… van Zola of Lode Zielens niet mogen lezen?'

'Lode wie? Die Zola, die ken ik, Jodenvriend.'

'Zielens. Hij schreef een boek dat 'Moeder, waarom leven wij?' heet.'

'We moeten onze ziel beveiligen net zoals we ons lichaam beschermen. De mens houdt enkel rekening met het uiterlijke, een kleine wonde aan je hand wordt als ernstiger en bedreigender aangevoeld dan een diepe wonde in je geest, je hart.'

Walvisch trok het overgordijn voor het raam en knipte het elektrisch licht aan.

Verschaeve zei niets, zocht in zijn soutane naar iets.

'Ik zal je iets voorlezen,' zei hij.

'Laat maar zitten.'

Walvisch voelde zich opeens opgewonden en strijdvaardig.

'Wat ik me nu al een hele tijd zit af te vragen…'

'Als ik je kan helpen, mijn zoon, dan…'

'Ik ben je zoon niet, hou godverdomme op met die flauwe kul. Ik zit me af te vragen of jij wel een acteur bent, of jij niet echt een pastoor bent en…'

'Priester.'

'En wat jij dus in dat gezelschap zit te doen. Acteurs? Wanneer zijn er nu eindelijk opnamen? Als jullie echt acteurs zijn, wat zit je dan tegen mij te femelen? Ik speel niet mee, ik heb geen rol in jullie scenario.'

'Maak je geen zorgen, eens zal het je duidelijk worden, je zult ons dankbaar zijn en trots op de rol die je hebt mogen spelen.'

'Ik speel geen rol.'

'De wereld is een schouwtoneel…'

'Ieder speelt zijn rol en krijgt zijn deel. Ik ken dat.'

'Het is inderdaad zowat het meest bekende citaat uit onze vaderlandse literatuur.'

'Ik weet nog zo'n bekende regel.'

Verschaeve stak beide handen op.

'Mag ik raden? Waarschijnlijk van die Elsschot: 'Maar tussen droom en daad staan wetten in de weg en…'

'Praktische bezwaren. Die ken ik ook, maar dat wou ik niet zeggen. Ik had die versregel van een Nederlander in het hoofd. Hoe heet hij ook weer? Beuling of iets in die aard, hij schreef 'Langzaam telt de oude boer zijn kloten…'

De werkster bracht Walvisch ernstig op de hoogte van haar probleem.

'Zij is nu bijna een week hier, en ze heeft nog niet één keer in haar bed geslapen.'

'Hoe bedoelt u?'

'Gaat zij elke nacht de deur uit?'

'Nee, nooit.'

'Wel, in haar bed ligt ze evenmin.'

Ze boog zich naar hem, fluisterde.

'Soms kan ik zien waar, of beter, met wie ze heeft geslapen.'

'Ze is geen klein kind meer.'

'Dat is ook wel erg duidelijk. Mij maakt het niet uit.'

Walvisch kon het niet helpen, hij sprak er later op die dag Marilyn over aan, heel diplomatisch, want hij vreesde haar reactie. Ze moest erom lachen.

'Walter… Zo mag ik je toch noemen?'

'Natuurlijk,' zei hij.

'En dan mag jij me Marilyn noemen.'

'Eigenaardig,' lachte hij. 'Toen ik je zag, dacht ik al dat je onwaarschijnlijk goed op Marilyn Monroe leek.'

'Ik lijk niet op haar, ik ben Marilyn Monroe,' zei ze en kleurde rood.

Ze kleurde niet omdat het een vernederend opbiechten was maar omdat ze zich ogenblikkelijk had gerealiseerd dat ze zich versproken had. Walvisch keek haar met grote ogen aan. Ze sloeg haar armen rond hem en zoende hem vol op de mond.

'Dat is ons kleine geheim,' fluisterde ze daarna.

'Vannacht slaap ik bij jou,' lispelde ze, en hij voelde haar hand in zijn kruis. 'Als jij dat graag wil natuurlijk.'

Ze leek wel een dozijn vingers aan elke hand te hebben.

Hij hoefde niet ja te zeggen om haar duidelijk te laten weten dat hij het erg graag wou.

'Hoe laat?' vroeg ze.

'Ik moet eerst van de emotie bekomen,' bekende hij. 'Ik moet even rusten.'

'Nobody is perfect,' glimlachte ze verleidelijk.

∿∿

Er was sensationeel nieuws: men was erin geslaagd een aanval op de kathedraal te verijdelen. Op televisie kwamen twee ministers, de burgemeester, drie schepenen, de stadsarchivaris, de politiecommissaris, de kardinaal en zeven toevallige passanten aan het woord. Het item duurde 21 minuten. Men deelde mee dat er drie verdachten waren gearresteerd, maar hun identiteit werd, in het belang van het onderzoek, nog geheimgehouden. Het zou de bedoeling geweest zijn de toren van de O.-L.-Vrouwkathedraal te laten instorten. Een actie geïnspireerd door de Twin Towers? Waarschijnlijk wel, volgens de mening van alle prominenten. 'De Standaard' bracht, in een kaderartikeltje, bovendien een vorige 'aanslag' op de kathedraal in herinnering:

'In 1789 brak in Parijs de Franse revolutie uit. Van 1792 tot 1794 bezetten Franse troepen ons land, in 1795 werd het bij Frankrijk ingelijfd. De Fransen voerden ingrijpende veranderingen in: decaden in plaats van de zevendaagse werkweek, nieuwe kalender, eredienst van de godin van de rede, vervolgen van priesters, verbeurdverklaren van kerkelijke goederen, zware belastingen, legerdienst, enz.. In 1797 werd de Antwerpse kathedraal door de Fransen gesloten. Ze was reeds totaal leeggeroofd, en de overheid besloot haar af te breken. Men was van mening dat de aanzienlijke hoeveelheden lood, ijzer, koper en timmerhout die erin verwerkt waren, nuttiger konden worden gebruikt. Dat het plan uiteindelijk niet werd gerealiseerd, was enkel te danken aan toenmalig stadsbouwmeester Jan Blom –

uit dankbaarheid werd een straat, palend aan de kathedraal, naar hem genoemd. Hij hanteerde een geducht wapen: administratieve traagheid, tot Bonaparte, die het Directoire had overwonnen, bevel gaf dat de kerken heropend moesten worden.'

De verontwaardiging was groot en algemeen en de vraag naar draconische maatregelen nam nog toe. 'Ook het lakse optreden van de overheid is een bedreiging,' schreef 'Het Laatste Nieuws'.

Toen Walvisch op verzoek van Cyriel Verschaeve op het stadhuis een vertrouwelijke brief ging afgeven, bestemd voor de schepen voor cultuur, moest hij dringend naar het toilet. Gezeten op de pot hoorde hij twee heren binnenkomen, die duidelijk dachten daar alleen te zijn en het al plassend niet nodig vonden hun stemmen te dempen. Uit wat hij hoorde werd het hem duidelijk dat de aanslag op de kathedraal verzonnen was door de hoofdcommissaris van politie, die belangstelling wou, en een succes voor zijn korps.

Wie durft er nog beweren dat het toeval niet bestaat!

〜〜
〜〜

Het gebeurde wel eens meer dat er een of andere zender een tijdje van de kabel verdween, maar enkele dagen nadat de bomen ontbladerd waren, vielen op een avond alle zenders uit.

Het scherm werd zwart, er verscheen geen bericht, klank was er evenmin.

Iedereen verdacht onmiddellijk de Kameleons of linkse terroristen, of beiden. Onze buurman kwam nerveus informeren of ook bij ons de televisie was uitgevallen. Sommige mensen liepen de straat op om te informeren of ook andere woonblokken, andere straten, door dezelfde ramp waren getroffen. Overal rinkelde de telefoon, er werd driftig gebruikgemaakt van de gsm. De panne bleek zowat de hele stad te hebben getroffen. Weldra stond de straat vol druk pratende en gesticulerende mensen. Ook het vertrouwde geluid van de sirenes van politieauto's was frequent te horen. Meer blauw op straat, hoorde en las je overal, maar dit bewijs van de aanwezigheid van politie werkte niet echt geruststellend.

Ook vader ging de straat op. Na ongeveer een halfuur verscheen buurman weer bij ons, rood aangelopen van woede. Hij had de kabelmaatschappij proberen op te bellen, was daar pas na veel te veel pogingen in geslaagd en dan door computerstemmen van het kastje naar de muur gezonden. Telkens had hij bij het overschakelen minutenlang moeten wachten en hij haatte de muzak die werd gebruikt om het geachte cliënteel te ontmoedigen. Ten slotte had iemand hem kort en zakelijk meegedeeld dat de technische storing werd onderzocht. Toen hij had gevraagd of misschien de zogezegde Kameleons verantwoordelijk waren, had men gewoon de verbinding verbroken. Angst en woede vochten bij hem om voorrang, ik had de indruk dat hij zijn woede vooral gebruikte om zijn angst te onderdrukken, en heb hem zonder dat hij er om vroeg een glas bier gegeven. Ik denk dat hij me er levenslang dankbaar voor zal zijn.

Tot mijn grote verbazing dook even later ook een opgewonden Dirk op.

'Kom je mee? Iedereen trekt op naar het stadhuis, waar de Bijzondere Commissie in spoedvergadering zou zijn.'

Vader kwam even later vertellen dat ook hij ging, en moeder had er geen bezwaar tegen dat hij me meenam. De uitzendingen op de radio bleken gewoon door te gaan, er was enkel een korte onderbreking in de programmatie om de enorme panne in het nieuws te brengen en de bevolking gerust te stellen. Men was de oorzaak op het spoor, werd er aangekondigd.

Overal leken de huizen leeg te lopen.

'Feestdagen voor inbrekers,' zei nuchtere Dirk.

De massa groeide, uit alle zijstraten kwamen mensen toegelopen. Ik associeerde dergelijke optochten altijd met feestelijke gebeurtenissen, met muziek en vuurwerk, maar in deze massa kon je enkel de angst voelen.

Het was een vreemde, een beetje verbijsterende vertoning. De straatverlichting legde harde schaduwen op de massa. Er was constant een zacht rumoer van stemmen, voetstappen, vreemde geluiden die de stilte duidelijker maakten. Dirk en ik, we hielden ons sterk. Ik keek omhoog: er was geen ster te zien. Ik bedacht dat, vanuit bijvoorbeeld een ballon gezien, de straten die naar de grote Markt leidden, wel op rivieren zouden lijken waarin de massa traag voortschoof als een modderstroom.

Rond het stadhuis leek alles rustig, en dat precies vond ik angstaanjagend. Fluisterend werd er verteld dat er op de kaaien waterkanonnen en overvalwagens stonden opgesteld, dat de geweren van de soldaten met scherp waren geladen. Waar wij door soldaten werden verplicht te blijven staan stond ook een waterkanon, de motor draaide zacht. Van ergens werd er geroepen dat iemand flauw was gevallen. Verder gebeurde er niets.

'Ik vind het vreemd,' zei Dirk. 'Het lijkt wel alsof men wist dat er hier zo'n toeloop zou zijn, dat alles werd voorbereid.'

Ik was precies hetzelfde aan het denken.

Even was er een vreemd gekraak hoorbaar, het leek op een stemtest, en toen, duidelijk, de stem van de burgemeester. Aan het stadhuis waren luidsprekers opgehangen, en de boodschap klonk ook uit de in de buurt opgestelde politieauto's. Er werd de mensen gevraagd om rustig naar huis te gaan, er werd gezegd dat over enkele minuten de televisie-uitzendingen zouden worden hervat.

'De grootste vijanden van de bevolking,' verklaarde een duidelijk gespannen burgemeester, 'zijn de mensen zelf.'

Hier en daar klonk bescheiden protest, dat evenwel vlug wegstierf.

'Iedereen is verantwoordelijk,' vervolgde hij. 'Onrust en angst zijn verklaarbaar. Maar er moet vooral vertrouwen blijven bestaan, want zonder vertrouwen kan er paniek losbreken en niemand kan voorspellen waar dat toe kan leiden.'

Na een korte aarzeling leek iedereen zich inderdaad op te maken om terug naar huis te gaan, maar er klonken opeens, onwaarschijnlijk luid en krachtig, twee schoten. Het geluid kwam op de massa af alsof het eerst was tegengehouden door een dam, een dam die opeens doorbrak. Een golf van paniek overspoelde ons. Ik voelde de hand van vader op mijn rug, hij rukte me mee naar de smalle gang tussen de vroegere pakhuizen van een rederij. Ik greep de hand van Dirk en hij volgde ons. Vader wist tot bij de smalle doorgang te komen. Het was alsof de stilte een doek was dat opeens van de massa was weggerukt, een lawine van lawaai zwol aan, rennende mensen, roepende en huilende mensen, hysterische kreten, gevloek. We holden door het gangetje, zo snel we konden. Het was er aardedonker maar het leek wel alsof we in de duisternis konden zien. We hoorden achter ons nog andere mensen. Het lawaai van de massa kreeg iets beestachtigs, rauws.

Ik wil niet pochen, maar ik kan me niet herinneren dat ik bang was, ik was vooral opgewonden en nieuwsgierig.

'Nu schieten de soldaten nog in de lucht,' hoorden we een van de mannen achter ons roepen.

We hoorden ook hoe de waterkanonnen in werking kwamen.

De smalle straten van de oude binnenstad hadden voor ons geen geheimen, en we konden ongehinderd weer onze straat bereiken. Onderweg hadden we wel kleine groepen opgewonden mensen ontmoet die, lukraak denk ik, stenen door ruiten slingerden en auto's beschadigden. Ook zagen we hoe twee groepen mensen, in het dagelijkse leven waren het wellicht ambtenaren of boekhouders, zonder meer met elkaar begonnen te vechten met een verbetenheid die ik nooit eerder had gezien. We hadden ons enkele keren voor dergelijke groepjes moeten verschuilen, of hadden een kleine omweg moeten maken. Twee keer weigerden mannen die met een bebloed hoofd op de stoep zaten, onze hulp en ze deden dat erg agressief. Het was erger dan een nachtmerrie.

Toen we eindelijk weer thuis arriveerden – Dirk hadden we keurig bij zijn huis afgeleverd – bracht de televisie, alsof er niets aan de hand was, gewoon een aflevering van een reality-reeks waar ik nooit naar keek. Moeder wel. Van slapen was er die nacht natuurlijk nauwelijks sprake. Extra-journaals toonden beelden van wat er gebeurde. Op televisie leek het nog erger dan in de realiteit. Mensen beweerden hysterisch dat ze Kameleons hadden gezien. Er bleken gelukkig geen doden te zijn gevallen, maar wel een voorlopig nog ongekend aantal gekwetsten, er was een noodcentrum opgericht. De aangerichte materiële schade was aanzienlijk.

De volgende dag bleven talrijke winkels gesloten, enkele autowrakken versperden de belangrijkste invalswegen, wat de normaal al kilometerslange files nog langer maakte. Ook de meeste scholen zouden, alvast in de voormiddag, gesloten blijven, of enkel de leerlingen opvangen. De lessen werden opgeschort. Het openbaar verkeer verliep chaotisch, de trams en bussen die wel reden, zaten altijd afgeladen vol.

Tussen de oevers van het Albertkanaal was na de aanslag op de bruggen een veerdienst met vlotten georganiseerd, waar druk gebruik van werd gemaakt. Het leger was bezig noodbruggen te bouwen.

Rond de middag belde een politieagent met een brief voor vader. Hij was aangeduid als lid van de Bijzondere Brigade en werd om 16u stipt op het stadhuis verwacht.

Tijdens de namiddag werden er op school evenmin lessen gegeven. De Jeugdbrigades werden georganiseerd. Ik maakte deel uit van Brigade B-63, net als Sim. Dirk stond aan de leiding van B-66.

De kranten hadden ondertussen de balans van de rel opgemaakt. Uiteindelijk bleek er toch een dodelijk slachtoffer te zijn, een man die een hartaanval had gekregen en die men niet tijdig had kunnen behandelen. Er waren zeven zwaargewonden, een voorlopig nog onbepaald aantal lichtgewonden, en er waren haast honderd arrestaties gebeurd: vandalen, inbrekers, een pyromaan...

Toen vader van de vergadering op het stadhuis thuiskwam, leek hij nog bezorgder. Hij had trouwens flink wat gedronken ook, wat niet dikwijls gebeurde.

'In feite,' zei hij somber, 'weten ze van niets. Ze begrijpen er net zoveel van als de gewone man. Ze reageren alsof ze met een bende hooligans te maken hebben.'

~~

Nieuwkomer Teller gedroeg zich net alsof hij al de hele tijd tot het gezelschap behoorde. Alhoewel hij de reputatie had een zeer intelligent man te zijn zag hij er onbeduidend uit, maar hij kon zich ook bijzonder arrogant gedragen Het was mooi en warm weer maar hij droeg buitenshuis altijd een hoog dichtgeknoopte regenjas en een hoed die net niet over zijn oren schoof. Toen hij arriveerde, bestond zijn bagage uit een plastic draagtas van Delhaize en een schoudertas vol boeken. Goebbels had hem amicaal begroet, alhoewel hij de man nooit eerder had ontmoet, toonde hem zijn kamer en zei hoe laat het eten zou worden opgediend.

~~

'Wie niet met mij is, is tegen mij, heeft Christus ooit gezegd,' zei Verschaeve duidelijk en nadrukkelijk bij wijze van besluit van een discussie.

Goebbels klapte in de handen. Hij glunderde.

'Precies,' zei hij. 'Dat is de ware geest. En hoe meer tegenstanders, hoe sterker wij worden, want alles roept zijn tegendeel op. Het goede kan niet bestaan zonder het kwade, er is geen schoonheid zonder lelijkheid, und so weiter.'

'En als er geen kleren bestonden, zou naaktheid niet aantrekkelijk zijn,' lachte Marilyn.

'Dat moet je eens uitleggen,' zei Bomber Harris verveeld, zonder op te kijken van het scherm van een laptop.

'Ik heb jullie dat al gedemonstreerd,' zei ze koket.

'Als we veel vrienden en succes hebben, creëren we vijanden.'

Teller trachtte het gesprek te ontspannen. Eerder had hij zich zo voorgesteld: 'Zeg maar Edward. Maar maak er geen Eddy van, dat haat ik.'

Calley had gelachen.

'Zoals in de strip.'

Er heerste even stilte. Haig werd wakker uit zijn middagdutje.

'Vrienden,' oreerde Goebbels, 'we staan dichter bij ons doel dan ik ooit had durven dromen, en ik ben nochtans iemand die me altijd nauw verwant heb gevoeld met de overwinning.'

'Behalve in 1945,' mummelde Harris.

Goebbels deed alsof hij niets had gehoord.

'De omstandigheden zitten ons ook uitzonderlijk goed mee. Hoe meer tegenstanders we hebben hoe groter bij hen de verdeeldheid wordt, en hoe steviger wij staan. De geschiedenis van de mensheid kan in essentie worden gezien als een oorlogsgeschiedenis. En met oorlog bedoel ik niet enkel gewapende conflicten, maar ook de strijd die zich afspeelt in de industriële wereld, in de financiële wereld, in de religieuze wereld.'

'In de voetbalwereld,' zei Harris iets luider.

Sinds enkele dagen groeide de animositeit tussen hem en Goebbels. Hij kon zich moeilijk neerleggen bij het morele leiderschap dat de Duitser zich moeiteloos had aangemeten. Goebbels deed opnieuw alsof hij niets had gehoord.

'Zonder kapitalisme was er nooit communisme geweest, om het dan maar eens heel eenvoudig te stellen. Het nazisme was geniaal en dus ver op zijn tijd vooruit, maar dat is nu totaal veranderd. Wij hebben het Jodenprobleem helaas niet kunnen oplossen, maar we hebben er wel ongeveer zes miljoen geliquideerd en we hebben dat gedaan in grote onverschilligheid van de anderen. En wat stellen we nu vast? Enkele slachtoffers volstaan om de hele wereld in de ban te brengen van de terreurdreiging. Heren, vandaag is onze grote kans, men veegt alles voor onze voeten schoon, men rolt de rode loper uit. Wij moeten enkel handig profiteren van deze omstandigheden. Conflicten tussen islam en westerse wereld? Prima. Uiteindelijk vechten ze voor hetzelfde doel, voor onze triomf. Ze prepareren de bevolking. Ze creëren de voor ons gunstige mentaliteit. Leve de angst.'

'Leve de dood,' zei Harris, niet bijster origineel.

'En waarom niet? Zonder afbraak is geen nieuwbouw mogelijk, zonder stront en verrotting krijgen nieuwe planten en gewassen geen levenskans. Wij moeten dit spel, het levensbelangrijke spel, wel intelligent spelen. De inzet is hoog. Wat wij hier stimuleren, in een niet eens echt belangrijke stad, in een op de wereldkaart haast onzichtbaar land, zinloze plagerijtjes lijkt het, zal blijken van vitaal belang te zijn. Een virus zijn wij. Vroeger de pest, nu aids en wat weet ik nog allemaal. Microscopisch kleine dingetjes die toch de wereld veranderen. Wat hier gebeurt krijgt momenteel over de hele wereld aandacht en verziekt verder de sfeer. Onze volgende stap is van groot belang, hij moet de paniek die hier heerst universeel maken. Angst en democratie, dat gaat niet samen. De bodem is vruchtbaar gemaakt voor onze acties. Ik zal u morgen mijn ultiem plan uiteenzetten.'

'Waarom nu niet?' vroeg Monroe.

'Ik moet nog enkele details regelen. Het is allemaal, zoals ik zei, te belangrijk om te improviseren of aan het toeval over te laten.'

'Zal ik dan een nieuwe jurk aantrekken, als jij ons jouw plannen ontvouwt?'

Goebbels lachte, zijn goed humeur was tijdelijk onverwoestbaar.

'Ik ben, zoals bekend, niet ongevoelig voor vrouwelijke charmes, en u bent daar niet van gespeend.'

'Laat u niet afleiden,' zei Harris, sloeg een toets aan en vloekte onmiddellijk drie keer kort na elkaar.

'Tekst weg, godverdomme.'

'Ik ga even rusten,' kondigde Goebbels aan. Hij knipoogde naar Marilyn, die charmant en opvallend deed alsof ze dat niet had gemerkt.

'Hij valt in herhaling,' merkte Verschaeve op toen hij de kamer uit was, maar Goebbels had dat nog net gehoord en stond er onmiddellijk opnieuw.

'Herhaling is een efficiënt wapen,' declameerde hij. 'De dief die herhaaldelijk steelt zonder betrapt te worden is een succesvolle dief, de voetballer die herhaaldelijk scoort is een uitstekende voetballer, de man die de ene vrouw neukt na de andere wordt benijd, de zakenman die altijd op de beurs triomfeert wordt stinkend rijk, de Kerk, de Loge en het leger weten wat rituelen, een theatrale vorm van herhaling, betekenen.'

∿

Zou ik aan het gek worden zijn? vroeg Walvisch zich af, evenwel zonder zich veel zorgen te maken. Hij stond braaf in de kleine supermarkt zijn beurt aan de kassa af te wachten, het wagentje gevuld met victualiën, sigaretten, whisky en jenever, een exemplaar van 'Dag Allemaal', tandpasta, deodorant, een notablok, en enkele dozen wasproducten. Hij was die morgen ontwaakt, niet met een droom nog naspelend in zijn hoofd, zoals gewoonlijk, maar met enkele woorden die met niets en ook niet met elkaar verband hielden, de woorden 'stuitend', 'verkruimeld', 'bijziende' en 'versagen', stuk voor stuk woorden die hij zelden of nooit gebruikte. Als eigenzinnige katten sprongen ze acrobatisch in zijn kop rond en beletten hem zich te concentreren op het ernstige probleem dat hem helemaal in beslag nam. Hij voelde zich hoe langer hoe ongemakkelijker in het gezelschap van de heren en de dame die hij moest begeleiden. Steeds dwingender vroeg hij zich af of het echt wel een verzameling acteurs was die zich hadden moeten afzonderen om te repeteren en zich geestelijk voor te bereiden op de rol die ze weldra zouden moeten vertolken. Het klopte niet. Maar wie of wat waren ze dan wel? Dat hij er een zeer lucratieve bezigheid mee had, met heel wat aangename aspecten, maakte dat hij de vraag en de twijfel steeds weer naar de achtergrond kon drukken, maar ze uit zijn hoofd bannen lukte niet, zelfs niet met de vervelende hulp van de onverklaarbare woorden. Alhoewel hij helemaal geen schrijver was, zich nooit met

157

taalproblemen bezig had moeten houden, hadden woorden hem wel meer gehinderd. Een hele periode, jarenlang zelfs, had hij geleden aan de manie om de letters in elk woord te tellen. Als hij het woord 'onmiddellijk' las of hoorde, reageerde hij onmiddellijk en machteloos: 12. Hij werd er zeer bedreven in. Politiecommissaris: 18. Administratie: 13. Renpaard: 8. Hij had de indruk dat hij, als er een competitie in die discipline zou worden georganiseerd, moeiteloos wereldkampioen kon worden. Moeilijker was bijvoorbeeld 'waternimfenballetrepetitie', maar het kostte hem nauwelijks een seconde: 26. Even veel letters als in het alfabet stelde hij vreugdevol vast.

Hij betaalde aan de kassa cash, en telde het wisselgeld niet na. De vrouw die achter hem haar beurt afwachtte, keek hem minachtend aan, die indruk had hij althans, ook al had hij zich gehaast met het wegbergen van zijn aankopen. Hij kon niet aan de verleiding weerstaan tegen haar te knipogen. Bij de uitgang was een kleine opstopping met winkelkarretjes ontstaan, omdat twee dames ongegeneerd met elkaar stonden te praten en de uitgang versperden. Toetoet, zei hij, maar ze bleven gewoon staan en pas toen hij opnieuw, en luider, toetoet zei, beseften ze dat ze voor de uitgang stonden. Ik zou willen leven als een middeleeuwer, dacht hij, schrijvend met een ganzenveer, in stilte, zonder stress en helemaal niet gehinderd door de stank van open riolen en ongewassen lijven, die er toen ongetwijfeld heerste.

Thuis, aan de Charlottalei, rangschikte hij het aangekochte in de kasten en trachtte een toenemend gevoel van dreigend onheil te onderdrukken door zichzelf oude grappen te vertellen. Dit was in die periode zijn favoriete grap:

'Drie bouwvakkers maken twaalf verdiepingen hoog op de werf hun boterhamzak open en vloeken. 'Godverdomme,' zegt de eerste, 'alweer gerookt vlees. Dat is al jaren hetzelfde. Als dat er morgen weer tussen zit, spring ik naar beneden'. 'Ik ook,' zegt de tweede, 'want bij mij is het weer kaas.' 'En bij mij choco,' zucht de derde, 'ik doe mee.' De volgende dag maken ze 's middags hun boterhamzak open. 'Gerookt vlees,' zegt de eerste, en springt. 'Kaas,' stelt de tweede vast en hij springt. 'Choco,' zucht de derde en springt. Ze worden samen begraven en na de dienst zitten de aangeslagen weduwen troost zoekend bij elkaar. 'Ik begrijp het niet,' zegt de eerste, 'hij heeft nooit gereclameerd.' 'De mijne ook niet,' snikt de tweede, 'als hij nu eens iets had gezegd, dan had ik hem natuurlijk iets anders meegegeven.' 'Ik begrijp het nog minder,' zegt de derde, 'want hij maakte iedere morgen zelf zijn boterhammen klaar."

Maar het verveelde hem, en de woorden stuitend, verkruimeld, bijziende en versagen lieten hem niet met rust, alsof ze voorboden van naderend onheil waren. Het was woensdag, en hij hoopte dat Bas en zijn vrienden op bezoek zouden komen en dus voor enige afleiding zouden zorgen. Hij zei Goebbels dat hij voor enkele uren naar huis moest gaan.

Hij was erg op ze gesteld. Hij wist dat hij niet erg veel sociaal talent had, veel vrienden had hij niet en met familie had hij helemaal geen contact. Ooit had hij zijn stamboom willen laten opmaken, maar ook dat was bij een voornemen gebleven. Ik heb een bewogen alternatief leven, bedacht hij bij wijze van troost. Mijn levensverhaal bestaat vooral uit alles wat ik heb verzuimd. Zonder familie leek hij uit het luchtledige te zijn ontstaan. Het gaf hem geen gevoel van vrijheid, maar net andersom, het leek hem te binden aan het niets. Hij vond het jammer dat hij zich niet tegen zijn familie kon afzetten, dat leek hem noodzakelijk om tot zelfkennis te komen, en alleen wie zijn grenzen kent kan vrij worden, bedacht hij ter plekke. Hij had vier flesjes koffiemelk gekocht, en er bleken er nog een half dozijn in de keukenkast te staan. Het ergerde hem nauwelijks.

Marilyn verscheen in de keuken, de haren verward, en niettegenstaande het middag was nog altijd in haar kamerjas, met niets eronder natuurlijk. Hij opende zijn armen theatraal, als om haar aan zijn borst te drukken, maar vroeg enkel of ze een kop koffie wenste. Dat was inderdaad het geval.

'Geloof jij al die verhalen over Kameleons?' vroeg ze.

Hij dacht na, haar vraag verbaasde hem.

'Nee,' zei hij.

'Wat denk jij dan van al die vreemde dingen?'

'De wereld zit altijd en overal vol raadsels.'

'Zoals?'

'De Bermudadriehoek.'

'Nooit van gehoord.'

'Stonehenge. De piramides. Het Paaseiland. De beschaving van Maya's en Azteken. Het verdwenen land Atlantis. Die krater in Siberië. Wat wij beleven is dus niet eens zo vreemd, moet ik nog even doorgaan?'

Hij reikte haar een kop koffie aan. Ze ging zitten, de kamerjas gleed van haar benen en hij zag vertrouwd schaamhaar.

'De vrouwen,' zei hij.

'De mooiste en moeilijkste raadsels hebben soms een eenvoudige, een voor de hand liggende oplossing,' zei ze en in zijn oren klonk dat heel wijs.

〰️

Achtereenvolgens werden in het Sportpaleis, vanwege de te verwachten en onoplosbare verkeersproblemen sinds er drie bruggen vernield waren, optredens van Clouseau en Eddy Wally afgelast. Het optreden van Eddy Wally had het geweldigste uit zijn carrière moeten worden, en dat van Clouseau was al weken uitverkocht. De jongeren en de ouderen hebben meer gemeen dan wij denken, had een krant geschreven. En een politicus maakte op de televisie een grapje bij wijze van commentaar op de afgelasting: 'Leve de Kameleons.' De volgende ochtend bleken de vier banden van zijn auto doorgesneden.

〰️

Haig was woedend, zoals meestal.

Hij had, volgens hemzelf, vele redenen om woedend te zijn. De directe aanleiding was de lectuur van het boek 'The Great War Generals on the Western Front 1914-1918' door een zekere Robin Neillands. In dat boek vervulde hij vanzelfsprekend een belangrijke rol, en hij kon of wou ook niet ontkennen dat het een bewonderenswaardige militaire studie was, geschreven met kennis van zaken en een open mentaliteit, en dat de auteur hem vast niet bevooroordeeld had behandeld. Integendeel, talrijke passages die hem zo al niet ophemelden, dan toch verdedigden, had hij dik onderstreept.

Maar Neillands had ook bezwaren, twijfels en zelfs regelrechte kritiek geformuleerd en dat was iets wat hij moeilijk kon accepteren.

'Die kritiek is onrechtvaardig,' had hij tegen Goebbels geroepen. 'Ik ben niet doof.'

'Lees het boek.'

Dat had Goebbels ook gedaan, diagonaal, en de woede van Haig was nog gegroeid omdat Goebbels van mening bleek te zijn dat hij helemaal geen reden had om zich onrechtvaardig behandeld te voelen.

'Je komt inderdaad moeilijk uit je woorden,' had hij gezegd.

'Daar gaat het niet om. Hij zegt het misschien niet direct, maar hij suggereert soms heel handig dat ik zware fouten heb gemaakt als generaal.'

'Ik ben geen militair expert, maar ik denk dat hij gelijk had. Wie maakt nooit fouten?'

'En hij zegt dat ik een lafaard ben.'

'Eerder een tweezak.'

'Ik heb in elk geval mijn vrienden, zoals anderen deden, nooit achter hun rug zwartgemaakt, zoals jij. Ik deed mijn plicht. Mijn land verdedigen, ervoor zorgen dat het sterk stond, gerespecteerd werd. Het verdedigen tegen zijn vijanden, en dat waren er vele, was mijn enige doel, en ik wil enkel vanuit dat standpunt worden beoordeeld. Men beweert dat ik harteloos ben, dat ik met koele onverschilligheid tienduizenden jongens en mannen de dood heb ingejaagd omdat ik te trots was om een plan dat ik had opgemaakt te veranderen, omdat

161

ik mijn ongelijk nooit wou toegeven, omdat ik niet één keer een hospitaal heb bezocht, nooit op het front zelf te zien was, omdat…'

'En dat is toch ook zo. Je valt trouwens in herhaling.'

Goebbels zei dat, triomferend als een kind.

'Net als jij, en je zei dat herhaling een tactiek is.'

'Touché,' gaf Goebbels ruiterlijk toe.

'Ik heb geen tijd verloren met zinloze plichtplegingen.' Haig ging onverstoorbaar door. 'Ik heb me niet laten afleiden, ik heb alleen maar met militaire, uiterste inzet en consequentie gedaan wat mijn plicht was. Nogmaals: ik wil dit rechtzetten. Tijdens mijn leven, ik bedoel mijn eerste leven, heb ik daar nooit echt de gelegenheid voor gekregen. Het moet nu gebeuren.'

'Te laat.'

'Het is nooit te laat om een onrechtvaardigheid te herstellen.'

'Daar zijn we mee bezig.'

'Ik bedoel het bezoedelen van mijn naam.'

'Stoort je dat? Aan wie zeg je het! Laten we eerlijk zijn. Hoeveel mensen, denk je, lopen er nog rond die zich kunnen herinneren wie Douglas Haig is? Maar wat mij betreft…'

'Ik heb een standbeeld,' zei Haig. 'Waar staat dat van jou?'

'Concentreer je op dat waar we nu mee bezig zijn. Dat is onze opdracht. We cijferen onszelf weg, dat is de hoogste vorm van heldendom.'

Al hield hij zichzelf normaal behoorlijk onder controle, toch was hij steeds luider gaan spreken.

'Ik ben niet doof,' herhaalde Haig de woorden van Goebbels.

'Het spijt me. Je merkt dat ik niet onverschillig ben voor wat jou ergert.'

'Ik zal een brief schrijven naar de redactie van het tijdschrift waarin dat infame boek zeer positief werd besproken.'

'Ze publiceren hem niet, doe geen moeite.'

'Ik zal naar de uitgeverij schrijven, naar de auteur als die nog leeft, naar…'

'Je schrijft maar als je dat oplucht, er zijn mensen di〔
de therapeutische waarde van het schrijven, maar je ver〔
Je zwijgt als een graf, trouwens als je schrijft zal men aar〔
penmaker denken. Je bent immers al jaren dood. Je zwijgt 〔... z〕wij-
gen was toch altijd een van je specialiteiten, las ik in het boek. In dat
boek staat overigens ook wel iets over de manier waarop jij je oudste en beste vriend behandelde toen dat best leek voor je carrière.'

Haig stond op en het leek alsof hij in plaats van een blauwe broek
en een hemd met rode en blauwe streepjes zijn uniform van generaal weer had aangetrokken.

'En zul jij me beletten om te doen wat ik wil doen?'

'Omdat ons doel oneindig veel belangrijker en verhevener is dan
jouw particulier probleem. En om dat doel te kunnen realiseren is to-
tale anonimiteit een basisvereiste. Vergeet dat nooit. Ik herhaal: ver-
raadt onze zaak niet.'

Goebbels klopte Haig vertrouwelijk op de schouder, en sloeg
opeens een belerende toon aan.

'Soms, heel soms, is de geschiedenis klaar en duidelijk. We moeten er lessen uit trekken, verklaart iedereen, maar vreemd genoeg
doet men dat te weinig, veel te weinig. Historische studies lijken altijd te worden geschreven door mensen met Alzheimer. Onlangs las
ik voor het eerst over die ziekte. De mensheid heeft altijd bekende
en onbekende leiders gehad. De bekende leiders sterven meestal een
gewelddadige dood. Zij worden verbannen, gevangengezet, vermoord of plegen, in het beste geval, zelfmoord. Ze hebben meestal
de afgang van hun idealen moeten meemaken. Het zijn altijd tragische figuren, om niet te zeggen mislukkingen.'

'Zoals Hitler, en Goering, en een zekere Goebbels,' zei Haig.

'Ik wil daarover later met jou nog wel eens praten,' zei Goebbels
beheerst. 'Maar ter zake. Naast, of preciezer, achter deze mensen,
met Hitler als notoire uitzondering, stonden altijd anonieme figuren, en zij waren de echte heersers. Zij stierven gewoon, meestal op
gevorderde leeftijd, in hun bed. En zij bereikten dikwijls hun doel,

..at niet altijd hetzelfde was als dat van de zogezegde leiders die ze steunden. Als ze enige bekendheid genoten, dan was het in hun beperkte vakkring, of bij de grote massa wegens nauwelijks ter zake doende andere praktijken. Ze waren mecenassen, of huwden zeven keer, of blonken uit als sportman, polo of golf meestal, zeilen, tennis of dressuur rijden, of als zogenaamde avonturiers. Zij bepaalden de loop van de geschiedenis. Die les heb ik ondertussen, met scha en schande, toegegeven, geleerd. We zijn onverbreekbaar met elkaar verbonden. Denk je dat ik me niet erger aan alle leugens en onzin die over mij en over mijn vroegere collega's worden verkondigd? Er is slechts één waardevolle manier om onze eer te herstellen.'

Toen Goebbels weg was, zette Haig zich onmiddellijk aan zijn werktafel en begon te schrijven. Niet op de laptop, maar op een vertrouwde manier, met de pen. Hij schreef ettelijke velletjes vol, en de volgende dag tikte hij die moeizaam over, printte ze 's nachts, stopte ze in bruine omslagen en besloot ze persoonlijk te gaan bussen.

Natuurlijk wist hij dat, op bevel van Goebbels, de voordeur altijd gesloten was en uitsluitend Goebbels en Walvisch over een sleutel beschikten. Een eerder schuchtere poging om Walvisch om de tuin te leiden mislukte, en dus deed hij alsof het slechts om een onschuldig grapje ging. Hij verkende, voor het eerst, het hele huis en zelfs de verwaarloosde tuin.

Hij beschouwde het als een uitdaging voor een geniaal tacticus als hij, en al zag hij voorlopig geen oplossing, toch twijfelde hij er geen ogenblik aan in zijn opzet te zullen slagen. Overgave en ontmoediging waren woorden die niet in zijn woordenboek stonden, herhaalde hij bij zichzelf.

Na een verkwikkend middagdutje ondernam hij opnieuw een speurtocht door het huis, ditmaal op een systematische wijze. Hij begon op de zolderverdieping, waar hij in het halfduister een stapel dozen omverliep, wat zoveel herrie maakte dat Walvisch een kijkje kwam nemen.

'Wat doe jij hier?'

'Zoeken.'

'Wat zoek je?'

'Schatten op zolder. Grapje. Ik ben een generaal, vergeet dat niet, en als generaal voel ik me onbehaaglijk als ik me niet vertrouwd heb kunnen maken met mijn omgeving, in militaire termen meer bekend als het slagveld. Dat ik in een onbekende omgeving moet leven geeft me de hele tijd een meer dan onbehaaglijk gevoel, en dus heb ik besloten daarmee af te rekenen. Zeg maar dat het een onschuldig karaktertrekje is.'

'Ik begrijp het.'

Het nam uren en veel spitsvondige verklaringen aan de andere leden van het gezelschap in beslag eer hij in de kelder arriveerde. Maar daar trof hij onmiddellijk een oplossing voor zijn probleem aan. In het achterste gedeelte lagen, slordig verpakt in een enorm stuk plastic, een paar stelten. Geen kinderspeelgoed, maar stelten die waarschijnlijk ooit gediend hadden in een of ander circusnummer, of in een feestelijke stoet. De oplossing stond Haig, in een geniale flits, voor ogen. 's Nachts, als iedereen sliep en alles verlaten was, zou hij de stelten naar zijn kamer brengen, ze door het raam op straat tegen de gevel plaatsen, ze beklimmen en erop wegwandelen, met enkele reuzenschreden de straat uit, om zo zijn brieven te posten. Langs dezelfde weg zou hij terugkeren. Het was haast anderhalve eeuw geleden dat hij nog op stelten had gelopen, maar daar maakte hij zich geen zorgen over. Als kleine jongen was hij er een virtuoos op geweest, en dergelijke dingen verleerde men niet, evenmin als zwemmen, fietsen, paardrijden of oorlog voeren. Hij was er nog altijd trots op dat hij ooit internationaal polospeler was geweest, iets wat niemand nog leek te weten. De hele expeditie, schatte hij, zou nauwelijks een uur in beslag nemen. Hij wou zich niet langer laten commanderen of domineren door een stopverfachtige minkukel als Goebbels.

'Het enige avontuurlijke in zijn leven gebeurde na zijn dood.'

Walvisch keek op en legde zijn bic neer. Hij schreef in zijn dagboek, een brief aan een onbekende vriend, een soort privétestament, in de derde persoon om meer afstand te kunnen nemen, en die zin was hem spontaan ontsnapt. Hij moest bekennen dat het waarschijnlijk een pakkende synthese zou kunnen zijn van zijn leven.

En daarom maakte hij het voornemen om in te grijpen. Niet dat hij voor zijn dood een opmerkelijke heldendaad wou stellen, of een groot risico nemen, maar hij wou wel eindelijk enige spanning creëren, en dat kon hij gewoon door te luisteren naar de stem van zijn geweten – zo schreef hij het ook op – en zijn verantwoordelijkheid te aanvaarden. Hij had te lang oren en ogen gesloten voor de eigenaardigheden van het gezelschap dat hij als zijn gezin moest verzorgen. Er leefde iets achter dat hem onrustig maakte, zelfs angstig. Zijn vragen bij het interim-agentschap bleven zonder bevredigend antwoord, zijn terloopse en schijnbaar onschuldige vragen en opmerkingen aan de leden van het gezelschap eveneens. Tijdens een van hun vergaderingen had hij al zijn moed verzameld, was de kamer van Goebbels ingeslopen en had daar in zijn papieren gesnuffeld. Op korte tijd bleek de man een archief te hebben verzameld van indrukwekkende omvang. De meeste teksten handelden over politieke situaties, maar veel wijzer maakten ze hem niet want zijn talenkennis, zeker van het Duits, de taal waarin het grootste deel van de collectie boeken en knipsels geschreven was, bleek daar onvoldoende voor. Langer dan vijf minuten was hij niet durven blijven, maar hij nam zich voor bij een volgende gelegenheid ook de kamers van de anderen aan een onderzoek te onderwerpen. Over film had hij niets gevonden.

Ondertussen werkte hij verder aan wat hij zelf cynisch zijn testament noemde. Het verraste hem dat hij in de loop van het verhaal

166

dikwijls dingen schreef waar hij nooit eerder in zijn leven aan had gedacht, en die hem van filosofische of cruciale betekenis leken. Een dag eerder had hij genoteerd, nadat hij een van zijn mislukte amoureuze avonturen had gememoreerd: 'Uiteindelijk herinneren we ons veel beter ons ongeluk dan ons geluk, om de eenvoudige reden dat wij meer aan ons ongeluk verhangen zijn, omdat we dat uiteindelijk hebben overwonnen of overleefd, en dergelijke overwinningen maken ons sterker en groter. Althans in onze ogen.' En: 'Mijn herinneringen lijken die van iemand anders te zijn, iemand die ik nauwelijks ken, maar zich onweerstaanbaar opdringt.' En: 'Ik produceer onbenulligheid als een koe CO_2.' En: 'Hoe meer ik me van mijn verleden herinner, hoe vreemder ik voor mezelf word.' En: 'In haast alle gevallen is zelfmoord een onbestrafte moord door de omgeving.' En: 'Ik kon me te pletter vervelen zonder er hinder van te hebben.' En: 'Ken uzelf. Dat is onmogelijk, net als jezelf omhoogtillen. En de mensen hebben de meest extreme ideeën altijd over zaken waar ze niets van afweten.' En: 'Soms krijg ik tranen in de ogen door absurde verhaaltjes, maar nooit om mezelf.'

Daarna wou hij een inventaris opmaken van zijn bezittingen. Hij wist niet wie zijn erfgenamen zouden worden. Oude vriendinnen verrassen leek hem zowel te romantisch als te onsmakelijk, en dus speelde hij met de idee zijn jonge vrienden Bas, Dirk en Sim als zijn erfgenamen aan te duiden.

Tenslotte zou hij ook een tekst wijden aan zijn 'avontuur' met het gezelschap. Hoe dat afliep zou hij later invullen, als hij dan tenminste nog in leven was.

Aan Marilyn denken deed altijd pijn, maar op een gelukzalige manier.

≈

Marilyn, half zittend op het bed, keek tussen haar benen door naar William Calley die haar befte.

167

'Alles wat ik nu mis is een beetje cocaïne,' zuchtte ze.

Hij antwoordde iets wat ze niet verstond.

'Wat zei je?'

Hij keek op, zuchtte diep en zei:

'Dat mag niet van die Goebbels.'

'Kun jij er toch niet voor zorgen?'

'Ik denk dat jij daar beter voor geplaatst bent dan ik. Vooral liggend...'

Er klonk enige bitterheid in zijn stem.

Ze streelde door zijn haar.

'Jij bent veel beter in bed dan hij.'

Hij trachtte een indianenkreet te imiteren, boog het hoofd en ging verder met zijn bezigheid.

Langzaam schoof hij ook zijn handen onder haar billen, gleed met een hand langs haar reet en trachtte een vinger voorzichtig in haar aars te wurmen. Ze kon niet verbergen dat ze dat bijzonder leuk vond, bewoog haar heupen zodat hij meer speelruimte kreeg. Ruimte waar hij driftig gebruik van maakte en even gaf ze een gilletje van pijn.

'Sorry,' zei hij.

'Doe maar,' zei ze. 'Als je hier komt liggen kan ik je pijpen terwijl jij daar bezig bent. Een vlotte samenwerking is altijd aan te bevelen.'

Hij paste zijn positie langzaam aan, zonder zijn greep op haar te verliezen, als een sluipschutter die een hinderlaag zoekt. Hij voelde haar hand heel zacht op zijn erectie.

'Dit is de hemel,' fluisterde hij.

'Ik dacht dat je daarvandaan kwam,' lachte ze.

Haar stem klonk slaperig.

'Dit is beter,' zei hij. 'Vind je dat ook niet?'

'Weet ik niet,' zei ze. 'Ben nog nooit in de hemel geweest.'

Hij was er zo door verrast dat hij haar losliet.

'Ah neen?'

'Nee,' zei ze. 'Ik kom uit het Vagevuur. Ik werd hierheen gezonden om door jullie mijn hemel te verdienen.'

〰〰
〰〰

Wachten op het juiste moment, daar was hij altijd sterk in geweest. Wachten, met het geduld van een kat, niettegenstaande langdurige onbeweeglijkheid onmiddellijk lenig en trefzeker. Zelfs Duitse generaals, toch ook niet onbekwaam, hadden hem die lof toegezwaaid.

En ook nu wachtte hij op het meest gunstige ogenblik. Niemand kon merken aan welke spanning hij onderhevig was. Hij praatte weinig, streek zijn snor op, dronk thee en whisky, en keek op televisie naar sportuitzendingen. Vroeger had het hem vrij onverschillig gelaten, maar hij was op korte tijd een fervente voetballiefhebber geworden, zijn discussies over Arsenal, Chelsea en Manchester United met Bomber Harris leidden soms tot enige hilariteit bij de anderen. Maar Walvisch had aan beiden de betekenis van het woord 'hooligan' moeten uitleggen, evenals het systeem van de gele en rode kaarten en de functie van de vierde scheidsrechter.

Zijn waakzaamheid verminderde evenwel niet, en het toeval was hem gunstig gezind: Manchester United, die de ploeg van zijn hart was geworden, won een midweek-match met overtuigende cijfers en ook al behield hij professioneel zijn stiff upperlip, toch acteerde hij zijn goed gevoel zeer overtuigend en net voor het slapen gaan trakteerde hij het hele gezelschap dan ook op een grote fles Jameson van 12 jaar. Zijn aanbod werd uiteraard met geestdrift aanvaard. Hij hoopte dat de whisky de slaap van iedereen nog dieper en gezonder zou maken.

Klokslag 1 uur verliet hij zijn kamer en sloop behoedzaam naar de kelder. Hij nam geen enkel risico, knipte het licht niet aan, lichtte zich bij met een kaars. De twee lange stelten samen naar boven brengen bleek onmogelijk en dus bracht hij er een tot op het gelijkvloers, haalde daarna de tweede, sloot de kelderdeur, nam een van de stelten en begon de beklimming van de met een rode loper met Berberpatroon versierde trap naar de eerste verdieping. Vervolgens

169

bracht hij de tweede stelt naar boven. In het huis heerste een volmaakte stilte. Hij opende de deur van zijn kamer en besefte meteen
dat er een groot probleem was. De corridor was te smal en te laag om
hem de noodzakelijke manoeuvreerruimte te geven. De stelten in de
kamer krijgen bleek onmogelijk. Binnensmonds vloekte hij godslasterlijk en hij was boos op zichzelf omdat hij met dat zo voor de hand
liggende feit bij de voorbereiding geen rekening had gehouden.

Hij slaagde erin zijn zelfbeheersing te bewaren en analyseerde de
situatie. Veel tijd nam dat niet in beslag want het was duidelijk dat zijn
plan onuitvoerbaar was en hij de stelten opnieuw naar de kelder
moest brengen. De enige troost was dat niemand van zijn mislukking
getuige was en zijn falen door niemand kon worden aangeklaagd.

Hij tilde een van de stelten op, plaatste zijn voet voorzichtig op
de hoogste trede van de trap, stootte tegen een rustiek tafeltje met
ovale spiegel, en een kleine verzameling van twaalf porseleinen ijs-
beren die erop was uitgestald, viel op de grond. In een spontane poging om het onvermijdelijke onheil te voorkomen maakte hij een
onbeheerst gebaar, zijn voet schoof van de trede, de stelt ontsnapte
aan zijn greep en boorde zich met een krankzinnig lijkende herrie
door het glazen bovendeel van de brede straatdeur. Hij verstijfde,
alsof hij de koning begroette. Na de knal bleef het even doodstil, dan
hoorde hij vanuit haast elke kamer of een gedempte schreeuw, of het
bonzen van blote voeten op de grond, het geluid van iets dat omver
werd gelopen. Hij bleef onbeweeglijk staan. Het was sterker dan hijzelf, als militair wist hij dat onbeweeglijkheid de meest efficiënte ca-
mouflage was. Het verbaasde hem niet dat de eerste die voor hem
verscheen Goebbels was. Goebbels bleek naakt te zijn onder een
purperen kamerjas. Van boven klonk de stem van Walvisch, een
beetje paniekerig.

'Wat was dat? Wie is daar?'

Niemand gaf antwoord, al had iedereen de vragen gehoord. Iedereen stond op de overloop, of op de trap die naar de tweede verdieping leidde.

'Alles is onder controle,' zei Goebbels. 'Maakt u zich geen zorgen.'

Samen met Walvisch bracht Haig de stelten terug naar hun oude plaats in de kelder. Walvisch vroeg niet wat hij van plan was geweest.

Toen Haig eindelijk de deur van zijn kamer op slot deed, was het huis alweer in diepe rust gehuld. Zonder licht te maken draaide hij de stop van zijn persoonlijke whiskyfles en nam een stevige slok. Ik heb een veldslag verloren, maar niet de oorlog, troostte hij zichzelf. Hij hoorde zachtjes lachen.

'En krijg ik geen slokje?' vroeg Marilyn en toen ze zijn verrassing merkte, voegde ze daaraan toe: 'Ik verveelde me op mijn kamer.'

Haig was een te professioneel militair om verrassing te tonen. Ze lag in zijn bed, en de deken was zo gedrapeerd dat het overduidelijk was dat ze naakt was. Zonder verder nog een spatje verrassing of ontroering te tonen schonk hij een ruime borrel in en reikte haar die aan.

'Ik mag me door niets van mijn opdracht laten afleiden,' zei ze lief. 'Teller was vanavond aan de beurt, maar daar kwam niets van. Als generaal en opperbevelhebber zul je het beslist met mijn keuze eens zijn.'

'Correct,' beaamde Haig en trok, nog altijd met zekere waardigheid, zijn broek uit.

〰〰

'I love you.' Het leek hem de mooiste dichtregel uit de wereldliteratuur. Eenvoudig en toch met grote diepte.

Walter Walvisch nam Scharminkel op zijn schoot en streelde haar teder. Alles herinnerde hem aan Marilyn. Lang had hij gedacht of gevreesd niet meer tot liefde in staat te zijn. Van het vermogen tot liefhebben, zo dacht hij, had hij theatraal afscheid genomen op 12 september 2003, een datum die hij zo goed kende als zijn geboortedatum, toen Iris hem had verweten een benepen kleinburger te zijn en haar rugzak met zoveel zwier had opgepakt dat de fles wijn die hij met haar had willen leegmaken, van tafel in scherven viel. Maar Marilyn had hem weer tot leven gebracht. Hij beefde haast telkens hij aan haar dacht, zowel van geluk als van onrust en onbehagen, want hij wist dat ze elke nacht met iemand anders van het gezelschap neukte.

Scharminkel was een intelligente kater, hij had de indruk dat hij aanvoelde wanneer hij behoefte had aan tederheid en hij likte zijn hand.

〜〜

Onzeker en traag kwam het leven weer op gang in de gehavende stad. Glas, puin, stukgeslagen huisraad, in brand gestoken auto's werden vakkundig opgeruimd. Hier en daar zaten in de cafés mensen een biertje te drinken, het leek allemaal gewoon.

Alleen was dat niet het geval.

En het vreemde was dat iedereen het besefte.

Maar iedereen voerde een stukje komedie op. Iedereen wist dat hij zich inspande om gewoon te doen in een stad die helemaal niet meer gewoon was. Men herkende de vertrouwde dingen van elke dag, maar achter die dingen schuilden dreiging en gevaar.

En iedereen was ook een beetje beschaamd om wat er gebeurd was.

In die sfeer van vrees en onbehagen kregen wij op school instructies over de werkzaamheden van de Jeugdbrigades. Een officier van het leger, ik ken zijn graad niet, sprak ons toe, gelukkig net tijdens de wiskundeles.

'Jongens,' zei hij, heel vertrouwelijk, 'het land doet beroep op jullie. Jullie werden reeds ingedeeld in cellen, en vanaf nu zul je actief worden ingeschakeld. Het land doet altijd beroep op zijn burgers, ook op de jongeren, maar in deze buitengewone omstandigheden doet de natie op een buitengewone manier op jullie beroep. We vragen je niet meer of minder dan te helpen om deze stad, en dus het hele land en de bevolking, te redden. Wij doen beroep op jullie omdat wij hebben kunnen vaststellen dat de jeugd, beter dan de volwassenen, bestand blijkt tegen de onverklaarbare gebeurtenissen die het alledaagse leven hier helemaal overhoophalen. Misschien bestaat daar een heel eenvoudige verklaring voor. Misschien, nee, waarschijnlijk hebben de volwassenen al zoveel zorgen dat wat nu gebeurt de spreekwoordelijke druppel is die de emmer doet overlopen. Maar hoe kunnen wij helpen, zullen jullie je allicht afvragen. Heel eenvoudig. Ten eerste door jullie gedrag thuis. Zo eenvoudig is dat. Je moet door rust en kalmte de mensen met wie jullie samenleven helpen om hun evenwicht te bewaren. Ten tweede door praktische, daadwerkelijke hulp. Iedereen weet wat er gebeurde. Waarschijnlijk zullen ons nog dergelijke of nog verrassender en gevaarlijker zaken overkomen, misschien morgen al. Om vlugger te kunnen optreden, hulp te bieden waar nodig aan gekwetsten, kleine branden te bestrijden, dringende herstellingswerkzaamheden uit te voeren, duizend en een karweitjes op te knappen, hebben wij mensen nodig, veel mensen. Daarom doen we nu beroep op jullie, op de jeugd. Er worden wachtdiensten georganiseerd, de aangeduide jongens zullen in de school blijven overnachten. In elke school worden dergelijke cellen opgericht. Het schoolhoofd is de coördinator of bevelvoerder van de pelotons van zijn school. De hoofden van de pelotons die geen dienst hebben moeten ten allen tijde bereikbaar zijn en zij moeten op hun beurt elk lid van hun peloton onmiddellijk kunnen oproepen. Twee cellen van jullie school zullen morgen dienst doen op het stadhuis. Voor drank en voedsel zal worden gezorgd.'

Hij maakte een gebaar dat van ver op een militaire groet leek en verdween. In de klas heerste groot enthousiasme. Opeens werd iedereen tot avonturier bevorderd.

Mijn cel had geen dienst die eerste dag. Die van Dirk wel.

Ik weet niet wat de directe aanleiding was, maar ik kon geen rust vinden en besloot dezelfde avond nog Walvisch te telefoneren.

Ik legde hem uit dat ik alleen was, de anderen toevallig dienst hadden en vroeg hoe het er in de brigades van intellectuelen aan toe ging.

'Druk,' was alles wat hij kwijt wou.

Hij zei dat de ouders overal protesteerden tegen de organisatie van de jeugdbrigades, wat veel tijdverlies tot gevolg had. Hun eerste opdracht, het anticiperen van een nieuwe paniekgolf, kwam daardoor in het gedrang. Na een tijdje kwam hij toch los, sprak op een meer onbevangen manier.

'Er wordt rekening mee gehouden, terecht, dat een onbetekenend voorvalletje de oorzaak kan zijn van een nieuwe golf van paniek. En telkens zal de omvang ervan, zullen de onzin en de wreedheid toenemen. De mensen zijn in dergelijke situaties tot alles in staat . Dat heeft de geschiedenis dikwijls bewezen, dat soort zaken is niet alleen in Afrika mogelijk. Angst kan van de mensen weer wilden maken, overgeleverd aan primaire driften…'

Ik had Walter nooit eerder zo bewogen meegemaakt.

'Er is niet veel nodig om het laagje beschaving van ons af te schrapen. Dat werd al te dikwijls bewezen. Links of rechts, blank of gekleurd, dik of dun, arm of rijk, het maakt allemaal niets uit. En daarbij komt nog dat, typisch voor de mens, anders dan bij de roofdieren, men in dergelijke omstandigheden niet de neiging heeft om front te vormen. Nee, men keert zich tegen elkaar en maakt het zo allemaal nog veel erger.'

Er liepen duidelijk minder mensen op straat dan normaal het geval was. Voor het eerst werd er niet gebiljart in café 'Sport' op de hoek van onze straat, zag ik toen ik weer naar huis liep.

Het was vreemd, maar hoe sterker het geloof werd in het bestaan van de Kameleons, hoe meer ik begon te twijfelen.

〰〰

Heydrich betreurde het zeer dat hij zijn uniform niet meer mocht aantrekken. Hij maakte Goebbels deelgenoot van zijn verdriet.

'Maakt dat verschil uit?'

'Voor mij wel.'

'Je bent een narcist.'

'Daar ben ik trots op. Het Germaanse ras is superieur.'

'Narcist, zei ik. Niet nazist.'

'Dus ben ik net als jij.'

'Wij zijn dat geen van beiden. Eens waren we dat wel, toegegeven, in ons vorig leven, maar nu weten we dat narcisme onzin is.'

Goebbels leek opeens veel ouder.

'Waarom werden wij uitgekozen?'

'Dat vragen we ons allemaal af.'

'Waarom werden wij in de hemel opgenomen, en zoveel anderen niet?'

'Vraag het aan God.'

'Die geeft enkel bevelen, nooit antwoorden. In elk geval is het duidelijk dat er in het hiernamaals totaal andere ethische en morele maatstaven worden gehanteerd dan hier in het ondermaanse.'

'Fout,' zei Heydrich bitter. 'Ondermaatse, moet dat zijn.'

'Lach niet.'

'Doe ik niet. Ik blijf van mijn opdracht overtuigd. Befehl ist befehl.'

'Goed zo. Je leverde overigens al prachtig werk.'

'Dank je. Of zal ik God danken? Zijn rijk wordt bedreigd. Wij verdedigen hem. Eigenlijk is het niet fraai, niet moreel verantwoord, hij gebruikt ons maar trekt zichzelf zoveel mogelijk terug. God is als de zon. Hij maakt het leven mogelijk, maar blijft er onverschillig bij.'

'Een superieure tactiek.'

Goebbels maakte een vaag gebaar.

'We hebben allemaal voortreffelijk gefunctioneerd, al zeg ik het zelf.'

'Dank je. Opnieuw'.

'Geen dank. Het is een vaststelling, geen compliment.'

'Waarom moest Von Braun weg?'

'Iedereen heeft een bepaalde functie. Zijn taak was volbracht.'

'Wat heeft hij dan precies gedaan?'

'Die bruggen over het kanaal, dat was in hoofdzaak zijn werk. Maar vooral: hij heeft onze finale actie mee voorbereid. Grondig, met kennis van zaken, met hart en ziel. Edward Teller was verrukt over zijn voorbereidend werk.'

'Wat was eigenlijk de bedoeling van die reeks verdwijningen? Ik heb dat nooit goed begrepen.'

'Zand in de ogen. Het conditioneren in een foute richting. Het bemesten van het terrein. Dat besef je toch?'

'Het had ook anders gekund.'

'Natuurlijk.'

'Wat gebeurde er met die mensen? Waar zijn ze?'

'Waar wij vandaan komen.'

Heydrich knikte.

'Calley zorgde voor de doden. Haig organiseerde, dat is zijn specialiteit.'

'En wat doe ik nog in jouw plan?'

'Geduld. Vanavond nog krijg je instructies.'

〰

De rustige dagen die volgden bleken net zo zenuwslopend te zijn als de onrustige. De meeste lezersbrieven bleven het stadsbestuur laksheid en politieke onbetrouwbaarheid verwijten. 'Geachte redactie. Naar mijn bescheiden mening had al die ellende best kunnen worden voorkomen als ons stadsbestuur iets beter of alerter had gereageerd op allerlei wantoestanden, zoals bijvoorbeeld de mentaliteit van de jeugd. Hun soms echt losbandig gedrag leidde tot aantasting van de algemene zedelijkheid, tastte het respect voor onze normen en waarden aan. Inderdaad, moeten we de oorsprong van onze huidige problemen niet bij onszelf zoeken? Wij zijn verantwoordelijk voor de huidige stand van zaken, ons gezeur over een soort invasie van planetariërs getuigt van universele hypocrisie.' De meeste epis-

176

tels hadden dezelfde strekking, met een strenger en repressiever beleid hadden de opruiers en revolutionairen en allochtonen allerhande en moslims van deze of een andere planeet geen kans gekregen om dergelijke acties op touw te zetten. 'Eigen volk eerst betekent ook,' wist een inzender met naam en adres op de redactie bekend, 'dat allereerst aan de gezondheid van het eigen volk moet worden gedacht, en gezondheid betekent niet alleen dat men recht heeft op bijvoorbeeld inenting tegen pokken of, als het ouderen betreft, tegen griep, maar vooral op de geestelijke gezondheid, die al te lichtzinnig wordt verwaarloosd. Geestelijke gezondheid kan enkel worden bewaard of gecreëerd door het behoeden van het volk tegen de verderfelijke invloed van communistische of neocommunistische of vrijzinnige ideeën, symptomen van het verval van onze westerse beschaving, de impact van de verleidelijkheid van losheid van zeden, gestimuleerd op toneel en in boeken.'

'Censuur,' zo besloot de anonieme briefschrijver, is net zo noodzakelijk als inenting tegen kinderverlamming en wie zich daartegen verzet, gedraagt zich als een 'Getuige van Jehova' die zich verzet tegen een levensnoodzakelijke bloedtransfusie.'

Verder stonden de kranten, als steeds, vol met berichten die de publieke opinie nog nauwelijks beroerden. In India was een schandaal ontstaan toen een hele organisatie van handel in kindslaafjes was ontdekt. Hongersnood in Kenia. En in Somalië. En nog hier en daar. Rellen na een 'clandestien' optreden van een neonazistische rockgroep. Bomaanval in Bagdad. Madonna wil nog een kind adopteren. Het Israëlisch leger doodt veertien burgers in Palestina. Nieuwe voorzitter van het VB heeft onversneden naziverleden. Bankdirecteuren worden niet vervolgd voor fraude. Drie miljoen kinderen lijden honger. Medische gigant brengt haast onbetaalbaar duur medicijn op de markt. Koning adelt twee dozijn verdienstelijke landgenoten. Actiecomité opgericht tegen aanleg van nieuw traject spoorlijn Antwerpse haven. In Irak werd een meisje van dertien jaar dat door twee mannen was verkracht, schuldig bevonden en dood gestenigd. In Texas wordt een man na 18 jaar dodencel geëxecuteerd. Onder dokterscontrole. De paus, vertegenwoordiger van veruit de oudste dictatuur ter wereld, eist, zoals de traditie het wil, meer democratie in deze wereld. Ex-president Bush blijft vertrouwen hebben in Christus en het Amerikaanse volk en vooral in zichzelf, zo zal blijken uit zijn memoires, waarvoor hij een voorschot van ettelijke miljoenen dollars kreeg. In Amsterdam koppel homo's in elkaar geslagen. Aardbeving in Chili maakt duizenden dakloos. Alcoholcontroles nog verscherpt. Islam: godsdienst of terrorisme? GM ontslaat tweeduizend arbeiders.

Enzovoort, enzovoort.

〰〰

Opnieuw werden een aantal 'kopstukken' van wat men de linkse beweging noemt, in heel het land gearresteerd. Zowel privéwoningen als secretariaten en andere lokalen werden door de gerechtelijke politie doorzocht. Een twintigtal computers werden in beslag genomen, evenals honderden dossiers. Bij een van de huiszoekingen werd een agent door 'de hond des huizes' gebeten. De hond werd onmiddellijk afgemaakt. Bij een 'verdachte' werd een niet onbelangrijke hoeveelheid cannabis in beslag genomen. Twee vliegen in één klap.

Alle kranten brachten het nieuws op de voorpagina, 'Gazet van Antwerpen' onder de enorme kop: 'Eindelijk'.

De edities waren al verspreid toen een bom de brug over de vijver van het Antwerpse stadspark vernielde en een andere bom, op hetzelfde ogenblik, Pieter Paul Rubens op de Groenplaats van zijn sokkel deed tuimelen.

〰〰

'De weg naar de hel is geplaveid met goede voornemens,' zei Goebbels, en liet een dramatisch verantwoorde stilte vallen.

178

'Wij besteden de helft van ons leven aan het maken van goede voornemens,' zei Marilyn en geeuwde discreet achter haar gemanicuurde hand. 'En de andere helft aan het maken van verontschuldigingen omdat we er niets van terechtbrengen.'

Heydrich keek haar vernietigend aan.

'Wie heeft je dat wijsgemaakt, die Arthur weer?'

'Zelf bedacht.' Ze lachte minzaam en toch ook hautain. 'Ik ben geen dom blondje. Ik was van plan ooit mijn autobiografie zelf te schrijven. Arthur, ik bedoel dus Miller, de theaterauteur, zou nooit verliefd zijn geworden op een dom blondje. En Norman Mailer zou er nooit belangstelling hebben voor gehad. Hij werd trouwens ook smoor op mij. En ik was al jaren dood.'

Haig lachte, en dat was zeldzaam, zodat iedereen verrast opkeek.

'Wat ik zeggen wil,' ging Goebbels ongestoord verder, 'is dat wij de weg naar de hel niet mogen inslaan.'

'Kan niet,' zei Edward Teller heftig.

Hij had zich onmiddellijk thuis gevoeld in het gezelschap en nam van de eerste dag af aan hun gesprekken deel alsof hij er altijd bij was geweest. Niemand had hem trouwens als een vreemde of een indringer beschouwd.

'Ik bedoel dat natuurlijk niet letterlijk, maar figuurlijk. De wereld is verdeeld in een groot aantal kampen die elkaar constant onderling bestrijden, met alle geoorloofde en ongeoorloofde middelen. Elke overwinning is een Pyrrhusoverwinning, want ze creëert onmiddellijk nieuwe tegenstanders. En daarom hebben we zoveel objectieve bondgenoten in het vestigen van de Nieuwe Orde.'

'Allernieuwste Orde,' zei Heydrich.

'Zoals reeds herhaaldelijk gezegd hebben wij slechts één tegenstrever te vrezen. Onszelf. Wij moeten de leuze van het land dat momenteel onze verblijfplaats is, in het geheugen houden: 'Eendracht maakt macht.'

'Tiens,' zei Marilyn, 'is dat echt hun slogan? Dat klinkt een beetje alsof de nazi's als slogan zouden hebben: 'Ook Joden zijn mensen'.

179

'Wij zijn meer dan een willekeurig samengestelde groep. We beschikken over bepaalde machten, beperkt weliswaar, maar machten die ons toch meer mogelijkheden geven dan de gewone stervelingen. Wij mogen die niet verkwanselen.'

'Ter zake,' zei Harris ongeduldig.

'Een van ons heeft getracht de samenhorigheid te doorbreken. Zijn individueel probleem, voor zover men dat een probleem kan noemen, wil hij laten prevaleren op onze gemeenschappelijke actie, net nu het einde nabij is. Dat kan niet. Dat kan echt niet. Wij zullen niet kinderachtig doen, wij kunnen geen straf opleggen, maar wij kunnen wel duidelijk maken dat wij dergelijke acties niet meer zullen tolereren.'

'Jammer,' zei Marilyn. 'Ik vind het hier soms verrekt vervelend.'

'Iedereen weet wie ik bedoel. Als je dit wenst, mijn waarde Haig, dan willen wij jouw probleem helpen oplossen.'

'Ik kan het alleen wel aan.'

'Goed zo. Ik hoop dat je oprecht bent. En dan kunnen we nu overgaan tot de orde van de dag. Zoals wij allen weten zijn wij niet de enige cel van wat wij niet zonder zin voor humor POW's zouden kunnen noemen, 'Prophets of Wellness'. Er zijn er, als mijn informatie correct is, en dat is ze, want de bron is boven alle twijfel verheven, momenteel, verspreid over de gehele aardbol, een zevental actief. Wij werken allemaal naar hetzelfde doel, de nazistische maatschappij. Er is een zeker contact, maar op een wijze die niet traceerbaar is. Wij naderen, en enkel wie ziende blind is zal het ontkennen, een cruciaal ogenblik in onze actie. Aandacht, eendracht en actiebereidheid mogen zeker nu niet verslappen. Ons volgende actiepunt is van buitengewoon groot belang.'

♒

Je kunt blaken van gezondheid en je rot voelen, natuurlijk kan dat. Walvisch werd al geruime tijd wakker in de hoop dat het vlug avond zou worden, zodat hij weer in bed kon kruipen, zijn ogen sluiten en wegzinken in een universum van verbeelding en vergeten. Hij zag op tegen alles wat hij die dag te doen had, hij was bang van alles wat geen jarenlange gewoonte was en de jarenlange gewoontes leken hem elke dag onoverkomelijker te worden.

Toch merkte niemand wat aan hem, hij deed wat van hem verlangd werd. Het was de heldhaftigheid van de onzichtbare, besefte hij. Hij hoopte dat hij ooit echt onzichtbaar zou worden, niet als een omzwachtelde filmacteur, maar als mens tout court.

Elke dag sterker kreeg hij het gevoel dat hij niet echt bestond, dat hij iemand acteerde, dat hij functioneerde in de droom van een hem onbekend wezen. Toch maakte dat hem niet opstandig. Integendeel, de onverschilligheid verbaasde hem. Die mentale moeheid belette niet dat hij zich enorm gestresseerd voelde en steeds meer inspanningen moest leveren om allerlei ergernissen te onderdrukken.

Bij het interim-bureau informeerde hij nogmaals naar de duur van zijn opdracht, en zoals de vorige keren kon men hem geen antwoord geven. In de overeenkomst staat dat ze van onbeperkte duur is, zei men. Of men hem kon vervangen? Dat was uiteraard mogelijk, zeker omdat het een bijzonder lucratieve job was, maar de heren van het gezelschap hadden er op aangedrongen dat hij zou blijven, ze waren uitermate tevreden over hem. Of hij dan een week vakantie kon nemen? Men zou informeren en liet hem de volgende dag al weten dat men hem met aandrang verzocht die, overigens welverdiende, vakantie nog een tijdje uit te stellen, want zijn opdracht zou weldra ten einde lopen.

Terwijl, dat wist hij, iedereen veronderstelde dat hij een bijzonder sociaal ingesteld mens was, had hij toch een bijna schrijnende behoefte aan alleen zijn (als hij niet bij Marilyn was). Het pijnlijke was dat als hij dat aan een bevriend of geliefd iemand probeerde duidelijk te maken er altijd onbegrip ontstond. Ook mensen waar hij van hield, leken hem soms het ademen te beletten.

Lethargie en twijfel resulteerden in spanning. Goebbels, waarvoor hij enige tijd bewondering had voelen groeien, leek hem plots een buitengewoon ergernis wekkend persoon. Toch behield hij zijn glimlach als hij een verzoek of bevel van hem ontving.

Ik heb een slavenziel, dacht hij.

≋

'Niets kan vijanden beter met elkaar verzoenen, althans laten samenwerken, dan een gemeenschappelijke vijand,' zei Teller tot Haig. 'Onze vriend Goebbels heeft volkomen gelijk. Jammer dat die man niet aan onze kant stond in de oorlog. Ik ben ervan overtuigd dat wij samen het Jodenvraagstuk wel hadden kunnen oplossen.'

'Op een andere wijze, uiteraard,' voegde hij daar even later aan toe.

De limousine passeerde vrijwel alle auto's op de autoweg. Walvisch was in slaap gesukkeld.

'Tijdens twee wereldoorlogen, twee oorlogen trouwens die de wereld een grondig ander uitzicht hebben gegeven, waren we vijanden, verblind door de altijd verwarrende actualiteit, maar we hebben eigenlijk gevochten voor een gemeenschappelijk doel, onze westerse cultuur die, en dan wil ik niet eens verwijzen naar het begrip 'Übermensch', in vele opzichten superieur is aan de cultuur van andere werelddelen.'

'Ik weet niet eens wat het nazisme precies te betekenen heeft,' zei Haig.

Goebbels slaakte een diepe zucht.

'Er zijn miljoenen diepgelovige mensen die niet weten wat het katholicisme of de islam precies te betekenen hebben.'

'Ik heb er heel wat kritiek over gelezen.'

'Er is inderdaad veel kritiek op het katholicisme ook. In de loop van de geschiedenis werden er inderdaad zware fouten gemaakt, zelfs crimineel zware fouten, maar dat weegt niet op tegen het positieve dat werd gerealiseerd. Jij dateert, als ik het zo mag uitdrukken, van voor onze tijd. Ik heb over jou heel wat gelezen en daardoor ben ik ervan overtuigd dat jij inderdaad een van ons bent en dat jij ons zult kunnen helpen bij het realiseren van ons doel.'

'En wat kan ik precies doen?'

'Dat vertelt Goebbels je tijdig. Hij is, tussen haakjes gezegd, een genie.'

Amicaal legde Teller een arm rond Goebbels' schouders, die verstoord opkeek en zich onmiddellijk losmaakte. Hij onderbrak de gesprekken met een mededeling.

'Zeer waarschijnlijk worden wij bij onze terugkeer, niet hier maar in de hemel, bedoel ik, tot de exclusieve Vipruimte toegelaten,' zei hij met luide stem.

Men reageerde enthousiast.

'Waarom noem je hem een genie?'

Er klonk enige afgunst in de stem van Haig.

'Goebbels kan de mensen doen denken en voelen en wensen wat hij wil. Dat is, in a nutshell of hoe zeggen jullie dat, in essentie de bedoeling van publicrelations. Hij kan een nederlaag moeiteloos voorstellen als een ander soort overwinning. Hij verhief de leugen in de adelstand. Hij kan van bittere werkelijkheid een lachertje maken. Hij weet precies hoe hij de werkelijkheid moet voorstellen of aanpakken. Hitler maakte de Duitsers ooit wijs dat ze Stalingrad hadden veroverd, uiteindelijk moest het Zesde Leger capituleren, maar je zou eens moeten nalezen hoe meesterlijk Goebbels die verschrikkelijke nederlaag wist te vermommen en zelfs te versieren. Nog een voorbeeldje van zijn geniaal inzicht. Hij kwam te weten wat de Engelsen in India hadden uitgevreten, hoeveel slachtoffers daar door jullie zijn gemaakt. Een schitterend argument voor hem, dat miljoenencijfer. Wat deed hij ermee? Het aantal nog aandikken? Nee, meneer, hij verkleinde het. Want, zei hij, het echte aantal is zo schrikbarend groot dat men zal zeggen dat ik overdrijf, en dus bereik ik veel meer effect met een kleiner aantal.

~~~

Noot van de schrijver

Ik realiseer me dat ik het nieuwe lid van het gezelschap nog moet voorstellen.

❖ Edward Teller (1908-2003). Hij werd geboren in Boedapest, maar vluchtte bij de opkomst van het nazisme naar Denemarken en vervolgens naar de USA, waar hij met Enrico Fermi en Robert Oppenheimer de atoombom ontwikkelde. Hij wordt later de vader van de waterstofbom genoemd, bom die bij wijze van experiment voor het eerst tot ontploffing werd gebracht in 1952. Een waterstofbom kan evenveel vernietigende kracht ontplooien als 100 miljoen ton TNT (tijdens wereldoorlog 2 werd alles samen 3 miljoen ton explosieven gebruikt). De testbom die tot ontploffing werd gebracht op het eilandje Elugelab, was duizendmaal krachtiger dan de bom die Hirosjima vernielde. Teller verdedigde de ontwikkeling van deze bom (in tegenstelling tot Oppenheimer die al na de experimentele atoombom die ontplofte in de woestijn van Alamogordo, uit de Baghavad Gita had geciteerd: 'I am become Feath. The destroyer of Worlds.') Teller was een supporter van president Reagan geweest en van uitbreiding van de militaire macht van de USA.

Volledigheidshalve, alhoewel een beetje overbodig, daar ben ik van overtuigd, geef ik hier ook een kort curriculum van Marilyn Monroe.

❖ Marilyn Monroe (1926-1962). Echte naam Norma Jean Mortensen. Na een moeilijke jeugd werd ze model, speelde vervolgens kleine rolletjes in Hollywood tot ze doorbrak en de mooiste en beroemdste actrice van haar generatie werd. Tot haar belangrijkste films behoren 'Gentlemen prefer blondes', 'How to marry a millionaire', 'The Seven Year Itch'. Ze was gehuwd met Joe DiMaggio, de beroemdste baseballspeler van zijn tijd, vervolgens met Arthur Miller, een van de beste Amerikaanse theaterauteurs, en er werd gefluisterd dat ze een verhouding had met president J.F. Kennedy. En dat ze zelfmoord pleegde.

Noot van God

Waarom deze mens, Teller? Natuurlijk had ik een ruime keuze en lijkt mijn beslissing arbitrair en zelfs onwaarschijnlijk, want uiteindelijk was Teller een tegenstander van het nazisme. Maar tegenstanders van het nazisme van Hitler blijken dikwijls fundamenteel te geloven in heel wat vermomde nazistische principes. Teller is daar een prototype van. Ook de katholieke kerk is uiteraard geen nazistische organisatie maar een diepgaande vergelijking zou verrassende resultaten opleveren. Velen zullen ze niet eens verrassend noemen, en herinneren aan paus Pius XII, die de bescherming van de hemel en mijn zegen vroeg voor de nazi's, ook al waren die al begonnen met de verschrikkelijke, inderdaad, vervolging en uitroeiing van de Joden.

En dat ik Marilyn Monroe laat opdraven is een grapje mijnerzijds. Ik heb ook haar natuurlijk de fysionomie van haar glorietijd laten behouden.

〜〜〜

Alle kranten publiceerden uiteraard grote foto's van de vernielde brug en van de gevallen Rubens. Men vroeg zich verbijsterd af wat de bedoeling wel mocht zijn van deze aanslagen. De raadselen bleven, het mysterie nam nog toe. Waarom zouden de zogezegde Kameleons zich met dergelijke zinloze activiteiten bezighouden?

'Men wil het wettelijk gezag belachelijk maken, demonstreren hoe machteloos het is,' schreef 'Knack'.

Twee dagen later vonden er twee bomaanslagen plaats, aanslagen die opnieuw de wereldpers haalden. Het secretariaat van de extreemrechtse partij VB werd grotendeels verwoest en ongeveer een uur later vernielde een nog zwaardere bom een groot gedeelte van het Sportpaleis. 's Avonds had Bruce Springsteen er moeten optreden.

In een toespraak tot het Congres van de Verenigde Staten herhaalde een republikeins afgevaardigde onder luid applaus nog maar eens dat het steeds duidelijker werd dat niet alleen de islam onze beschaving bedreigde, dat het linkse gedachtegoed een bondgenoot van het terrorisme was, dat het onze plicht was nog strenger en harder op te treden tegen iedereen die onze maatschappij, ja onze westerse beschaving, bedreigde. De zender Al Jazeera zond een boodschap van Al Qaida uit waarin, zeer verrassend zodat men er een tactisch manoeuvre achter vermoedde, werd verklaard dat ze niets met deze acties te maken hadden, maar er wel van overtuigd waren dat zij er de inspiratiebron van waren.

Een derde bomaanslag vond plaats op het gebouw van 'Fortis', grote bankmaatschappij. De stoffelijke schade was aanzienlijk.

~~~

Twee nachten na de aanslag op de brug werd een groot gedeelte van de containerinstallatie van de Hessenatie in de haven door een reeks ontploffingen zwaar beschadigd. Deze aanslag werd wel opgeëist door een totaal onbekende organisatie die zich 'ARTO' noemde, of 'Antirechtse Totalitaire Organisatie'.

~~~

Er stopte een metaalkleurige limousine voor het huis aan de Charlottalei. Walvisch stapte uit en haastte zich naar binnen. Vervolgens gebeurde er een hele tijd niets, behalve dat op straat allerlei mensen, vooral kinderen, bleven staan om de limousine beter te bekijken. De niet-geüniformeerde chauffeur was aan die belangstelling gewend. Hij zat rustig de krant te lezen en rookte een sigaar. Door de gefumeerde ruiten was het onmogelijk iets meer van het interieur van de limousine te zien, wat een duidelijke bron van ergernis werd.

'Klootzakken.'

'Erger dan die zogezegde Kameleons.'

'Het schijnt dat ze in die rijdende pralinedoos televisie hebben.'

'En een bar natuurlijk.'

'Zouden hun glazen nooit omvallen?'

'Dan vullen ze die opnieuw.'

'Ik heb eens een foto gezien van zo'n soort auto, die had zelfs een bad aan boord.'

'Zot.'

Maar toen de deur van het huis openging, deed iedereen eerbiedig een stap opzij. Walvisch kwam als eerste naar buiten en opende het portier van de wagen. Het interieur bleek donkerbruin van kleur. Hij bleef bij de open deur staan en het hele gezelschap stapte, min of meer elegant, zich min of meer bewust van de belangstelling, de limousine in. Goebbels sloot de rij en wuifde met een slap handje naar iemand die in het huis was achtergebleven en van tussen de gordijnen even terugwuifde.

'Waarom gaat Heydrich niet mee?'

'Hij voelde zich niet zo best,' zei Goebbels vaag.

'Waarschijnlijk ligt hij al in bed.' Calley klonk nijdig. 'Met Marilyn natuurlijk.'

Walvisch sloot de deur en nam naast de chauffeur plaats.

'Schol,' riep iemand van de kijkende mensen.

De motor begon met een aangenaam zacht geluid te draaien en de auto gleed weg.

'Was dat de commissie?' vroeg iemand zich af.

'Helemaal niet, ik ken er daar een paar van. Maar misschien zijn het wel experts of zo, die door de commissie zijn uitgenodigd.'

'Geloof ik niks van, ik woon hier om de hoek, ze zijn hier al van voor het allemaal is begonnen.'

In de hele provincie werd de noodtoestand afgekondigd. Nog enkele linkse kopstukken werden aangehouden, evenals Goedele Lie-
kens, maar dat bleek een jammerlijke vergissing te zijn, zo werd
officieel vlug medegedeeld.

Goebbels feliciteerde Bomber Harris en William Calley met het
succes. Hij gaf Verschaeve opdracht onder diverse pseudoniemen
verontruste lezersbrieven te schrijven.

'Onze taak loopt ten einde,' zei Goebbels tegen het gezelschap.
'Wat wij in gang hebben gezet, valt niet meer te stoppen, zelfs niet
af te remmen.'

'Dat dacht die Hitler ook,' merkte Haig zuur op.

'En hij had niet helemaal ongelijk, want de evolutie naar een wereldwijd nazisme is onmiskenbaar en niet meer te onderdrukken.'

Hij richtte zich rechtstreeks tot William Calley.

'Nu is het weer jouw beurt. Om de verwarring te stimuleren zullen we voor het eerst ook een links iemand liquideren. De keuze viel
op een zekere Kris Merckx, een arts als ik het goed heb.'

Calley knikte.

'Met plezier,' zei hij. 'Blij dat ik eindelijk weer eens van nut kan zijn.'

〰

De limousine had op de drukke parking van Planckendael, heel wat
bekijks. Een kleine jongen met een knalgeel feesthoedje stapte resoluut op Verschaeve af en stak hem een papiertje toe, vroeg om een
handtekening.

'Weet je wie ik ben?'

Het ventje schudde energiek het hoofd. Nee.

Verschaeve tekende ingetogen een sierlijke maar onleesbare krab-
bel op het papiertje.

Lachend holde het ventje terug naar een groepje druk fotograferende volwassenen, waar hij goedkeurende schouderklopjes kreeg. Een van de mannen kwam op zijn beurt op het gezelschap af.

'Dankjewel,' zei hij. 'Hij is er erg blij mee. Mag ik vragen wie u bent?'

Nog voor Verschaeve kon antwoorden dook Goebbels op.

'Het spijt me,' zei hij beleefd. 'Maar meneer is hier in feite incognito, en dus kunnen wij uw vraag niet beantwoorden. Ik vertrouw erop dat u begrip hebt voor die situatie.'

'Natuurlijk,' zei de man, wierp nog een onderzoekende blik op het gezelschap dat een beetje onwennig op het plein stond en droop bedremmeld af.

Na een geanimeerde rondleiding in het dierenpark, waarbij het gezelschap zich soms als uitbundige schoolkinderen gedroeg, genoten ze van een uitstekend diner in het restaurant.

'Ik ben radicaal tegen dierentuinen en zelfs dierenparken,' zei Heydricht bij het dessert. 'Het opsluiten van dieren die in de vrije natuur thuishoren, mag niemand onberoerd laten.'

'Jammer dat in de hemel geen dieren zijn toegelaten,' zei Calley.

'Daar zegt u wat. Nu weet ik waarom ik me daar nooit echt thuis heb gevoeld,' zei Haig, lichtjes dronken. 'Als Engelsman ben ik natuurlijk een groot dierenliefhebber. Ik herinner me de tijd nog levendig toen ik polo speelde, ik had een prachtige stal met paarden die de meesten me benijdden, terecht trouwens.'

'Ik heb de indruk dat uw paarden meer werden gewaardeerd dan u,' zei Bomber Harris zuur, maar voegde er onmiddellijk aan toe, 'grapje natuurlijk.'

'Hoop ik,' zei Haig.

'U was in Vietnam,' wendde Teller zich tot Calley. 'Hebt u daar wel eens hond gegeten? Naar het schijnt kan hondenvlees voortreffelijk zijn.'

'Nee. Ik ben een beschaafd mens.'

Zijn verontwaardiging klonk oprecht.

Na het diner stapte het gezelschap goedgemutst en ontspannen weer in de limousine en vervolgde de trip naar het Atomium, het uiteindelijke doel van de uitstap.

'Heren,' begon Goebbels toen ze daar arriveerden, een tussenkomst die duidelijk heel wat tijd in beslag zou nemen.

Bomber Harris ging rechtop zitten, omdat hij zich slaperig voelde.

'Vrienden,' hervatte Goebbels. 'Een klein ogenblik uw aandacht, asjeblieft. We weten waarom we deze constructie gaan bezichtigen. Het zogenaamde Atomium, waarover u alle noodzakelijke documentatie hebt gekregen, was en is een symbool van de technische vooruitgang, van een nieuw tijdperk in de geschiedenis van de mensheid. Het werd opgericht, zoals u weet, ter gelegenheid van de Wereldtentoonstelling van 1958, in volle periode van Koude Oorlog.'

'Een benaming die ik niet begrijp,' zei Haig. 'Koude Oorlog.'

Goebbels bekeek hem ijzig.

'België is een weinig gekend en gewaardeerd land, maar iedereen kent het Atomium.'

'Haast zo bekend als Manneke Pis,' grapte Verschaeve. 'Gelukkig is Brussel niet de hoofdstad van Vlaanderen.'

'We moeten ernstig blijven, we hebben een cruciaal moment in onze actie bereikt. We gaan de constructie als gewone toeristen bekijken, met eigen ogen concreet zien wat we allemaal al weten uit de teksten die ik u heb bezorgd. Gedraagt u als bewonderende en verwonderde toeristen, vermijdt het de aandacht op ons gezelschap te vestigen. Daarom wou ik ook voorstellen ditmaal niet in groep te blijven. Het is nu precies 15 uur en vier minuten. We verzamelen stipt om 16u30 hier in de auto.'

Iedereen knikte, haast ingetogen.

'En denk eraan dat we deze middag al heel wat wijn hebben gedronken,' voegde hij er na een ogenblik aan toe, met een verstolen blik op Harris.

'En hou je ogen goed open,' zei Harris, 'want over enkele dagen is het er niet meer. De voorlopige kroon op ons werk. Daarmee vergeleken zullen de vorige acties maar kinderspel lijken.'

Hij keek rond met duidelijke trots.

'De hemel had geen nefaste invloed op mijn capaciteiten, zoals al duidelijk is gebleken, mag ik wel zeggen."

'En deze aanslag zal kinderspel zijn in vergelijking met ons afscheidsgeschenk,' besloot Goebbels.

〰〰

Op de terugreis heerste in de limousine een haast volmaakte stilte. Ze werd enkel af en toe onderbroken door een kort snurken van Cyriel Verschaeve. Ook Edward Teller sliep, slordig onderuitgezakt. Harris leek geabsorbeerd in 'The Times', Goebbels schreef gejaagd in zijn notitieboekje. De chauffeur zat ontspannen achter het stuur en rookte een indrukwekkende sigaar. Walvisch naast hem wuifde ostentatief om de halve minuut de rook uit zijn gezicht.

'Benieuwd of we in een file zullen terechtkomen,' zei de chauffeur.

'Natuurlijk wel. Met mij in de buurt is dat een certitude.'

Even voorbij Kontich kreeg hij gelijk.

'Nu heb je meer tijd om je sigaar op te roken,' zei hij tot de chauffeur. Hij draaide het raampje aan zijn kant helemaal open.

'De vrouw heeft een hekel aan roken, Ze wil niet hebben dat ik thuis iets opsteek. Zo jaagt ze me de straat op. En de kroeg in natuurlijk. Zolang ik daar nog mag roken. En in de kroeg zit het, zoals algemeen bekend, vol loslopende wijven. Ik verwittig haar, maar zij zegt 'Dat moet dan maar' en blijft erbij dat het huis rookvrij moet blijven.'

Hij lachte opgewekt.

Walvisch maakte duidelijk dat hij wel iets wou drinken en Harris reikte hem een whisky aan.

Goebbels schreef geconcentreerd verder, hij scheen niet eens te hebben opgemerkt dat de auto al geruime tijd stilstond.

Hij schreef:

'Het is een feit dat de tijdsgeest en de economische en sociale situatie voor de opkomst van het nazisme buitengewoon gunstig waren, en we hebben daar maximaal kunnen van profiteren. Nu, zeventig jaar later, leeft men hier in een totaal veranderde wereld, in een totaal andere sfeer, en al lijkt het niet direct zo, toch weet ik dat de omstandigheden nog gunstiger zijn dan toentertijd. Ze moeten enkel op de juiste wijze worden uitgebuit.

We staan nu op de drempel van de meest ingrijpende putsch aller tijden. De meest ingrijpende, de meest verrassende en de meest onverklaarbare. Zonder dat het duidelijk doordrong, werd de weg voor ons geëffend. Onze tegenstrevers werden in zekere zin onze bondgenoten. Hun gevecht om heerschappij en macht leverde ons de nodige wapens op. Zelfs de Joden, ja zelfs zij, streden uiteindelijk voor ons. Israël is een objectieve bondgenoot van het nieuwe nazisme, dat overigens principieel helemaal niet verschilt van het oude of originele. Enkel de tactiek is gewijzigd. Decennialang werd de wereld opgewarmd en voor ons klaargemaakt, door rechts maar ook door links, door de islam maar ook door het christendom, door Palestijnen maar ook door Joden, door globalisten maar ook door hun tegenstanders, door gematigden en door fundamentalisten, door allochtonen en door autochtonen, door auteurs en critici, door goochelaars en onhandigen, door voetbalhaters en voetbalgekken, door armen en rijken, vetten en mageren. Zij hebben de wereld onzeker en angstig gemaakt, voor ons een ideale biotoop.

Ik heb de recente geschiedenis doorgenomen en noteer uit het geheugen: Bokassa, Guatemala, Vietnam, Pinochet, Nixon, Reagan, apartheid in Zuid-Afrika, Cambodja, Irak, Guantanamo, bankcrisis, Thatcher, Chili, Zaïre, Mobutu, Hutsi-Tutsi, Myan Mar, de Gazastrook, Papa Doc, Ruanda, Marcos, Paus Benedictus en zijn voorganger, Stroessner, Videla, Kosovo, Franco, Trujillo, Pol Pot, El Salvador. Enz., enz…

Wij zullen in en door onze overwinning totaal verdwijnen, geen standbeelden, geen van onze namen zal in dit verband in de geschiedenisboeken figureren. En dat stoort me niet. Integendeel, het is een garantie voor succes. Bescheiden en nederig verdwijnen we weer, niet in de coulissen, maar uit de wereld die we hebben helpen maken. In het hiernamaals heeft men geen behoefte meer aan erkenning. De vipruimte is niets anders dan een grapje van de Almachtige.

Onze actie, nietig lijkt ze, zal, gecombineerd met wat onze collega's elders hebben georganiseerd en in vorige generaties reeds presteerden, ervoor zorgen dat de opgekropte haat, dat de onderdrukte spanning en angst en vooral de heersende verschrikkelijke ellende overal de traditionele machthebbers zullen wegjagen. In een orkaan van angst, die zal veranderen in een orkaan van woede, die alles zal omverwerpen.

De rol van ieder van ons lijkt bescheiden maar is essentieel.'

Hij klapte zijn notaboekje dicht en boog zich voorover om beter uit het raampje te kunnen kijken. De auto stond nog altijd stil. Buiten liepen enkele ongeduldige chauffeurs op en neer. Een oudere man stond ongegeneerd te pissen in het zicht van iedereen. Hij hoorde het brommen van de vrachtwagens, want de chauffeurs van de trucks lieten hun motoren draaien en hij ergerde zich daar enorm aan.

〰〰

We hadden een afspraak met Walter om op onze vrije namiddag met hem een nieuwe bouwdoos te gaan kopen.

Een dag eerder belde hij.

'Het kan niet doorgaan,' zei hij, 'sorry, maar ik ben ziek.'

'Jammer. Wat zegt de dokter?'

'Een stevige griep. Ik heb meer dan 39° temperatuur, ik voel me zo slap als een vaatdoek.'

'Kunnen wij iets voor je doen?'

'Nee, dank je. Ik bel zodra ik beter ben, misschien kunnen we tijdens het weekend gaan, of volgende woensdag.'

'Prima.'

Maar ik was niet overtuigd, de stem van Walvisch klonk helemaal niet zwak. Hij maakte de laatste tijd trouwens altijd een wat vreemde, opgejaagde indruk. De volgende dag gaf ik toe aan een plotse ingeving en besloot hem op te zoeken. Voor besmetting had ik geen angst, die gebeurde immers vooral tijdens de incubatieperiode, had ik een arts ooit horen beweren.

Walvisch bleek evenwel niet thuis te zijn. Terwijl ik op straat wachtte, passeerde een buurvrouw met een tas vol selder en prei.

'Wacht je op iemand, jongeman?'

'Ja, op meneer Walvisch.'

'Die ken ik. Vriendelijke man, heel beleefd. Ik heb hem al dagen niet meer gezien,' zei ze . 'Hij is de laatste tijd nauwelijks thuis. Dat heb je met vrijgezellen.'

'Hij zei dat hij ziek was.'

'Echt gezond zag hij er nooit uit.'

Ik aarzelde even en besloot dan naar de Charlottalei te gaan, belde daar aan, bleef geruime tijd met mijn oor tegen de parlofoon gedrukt staan, maar hoorde niets.

Ik belde een tweede keer. Ditmaal ging de deur, tot mijn verrassing, onmiddellijk automatisch open. Er stond niemand in de marmeren corridor. Ik kuchte en op de overloop verscheen een dame in peignoir, die ik nog nooit had gezien.

'Hallo,' zei ze.

'Ik zoek meneer Walvisch, mevrouw,' zei ik beleefd.

'Hoogste verdieping, jongen.'

Ze deed een stap achteruit om me te laten passeren en ik rook een zware, zoete parfum. Ze glimlachte vriendelijk.

Op de hoogste verdieping stond ik opnieuw voor een gesloten deur. Ik klopte aan. Zonder resultaat. In het huis heerste stilte. Een antieke stilte, dacht ik. (Dat 'antieke' had ik ooit in een avonturenverhaal gelezen.) Ik morrelde even aan de klink en tot mijn verbazing ging de deur meteen open. Ik was een welopgevoede jongen en aarzelde dus, maar uiteindelijk ging ik toch de kamer in. Misschien ligt hij ziek en hulpeloos of zelfs bewusteloos in bed, dacht ik bij wijze van verontschuldiging, maar Walter was echt niet thuis. Ik besloot een briefje achter te laten, keek rond om papier en pen of potlood te vinden, opende een lade van een grote kast. Er lag alleen maar een mosterdkleurige map in en in die map bleken enkele papieren te zitten waarop Walvisch in zijn mooie, ronde geschrift een aantal notities had gemaakt. Bescheiden, zoals het hoort, wou ik die, ongelezen, weer wegleggen toen mijn oog viel op het onderstreepte en door een vraagteken gevolgde woord Kameleons. Het was sterker dan mezelf en dus begon ik te lezen. Het bleek het ontwerp te zijn voor een brief, aan wie gericht was niet duidelijk, maar ik veronderstelde dat hij voor de Commissie of een krant was bestemd, waarin Walvisch verslag deed over het vreemde gezelschap waar hij tijdelijk voor werkte.

Ik zocht nog verder in de lade, vond een aantal volkomen onschuldige paperassen, een oude maar precies daarom zeer interessante catalogus van een nu niet meer bestaande firma die gespecialiseerd was in militaire schaalmodellen en een briefje waarop Walvisch, met vermelding van datum en uur, enkele vreemde opdrachten die hij had moeten uitvoeren had genoteerd.

'20 fotokopies van tekst, 7 pagina's, in een taal die ik niet kan lezen – riem kettingpapier gekocht (niet geschikt voor de printer hier) – vuurwerk gekocht (lijstje me gegeven door Harris) – set video's met het werk van Chaplin – zeer gesofisticeerd fototoestel (voor Monroe, betaald met mijn bankkaart, het bedrag werd me vervolgens terugbetaald door Haig), Engelse, gebonden editie van 'Divina Commedia' van Dante – een dure aansteker (voor Heydrich, die niet rookt) – een exemplaar van het boek 'Le Matin des Magiciens' van Pauwels en Bergier (pas na lang zoeken exemplaar gevonden, in het boekenantiquariaat 'Demian').'

Ik was net van plan ook de andere lade te doorzoeken toen de deur openging. Ik verstijfde van schrik, keerde me om. Het was niet Walvisch die in de deuropening verscheen, maar een mij totaal vreemde man. En de kater (die Scharminkel heette, en waar Walter ons dikwijls over vertelde) glipte langs de man de kamer in en sprong meteen op tafel. Hij kwam me kopjes geven.

Telkens wanneer ik mijn avontuur later vertelde legde ik er de nadruk op, niet zonder trots, wat begrijpelijk is, dat ik volkomen kalm bleef. Natuurlijk was ik betrapt op iets wat niet geoorloofd was, natuurlijk zou ik mijn vriendschap met Walvisch kwijt spelen, natuurlijk zou ik een of andere straf oplopen. Maar ik bleef kalm, streelde de kat. Ze begon te spinnen, wat me erg geruststellend leek.

De man sloot de deur achter zich.

'Wat doe jij hier? Wie ben jij?'

Hij sprak Duits, maar hij sprak het op een trage, rustige wijze, zodat het vrij verstaanbaar werd.

'Ik ben een vriend van meneer Walvisch.'

Ik trok de bovenste lade open, nam de catalogus en domweg, de papieren met nota's, wapperde er even mee.

'Wij bouwen modellen van vliegtuigen.'

De man, die zoals later bleek een zekere Heydrich was, kwam naar me toe, wierp een blik in de lade en rukte de papieren uit mijn handen.

'Zeg, Walter, ik bedoel meneer Walvisch, maar dat ik hier was,' zei ik. 'Ik moet nu naar huis.'

'Jij blijft hier,' zei Heydrich, en zijn stem klonk opeens anders.

'Goedenavond nog.'

Ik passeerde Heydrich maar toen ik de deur wou openen werd ik in een stevige en professionele greep genomen, moest naar adem happen.

'Jij blijft hier.'

Ik bleef niet alleen verrassend kalm, ik bleef bovendien zeer helder. Het was me meteen duidelijk geworden dat Walvisch in een zeer

moeilijke situatie zou terechtkomen als men ontdekte waar zijn dos-
siertje over ging. En dus verzette ik me tegen de houdgreep, niet zozeer om los te komen, want ik besefte dat het onmogelijk was, dat de
man die me vasthield een professional was, maar om hem af te leiden en hem misschien de papieren te kunnen ontfutselen. En daar
slaagde ik in ook. Hij wierp het mapje op tafel, loste daardoor even
zijn greep een beetje, net voldoende om me toe te staan het mapje
te grijpen en in één beweging door het openstaande raam te gooien.
Ik zag hoe de papieren op de wind onmiddellijk verspreid werden
over de achtertuinen. Enkele stegen zelfs op tot boven de lage huizen aan de achterzijde. Heydrich vloekte en gaf me een zo harde
klap tegen mijn kop dat ik het bewustzijn verloor.

$$\approx$$

Er brandde licht. Ik voelde nauwelijks pijn toen ik bijkwam. IJzig
kalm was ik gebleven, het verbaasde mezelf, maar nu kwam de reactie en begon ik over mijn hele lijf te beven. Na een tijdje had ik me
weer onder controle en nam de omgeving op. Het was duidelijk dat
ik in een kelder opgesloten zat. Klein was het er niet, en er stond
bijzonder veel rommel opgestapeld tegen de muren, ook een wrakke
kast die ik niet kon openen, een groen geschilderde kleine keuken-
tafel en een stoel. Op het tafeltje lag een hoge stapel oude kranten
en tijdschriften. De deur was uiteraard op slot, een keldervenster was
er niet. Wel ontdekte ik in een nis in de muur een bord met een fles
spuitwater en een doos zoete koekjes. Ik at er een paar van. Ik stelde
vast dat ik niet echt ongerust was over mijn situatie, alsof het niet tot
me doordrong hoe onwaarschijnlijk vreemd die wel was. Eigenlijk
was ze zo vreemd, onverwacht en onlogisch, dat ik er niet helemaal
in kon geloven.

Ik hoopte, eigenlijk tegen beter weten in, dat ik na de terugkeer
van Walvisch wel onmiddellijk weer vrij zou worden gelaten. Enkel
over mijn ouders maakte ik me zorgen, want ze zouden natuurlijk

ongerust worden. Ik vond het ook jammer dat ik mijn gsm thuis had laten liggen. Alhoewel de Duitser me die waarschijnlijk toch zou hebben afgenomen.

Ten slotte begon ik de kranten in te kijken om de tijd te doden. Ze bleken jaren oud , ik herinnerde me niets van de berichten – en toen was het alsof iemand me een dreun tegen het hoofd gaf, want opeens drong het tot me door dat ik misschien een gevangene was van de Kameleons. Was die Duitser misschien een als mens vermomde Kameleon? Ik herinnerde me de lichtblauwe ogen, de borende blik. Ook bij Walvisch waren vermoedens gerezen, zo bleek uit zijn nota's die ik even had kunnen inkijken. Ik bonsde op de deur, zonder veel hoop, trachtte weer orde in mijn hoofd te krijgen door het verslag te lezen van een voetbalwedstrijd tussen België en Nederland in 1954, met de legendarische Rik Coppens. Het lukte uiteraard niet. Om de haverklap keek ik op mijn horloge. De tijd vorderde tergend traag, maar onrust en angst namen snel toe. Allerlei schrikbeelden begonnen door mijn hoofd te spoken. De Kameleons verschenen in hun echte gedaante, met koude, vlugge, vijandige vogelogen. Soms meende ik een sissend geluid te horen, soms meende ik iets zuurs te ruiken.

Uiteindelijk dommelde ik in.

Ik werd met een schok wakker toen de deur piepend werd geopend en de Duitser verscheen, als een volleerde ober een plateau met een koffiepot en twee broodjes voor zich uit dragend. Een beetje verwilderd ging ik rechtop zitten, streek met mijn handen door mijn haar.

'Smakelijk eten, jongeheer. Ik hoop dat dit voldoende is.'

Hij zette het bord op het tafeltje.

'Rustig kunnen slapen?'

'Ik wil naar huis.'

'Je zult nog even geduld moeten hebben.'

'Wat ben je met me van plan?'

'Maak je geen zorgen. Het spijt ons verschrikkelijk dat we verplicht zijn je even van de wereld af te zonderen, niet om je op te sluiten zoals je allicht denkt. Maar wees gerust: er wordt geen haar op je hoofd gekrenkt.'

'Hoelang moet ik hier blijven?'

'Hangt van de omstandigheden af.'

Hij lachte. En hij was duidelijk dronken.

'We bereiden de Endlösung voor, en meer, veel meer ook.'

'Wat betekent dat?'

'Hebben jullie dat op school niet geleerd? Zal je nog wel duidelijk worden. Alles op zijn tijd.'

'Mijn ouders…'

'Er werd aan gedacht. Ze hebben de verzekering gekregen dat het je aan niets zal ontbreken gedurende je gedwongen afwezigheid.'

'En meneer Walvisch?'

'Er wordt aan gewerkt,' zei hij cryptisch.

'Ik begrijp er niets van.'

'Hoeft ook niet. Later zal alles je wel duidelijk worden.'

Hij liep de kamer uit. Ik hoorde hem de deur op slot doen.

Ik at de pistolets op en bladerde verveeld verder door het stapeltje vergeelde kranten en tijdschriften.

Een uurtje later verscheen de Duitser opnieuw, met een grote fles cola light en een kleine radio.

'Heb je misschien nog bepaalde wensen? Als ze redelijk zijn vinden we wel een oplossing.'

Ik luisterde geruime tijd naar de radio. Het nieuws meldde mijn verdwijning. Iedereen die inlichtingen kon verschaffen werd verzocht contact op te nemen met de politie, of zich rechtstreeks in verbinding te stellen met de Bijzondere Commissie. Nu dat ik het bericht gehoord had, voelde ik me kalmer. Ik veronderstelde dat de buurvrouw van Walvisch met wie ik had gesproken, wel met de politie contact zou opnemen en dat die weldra zou verschijnen.

Maar de dag ging voorbij zonder dat er iets gebeurde. Er drong niet het minste geluid door in de kelder. Bezorgd vroeg ik me af hoe het met Walvisch gesteld zou zijn. Uit verveling inspecteerde ik de kelder nauwkeuriger. Tegen de avond verscheen mijn cipier opnieuw met voedsel. Hij had zelfs een Nederlandse avondkrant mee, de NRC. Hij zei ditmaal geen woord.

Mijn foto stond op de voorpagina, Kop: 'Nogmaals spoorloze verdwijning of kidnapping in Antwerpen.' Onderschrift 'Verdwe- nen: de genaamde Bas Bekers. 15 jaar. Middelmatige gestalte, don- ker haar, donkere ogen, ovaal gezicht, gekleed in grijze broek en groene sporttrui, droeg waarschijnlijk de gele armband van de B-J. Geen bijzondere kenmerken.' Naast de foto stond een kaderartikel: 'De politie meldde ons dat onmiddellijk twee personen waardevolle informatie aan de politie hebben kunnen verstrekken.'

Maar waar bleef de politie?

Het denken en de onrust maakten dat ik geweldige hoofdpijn kreeg. Ik bonsde regelmatig op de deur, maar er gebeurde niets. Ten slotte strekte ik me uit op de vloer en viel in een onrustige slaap. Toen ik wakker werd was het 3 uur, maar ik wist niet of het dag of nacht was..

En waar bleef de politie?

〜〜
〜〜

De limousine stond stil in een kilometerlange file voor de Antwerpse Craeybeckxtunnel. De helft van het gezelschap was in slaap gesuk- keld. Goebbels bladerde in zijn notaboekje. Haig draaide een halfvol glas whisky constant, als een machine, tussen de handpalmen. Teller las een dik boek en klapte het opeens dicht.

'Rotzooi,' zei hij.

'Wat lees je?' vroeg Goebbels, volkomen ongeïnteresseerd.

'Shakespeare.'

'Oh zo. Heb ik ook gelezen, en gezien, lang geleden.' Hij zuchtte. 'Ik heb nooit begrepen wat de mensen in hem vonden.'

'Schoonheid,' antwoordde Verschaeve, toen hij merkte dat Goeb- bels alweer in zijn nota's was verdiept.

'Schoonheid is onbelangrijk.'

'De schoonheid van wijze ideeën, krachtig verwoord.'

'Dan lees je beter een wetenschappelijk werk.'

'Meestal onbegrijpelijk, behalve voor enkele insiders.'

'En begrijpen ze dan deze flauwekul?'

Hij las een korte passage luidop en bombastisch voor. Goebbels keek verstoord op.

'Dat denken ze toch.'

Teller lachte luid, het klonk artificieel.

'Elke wiskundige formule is veel mooier.'

'Maar Shakespeare is niet dodelijk. Te veel wetenschappelijke formules dienen voor het ontwikkelen van moordtuigen als jouw waterstofbom.'

'Reken maar.'

Verschaeve sloeg een kruis.

'Een wapen van de duivel.'

'Een wapen van de mens, voor de mensheid.'

Langzaam kwam de limousine weer in beweging.

~~~

Ik verbaasde me niet enkel over mijn (toegegeven, relatieve) kalmte, maar ook over het feit dat door de spannende toestand waarin ik was verzeild, mijn hersenen soepeler dan ooit gingen werken. Ik kwam er zelfs toe een plannetje te bedenken om te ontsnappen, vond het zelf vrij spitsvondig en knap bedacht, en ook tamelijk wreedaardig. Maar nood breekt wet, had ik dikwijls vernomen.

Rommelend in een houten bak had ik een aantal lampen gevonden. Ik scheurde mijn onderhemd aan repels en omzwachtelde daarmee, zo goed en zo kwaad als mogelijk, mijn handen. Om ze nog beter te beschermen en de repels beter op hun plaats te houden deed ik mijn sokken uit en trok ze over mijn handen. Het was mijn bedoeling om er de lampen in te verbergen en net te doen alsof ik ziek was als mijn bewaker opdook. Zodra die zich over me boog, wou ik de lampen in zijn gezicht stukslaan. Ik had er geen idee van hoe erg de man zou gekwetst worden, maar hoopte in elk geval op een voldoende effect om me toe te laten de benen te nemen.

Ik ging liggen en hield me onbeweeglijk. Na een tijdje voelde ik overal jeuk, maar kon me toch beheersen. Van de spanning begon ik te transpireren en trachtte me te troosten met de idee dat die transpiratie zeer goed van pas kwam, ik zou er dan beslist echt ziek uitzien. Mijn slapen hamerden, mijn hart bonsde, ik begon te vrezen dat mijn zenuwen me ten slotte zouden verraden of verlammen, ademde diep in en uit om mijn rust te herstellen, maar dat lukte nauwelijks. Het leek alsof de tijd stilstond, terwijl ikzelf tegen duizelingwekkende snelheid in een afgrond tuimelde. Ettelijke keren meende ik te horen dat de deur achter me openging, maar telkens bleek het mijn overspannen verbeelding te zijn die me parten speelde. Toen de Duitser uiteindelijk binnenkwam, werd ik toch nog verrast, zo zacht had hij de deur geopend. Ik hoorde opeens zijn voetstappen, een geluid alsof het huis instortte. Even vreesde ik dat ik verlamd zou zijn, maar ik was mezelf vlug weer meester, slaagde er zelfs in mijn ademhaling een beetje fluitend te laten verlopen.

'Hei, slaap jij nog?'

Ik hield me onbeweeglijk.

'Of ben je ziek?'

Ik verzamelde al mijn krachten. Het zweet liep in straaltjes over mijn gezicht.

'Of ben je dood?'

De man lachte even.

Ik opende een oog lichtjes en zag dat hij nog altijd rechtop stond. Hij moet zich over me buigen, dacht ik, anders kan ik hem niet raken.

'Pijn…' kreunde ik.

Het gekreun leek me artificieel en weinig overtuigend, maar dat viel de man blijkbaar niet op.

'Pijn? Waar?'

Buk je, bad ik, buk je. Ik lag haast op mijn buik, met de handen onder mijn lichaam verborgen.

'Koorts… Warm, koud…' kreunde ik.

'Wat zeg je?'

Hij boog zich voorover, zette het bord met eten dat hij bij zich had op de vloer en legde een hand op mijn voorhoofd.

Ik veerde op. Het ging allemaal zo vlug dat ik me nauwelijks realiseerde wat er gebeurde. Mijn armen bewogen alsof het losgeslagen springveren waren, en ik hoorde de lampen tegen het gezicht van de man ontploffen. Ik wist niet eens of die iets riep, ik nam ook de tijd niet om te zien welke schade mijn truc had aangericht. Met een sprong was ik op en vloog haast naar de nog openstaande deur. Ik wist me later niet eens te herinneren of mijn bewaker nog rechtop stond of gevallen was.

Ik liep de trap op, bedacht me, maakte rechtsomkeer en sloot de kelderdeur, die ik helaas niet op slot kon doen, want de man had de sleutel blijkbaar mee naar binnen genomen.

De voordeur bleek op slot te zijn. Zonder aarzelen rukte ik de salondeur open, liep de ruime en artistiek bemeubelde lounge in. Het kostte me gelukkig niet de minste moeite om een raam te openen en ik wipte op de vensterbank. Het was volop dag, maar de straat lag er verlaten bij. Ik zat schrijlings op de vensterbank toen mijn belager al in de kamer verscheen.

De man sprong op mij af, even meende ik een wapen in zijn hand te zien, ik gilde, sprong het trottoir op en zette het op een lopen.

〰〰

Heydrich vloekte godslasterlijk. Zijn huid prikte alsof iemand er met een metalen borstel over wreef en zijn linkerooglid was blauw en gezwollen, hij hoopte dat het oog zelf niet gehavend was. Hij was altijd erg pijngevoelig geweest. Zijn pijndrempel lag laag, zo noemde hij dat zelf altijd, het was een bewijs van zijn aangeboren fijngevoeligheid. Er zat ook bloed op zijn handen.

Hij liep naar het raam en keek de straat in. De jongen was al verdwenen.

Heydrich vloekte opnieuw, sloot het raam, trok het glasgordijn dicht. Hij liep naar de telefoon en belde de gsm van Goebbels.

Die nam vrijwel onmiddellijk op.

'Ja. Wat is er?'

Hij klonk geïrriteerd. Heydrich overlegde even met zichzelf hoe hij best het slechte nieuws kon overmaken.

'Ja? Ben je er nog?'

'Natuurlijk ben ik er nog.'

'Zeg dan wat er is.'

'Het lijkt me noodzakelijk je direct op de hoogte te brengen. Er was een indringer in huis.'

Ditmaal was het Goebbels die godslasterlijk vloekte.

'Vertel op.'

Heel in het kort vertelde Heydrich wat er aan de hand was geweest.

'Heb je er een idee van waar die papieren over gingen?'

'Nee. Misschien heeft het niks te betekenen, waren het papieren van Walvisch die niets met ons te maken hebben.'

Goebbels verbrak de verbinding. Heydrich keek even verbaasd en geërgerd naar zijn toestel en spoedde zich naar zijn kamer om zich in de spiegel te controleren. Uiteindelijk viel het nog mee, stelde hij vast, ging naar de badkamer en depte zijn gezicht voorzichtig. De vaststelling dat hij zich in de luren had laten leggen door een jongetje, eigenlijk een kind nog, kwetste hem uiteindelijk het ergst. Pas dan merkte hij dat Marilyn in zijn bad, in roze schuim, in slaap was gevallen.

〜〜
〜〜

Noot van de schrijver

Dit stond er op de blaadjes die door Dirk door het raam werden geworpen:
'en het is bovendien een feit dat ik bijzonder overtuigend kan zijn. Vooral in discussie met mezelf.
Enkele dagen geleden hoorde ik toevallig (nee, dat is niet waar, ik stond te luistervinken, ik doe dat de jongste dagen regelmatig, niet zozeer uit platte nieuwsgierigheid als wel om in het reine te komen met mijn geweten, om mijn positie duidelijker te maken) een fragment van een gesprek tussen de alomtegenwoordige Goebbels en Teller. Goebbels leek kalm, Teller erg opgewonden.
'Het is nutteloos,' zei hij.
'Het is noodzakelijk.'
'Het is kinderspel, vergeleken met...'
'Onzin. Het is noodzakelijk, doordacht opgebouwd, voorbereidend werk geweest. Het is en blijft natuurlijk jammer dat we de bekroning ervan niet zelf zullen meemaken. Na ons komen andere specialisten. De elektronica zal...'
'Ook ik kan met een computer omgaan, van in mijn vorig leven al..'
'Daar twijfel ik niet aan. Maar jouw kennis van de computer, vergeet dat niet, lijkt op het bedienen van een telraampje, vergeleken met wat de echte specialisten er nu mee kunnen bereiken.'
'Bedankt.'
'Het is nu eenmaal de waarheid, mijn beste. Deze wereld is in handen van de hackers. Zij hebben, als ze dat willen, toegang tot alle computersystemen die vandaag functioneren, en zij kunnen dus onze hele maatschappij ontwrichten. Geloof me. De elektronica heeft

onze wereld veranderd, de vooruitgang op alle gebied, behalve dat van de moraal, een enorme stimulans gegeven, maar ook kwetsbaarder gemaakt dan ooit. Vraag me geen nadere verklaring, op het gebied van computers ben ik, ik beken het, een analfabeet. Maar er bestaan programma's of systemen waarmee men niet enkel toegang kan krijgen tot de meest geheime opgeslagen informatie, maar deze ook kan manipuleren. Wat wij hebben gepresteerd is, inderdaad, kinderspel in vergelijking met de chaos die zal ontstaan, de ontreddering, de hulpeloosheid, de wanhoop, de ideale bodem waarop de nieuwe maatschappij, de maatschappij zoals we ze willen, zal ontstaan en bloeien.'

Ze stonden bij de drankkast, ledigden hun glaasje en liepen de lounge in, zodat ik de rest van het gesprek niet meer kon horen.

Maar het bevestigde iets wat ik sinds enige tijd vermoedde, en dat me bezwaart. Dat er zich hier iets afspeelt dat het daglicht niet mag zien, dat van groter belang is dan men zich kan voorstellen. Maar, mea culpa, toch reageerde ik niet. Ik voel me machteloos, of is het ordinaire gemakzucht? Overtuig ik me er al te gemakkelijk van dat ik me nodeloos zorgen maak, dat ik te veel fantasie heb, dat het leven rustig zijn gangetje moet gaan?

* Onkostennota 32: 120 € (zie kwijting 86).

* Morgen: 10u, telefoneren naar 'Allround' in verband met de vraag naar digitale televisie. Is dat wel nodig? Ik heb het vermoeden dat de opdracht van de ploeg zo goed als ten einde loopt, ook al heeft men er hier nog geen woord over gezegd.

* Autocarbedrijf 'Express' heeft bevestigd dat overmorgen, stipt vanaf 9u, een limousine beschikbaar zal zijn.

* Daarnet in het rustige en burgerlijke café 'In de honderduit' een onaangename ervaring gehad. Gisteren werd in de buurt een winkeldief neergeschoten door de eigenaar. Een keurige heer die naast mij aan de toog koffie dronk, zei tegen de cafébaas: 'Zo moet het. Zijn we er vanaf'. Ik deed iets wat ik nog nooit had gedaan, ik sprak de heer aan en vroeg hem of hij graag in een dictatuur zou leven.

'Nee, natuurlijk niet,' zei hij nadat hij me verbaasd aangekeken had.

'Je bent dus blij dat je in een democratie leeft, dat geeft je allerlei mogelijkheden en rechten, maar het betekent ook dat je de regels van een democratie moet accepteren, en zeker de rechtsregels, die zeggen dat je niet zelf het recht in handen mag nemen.'

De man keek me aan alsof hij het in Keulen hoorde donderen.

'Ga jij die dief verdedigen?'

'Nee. Waarschijnlijk is het een smeerlap, maar er moet recht geschieden, geen lynchpartij Dat is democratie. En bovendien, het gaat hier om een winkeldief, hij moet gestraft worden, natuurlijk, maar wat betekent dat vergeleken met de criminaliteit van zoveel bankiers, industriëlen en noem maar op, die om nog rijker en machtiger te worden honderden mensen in de werkloosheid en de miserie storten?'

'Ah, meneer is communist,' zei de man en keerde me ostentatief zijn rug toe.

Ik weet niet wat me bezielde. Soms herken ik mezelf niet. Thuis heb ik een half bierglas whisky gedronken. Het (zogezegde?) filmgezelschap lijkt zich in hun kamer te hebben opgesloten. Ook die Marilyn laat zich niet zien of horen. Of voelen. Ik schrijf en zit in mijn fauteuil en in mijn leven als een toeschouwer bij een voetbalmatch, misschien betrokken maar in elk geval machteloos. Soms denk ik eraan naar de politie te gaan, maar de inertie en de angst me onsterfelijk belachelijk te maken zijn groter. Alle respect voor mezelf is verdwenen, ik leef niet maar acteer.

* Telefoon van het agentschap. Ik moet deze namiddag om 15u op hun kantoor zijn. Een reden wilden ze me telefonisch niet zeggen. Moet dus de afspraak met mijn drie jonge vrienden annuleren.

* Heb op 'Google' informatie gezocht over 'hackers'. Het zoeken op Google, waar een heleboel mensen aan verslaafd zijn, naar het schijnt, maakt mij nerveus, en wat ik vond hielp me…'

In de limousine keek Goebbels even peinzend voor zich uit en ging dan resoluut rechtop zitten.

'Even uw aandacht,' beval hij. 'Heydrich rapporteerde me zonet dat er bij ons een inbreker is geweest, een jongeman, die hij heeft kunnen betrappen en gevangen hield, maar die toch is ontsnapt. Het kan een vulgaire inbreker zijn, een toeval dat hij net ons huis heeft uitgekozen. Het kan ook iemand zijn die erop uitgestuurd is omdat we gesignaleerd zijn. Het lijkt me onwaarschijnlijk, maar we moeten met alles rekening houden. Hij heeft papieren gevonden in de kamer van Walvisch, we weten niet welke. Waarschijnlijk onbelangrijke, maar we moeten altijd de slechtste optie voorrang geven. En daarom zie ik me verplicht onze ultieme actie eerder te laten plaatsgrijpen.'

'Dat wordt improvisatie,' zei Harris.

'Helemaal niet. Alles is al tot in de puntjes geregeld, grotendeels dankzij de inzet van onze vriend Teller. We doen het evenwel morgen en niet pas volgende week.'

'En wat gebeurt er achteraf met ons?'

'Dat weten we niet, dat heeft ook niet het minste belang want wij hebben geen toekomst, aan ons de eeuwigheid.'

'Amen,' besloot Verschaeve.

𝕸

Walvisch voelde zich misselijk. Misselijk en onwaarschijnlijk moe. Hij zat naast de chauffeur en ergerde zich omdat hij meende dat de sigarenrook er de oorzaak van was. Na een tijdje vroeg hij de man of hij de sigaar kon doven, en die deed dat onmiddellijk. De misselijkheid nam toe. Hij veronderstelde dat hij te zwaar had getafeld, zich te uitbundig van de uitstekende wijn had bediend.

Toen ze 'thuis' arriveerden, nam hij haastig afscheid van Goebbels en de anderen en haastte zich naar zijn kamer. Hij merkte nauwelijks dat daar iemand bedrijvig was geweest, deed zijn schoenen uit, wierp zijn jas op een stoel en liet zich op de sofa neerzinken, sloot de ogen. Even voelde hij zich beter, hij had zelfs de indruk in slaap te zullen vallen, maar toen kwam er een nieuwe braakneiging op. Nog net op tijd haalde hij het toilet. Hij bleef een tijd geknield voor de pot zitten, liep terug naar de sofa en voelde zich steeds misselijker worden, en verpletterd door moeheid. Scharminkel keek hem onderzoekend aan. Die maakte altijd een droefgeestige indruk.

Enkele minuten later moest hij opnieuw de wc-pot opzoeken en verwonderde hij er zich over waar de inhoud van zijn maag vandaan bleef komen. Bovendien bleek hij ook diarree te hebben.

Nauwelijks lag hij weer op de sofa of Goebbels en Heydrich klopten aan. Wat ze van hem wensten te weten drong nauwelijks tot hem door.

'Het is ernstig,' zei Heydrich. 'Welke papieren werden er door het raam geworpen? Waarom deed die jongen dat? Daarna zullen we een dokter bellen.'

Hij schudde het hoofd.

'Hoeft niet. Indigestie, gaat wel over.'

'Welke papieren zijn er verdwenen?'

'Ik weet het niet.'

'Wat noteerde je allemaal?'

Hij wankelde toen hij opstond. Heydrich ondersteunde hem. Het drong met een schok tot hem door welke map weg was, maar niettegenstaande zijn belabberde toestand was hij voldoende helder van geest om het hoofd te schudden.

'Een map, ja. Ik weet niet precies welke.'

'Over ons?'

'Over jullie? Wat zou ik over jullie hebben opgeschreven? Ik heb een job gekregen en die voer ik uit. Dat is alles. Misschien was het een map over vliegtuigmodellen. Ik heb zoveel documentatie daarover, ik kan dat niet direct controleren.'

'Wie kan hier binnen?'

'Ik. En de eigenaar misschien. En jullie.'

Hij proefde het braaksel nog in zijn mond, en opnieuw de aandrang om te kotsen. Zonder iets te zeggen liep hij, met de hand voor de mond, naar het toilet.

Ze hoorden hem braken en verlieten de kamer.

Hij ging op de sofa liggen en viel haast onmiddellijk in slaap.

'Zal ik de politie verwittigen?' vroeg Heydrich.

Hij en Goebbels lachten even groen met het grapje.

♒

Cyriel Verschaeve spreidde theatraal de armen. Hij stond alleen in zijn kamer.

'Ach,' sprak hij, duidelijk en welluidend, 'ik moet bekennen dat ik het algemeen als een van de grootste literaire meesterwerken beschouwde, maar 'De Goddelijke Komedie' van Dante Alleghieri stierlijk vervelend vind. In mijn vorig leven las ik het boek niet. Het is een schande, ik weet het, maar het leven van een mens is te kort om al het waardevolle te kunnen verwerken. Ik had andere en belangrijkere dingen aan het hoofd, inderdaad. Ik heb dit verzuim nu goed gemaakt, ik heb het zogezegd grandioze boek gelezen. Met voorwoord, verklaring van de vertaler, want het Italiaans ben ik helaas niet machtig, toelichting en notenapparaat. Ik ben, als men mijn mening zou vragen, een en al bewondering voor deze prestatie. Inderdaad uniek te noemen. In vergelijking hiermee, zou ik zeggen, houdt, naar mijn mening, ook het werk van andere grootheden als Vondel en Wies Moens, om me tot die twee te beperken, niet stand. Maar in feite begrijp ik ook Lope de Vega heel goed. Hij zou, naar het schijnt op zijn doodsbed, gezegd hebben: 'Dante maakt me ziek.'

'Het is miserabel dat een genie als Dante,' vervolgde Verschaeve, 'hier exact dezelfde fout maakt als de ontelbare schijnartiesten die God afbeelden in een jurk en met een lange baard. Ridicuul. Maar goed, onze neiging om onszelf als het middelpunt van het heelal te beschouwen is onuitroeibaar en is er de oorzaak van dat onbegrip en misverstand tussen aarde en hemel groter zijn dan die tussen aarde en hel.'

Hij werd meegesleurd door eigen welbespraaktheid, hij voelde zich geïnspireerd, betreurde het dat zijn redevoering niet werd genoteerd of opgenomen. Als hij straks aan zijn werktafel ging zitten om een en ander op te schrijven zou de vervoering ontbreken en de tekst dus verminkt zijn.

'Wij stellen ons de hemel voor alsof wij hem geconstrueerd hebben, dus als een soort beter, ja, volmaakt vakantieverblijf. Dat is een fatale vergissing. De hemel is onbeschrijfelijk, dat is het enige wat ik er op een zinnige manier kan over verwoorden. En als iemand als ik moet zeggen 'niet te verwoorden', dan beseft u wel heel duidelijk wat dat te betekenen heeft. Het houdt ook in dat wij volkomen foute opvattingen hebben over wie er toegelaten wordt tot het Rijk der Hemelen en wie niet. Allerlei begrippen over wat wij zedelijkheid noemen bijvoorbeeld functioneren er niet. Helaas. Laat ik als voorbeeld de seksualiteit nemen. Wij prijzen de kuisheid, terecht, wij hechten groot belang aan beheersing van onze laagste driften, terecht. Ook mijn leven werd erdoor beheerst, maar seksualiteit, hoe ook beoefend, in welke vorm ook, telt nauwelijks in hemelse sferen. Engelen hebben geen geslacht. Ook de gelukzaligen worden geslachtloos. Het enige dat bepalend is voor de toelating is de erkenning door God, van wie de wegen ondoorgrondelijk zijn uiteraard.'

Hij liet de armen zakken, wreef even over een pijnlijke schouder, en goot het laatste restje uit een fles rode wijn.

'En ook daarom,' zei hij, iets zachter, voorzichtiger, 'moet ik dus zeggen dat het boek complete onzin is. Want de werkelijke hemel is niet te vergelijken met het paradijs dat hij ons afschildert. In de verste verte niet.'

Hij nam een slok en hief opnieuw de armen.

'Dante, de Goddelijke, vergeef me. Ik bewonder uw literaire prestatie, hoe onleesbaar ook, maar als 'ziener' zit je er helemaal naast. In feite bewijst het dat jouw prestatie behoorlijk pretentieus van opzet was. Maar goed, verbeelding is nu eenmaal een pluspunt in de literatuur, dus dat wil ik je helemaal niet verwijten. Ik weet evenmin of jouw schildering van de hel wel met de werkelijkheid strookt, ik heb ze uiteraard en gelukkig nooit bezocht. Het zou kunnen, natuurlijk kan het, maar het lijkt me weinig waarschijnlijk. Eigenlijk kan het niet, want onze wereldse begrippen, ook de religieus gekleurde, verdampen in de eeuwigheid. Kortom, de taal bestaat niet in de hemel, de stilte spreekt er en zegt alles. Heerlijkheid, geluk, goedheid, naastenliefde, het zijn er betekenisloze klanken, iets als het schrapen van de keel, een vervelend hoestje, een hoorbare oprisping van de maag, het rommelen van de darmen. Ik hoop dat ik me duidelijk heb uitgedrukt.'

Hij ging steeds intenser op in de redevoering die hij improviseerde, hij sprak een ingebeeld publiek toe, vouwde de handen voor de borst.

'Overigens vond ik het gedeelte over de hel iets boeiender dan dat over de louteringsberg of het paradijs. Nu ik weer op aarde nedergedaald ben, verkneukel ook ik me weer in het ongeluk en de pijn van de anderen, ik geef het toe. Maar precies omdat ik hierdoor ben als alle anderen groeit in mij de kracht om me hiertegen te verzetten en allen op te roepen om ons in te zetten voor een betere wereld, een ideale wereld, een wereld…'

Er werd geklopt.

Verstoord zweeg hij. Men klopte opnieuw.

'Binnen,' zei hij.

Marilyn verscheen in de deuropening. Ze droeg een karmijnrood trainingspak en keek even rond.

'Excuseer me,' zei ze, 'maar ik hoorde roepen in uw kamer, ik dacht…'

Verschaeve deed een stap opzij, en trachtte zo de wijnfles te verbergen.

'Dank je voor je bezorgdheid,' zei hij minzaam. 'Ik repeteerde een lezing…'

Ongevraagd stapte ze de kamer in, en sloot meteen de deur achter zich.

'Een lezing? Ik dacht dat we niet meer buiten mochten?'

'Een lezing voor ons gezelschap,' trachtte hij zich te redden.

'Voor ons? Dat is het eerste wat ik hiervan te horen krijg. Ik ben benieuwd. En waar gaat het over?'

Ze zag het boek op tafel liggen.

'Over dat boek?'

'Ja,' zei hij met grote tegenzin.

'Wat heeft het met onze opdracht te maken?'

'Alles. En niets,' repliceerde hij met nog grotere tegenzin.

'Dat is tenminste een duidelijk en eerlijk antwoord,' lachte ze.

Toen ze zich vooroverboog om het boek beter te kunnen bekijken merkte hij dat haar trainingsbroek een beetje afgezakt was, zodat de aanzet van haar reet duidelijk zichtbaar was.

'U bent bedankt voor uw bezorgdheid,' zei hij.

'Graag gedaan.'

'Wenst u misschien een glas wijn?'

'Graag.'

Hij stelde vast dat hij een erectie had. Op zijn leeftijd en in zijn functie leek hem dit indecent, maar hij was er wel blij om. De hemel had hij nu eenmaal toch verdiend, dat was iets als een vaste betrekking.

Hij hoorde haar opeens lachen. Ze stond met het boek in haar handen.

'Lieve Marilyn,' zei hij, oprecht verwonderd, 'ik heb dit boek met aandacht en respect gelezen maar heb er niet één zin in gevonden waarmee ik kon lachen.'

'Nee, maar in het Voorwoord lees ik toevallig dat Dante eigenlijk Durante heette.'

'Ja,' zei hij. 'En dan?'

'Durante,' zei ze en barstte opnieuw in lachen uit. 'Zo heet ook de grote Amerikaanse komiek met zijn enorme neus, Jimmy Durante!'

'Nooit van gehoord,' zei hij gereserveerd en reikte haar het glas aan.

'Op een keer,' zei ze en probeerde haar lach te onderdrukken, 'was hij op zoek naar zijn bril. Hei, zei iemand, hij staat op je neus. Zei Durante: Wil je iets nauwkeuriger zijn?'

Ze lachte met een lach die niet bij haar stem paste.

Ze dronk het glas wijn uit alsof het water was.

'Ik ga dan maar,' zei ze lief.

Hij slikte.

'Wanneer is het mijn beurt weer?'

'Zaterdag, maar ik vrees dat we dan niet meer hier zullen zijn.'

Hij ontkurkte een fles wijn en vulde haar glas.

'Jammer,' zei hij, 'want ik hou zielsveel van Vlaanderen, mijn land.'

'En van mij?'

Ze dronk haar glas opnieuw in één teug uit.

'Rood staat je uitstekend.'

Op zijn beurt dronk hij zijn glas leeg.

'Uitstekende wijn. Nog een glaasje?'

'Heb je graag dat ik nog even blijf?'

'Ik ben ook maar een mens.'

Ze lachte, nam de fles uit zijn hand en vulde zelf de glazen.

'Kom hier,' zei ze. 'Kinderen die verlegen zijn, dat is ontroerend, maar oude mannen die verlegen zijn, dat is pervers.'

Langzaam begon ze de knoopjes van zijn soutane los te maken.

Hij beet zich op de lippen en trok met een onbeheerst gebaar dat hem verraste haar broek naar beneden. Ze had er zelfs geen string onder. Even later lag hij op het tapijt, met zijn broek ongemakkelijk rond de enkels, en zij zat schrijlings op hem en toostte hem toe met het glas dat zij zonder morsen vanuit die positie had bijgevuld.

'Moet je eerst geen kruisteken maken?' informeerde ze blasfemisch.

Hij kreunde en kwam onmiddellijk en een beetje reutelend klaar.

'Dat was nu wat je een vluggertje noemt,' lachte ze, boog zich naar hem en zoende hem troostend.

'Sorry,' zei hij, en sloeg uit gewoonte vlug een kruisteken.

'Geen sorry. Integendeel. Ik verdien mijn hemel, dit is minstens een jaar louteringsberg minder.'

'Sorry,' herhaalde hij en hoopte dat ze zou blijven, een tweede keer zou allicht veel meer tijd vragen.

'Is een zonde minder erg als ze vlug gebeurt?'

'Het is geen zonde,' hijgde hij en streelde haar borsten. 'Het is allemaal de schuld van hypocriete en impotente kerkvorsten.'

Ze lachte en reikte hem zijn glas aan.

'Geef je me de absolutie?

‿‿‿
‿‿‿

De stedelijke politie was duidelijk paraat en in constante alarmtoestand want ik was nauwelijks thuis toen een combi voor de deur stopte en ik zonder plichtplegingen naar het commissariaat werd meegenomen. Mensen in de Charlottalei die mijn ontsnapping hadden gezien hadden onmiddellijk alarm geslagen, en trouwens ook enkele van de papieren die ik had kunnen wegwerpen gerecupereerd. Ik onderging alles eerder gelaten, werd overrompeld door de gebeurtenissen.

Op het bureau deed ik zonder iets te verbergen het verhaal van mijn avontuur. Een agent meldde dat de gevonden papieren werden onderzocht door de commissie.

'Zijn ze belangrijk?' vroeg ik.

'Dat wordt dus onderzocht.'

Ik ondertekende mijn verklaring zonder ze na te lezen.

'Mag ik terug naar huis?'

Men zei me dat ik me ter beschikking moest houden voor verdere ondervraging. Ik kreeg een kop hete koffie en twee broodjes met gehakt.

Het commissariaat gonsde van de overspannen drukte. Op straat leek er evenwel niets aan de hand. In plaats van naar huis te gaan besloot ik even langs het stadhuis te lopen, in de hoop daar iets meer te horen over de stand van het onderzoek.

Ik vernam er dat hier en daar mensen zich spontaan georganiseerd hadden en in gesloten gelederen waren opgerukt naar de stadsgrenzen. Er waren schermutselingen geweest met het leger. De controle op het verkeer van en naar de stad bleek echter waterdicht, de eerste groepen waren zonder veel moeite door de soldaten opgevangen. Op andere plaatsen was het niet van een leien dakje gelopen, hier en daar was er gevochten. De soldaten hadden gelukkig bevel gekregen slechts in allerlaatste instantie van hun wapens gebruik te maken. Helemaal aan de zuidkant waren er enkele schoten afgevuurd, verwittigingsschoten in de lucht, zonder doden of gewonden, wel met paniek tot gevolg.

Het was een heldere dag, en wat ik had meegemaakt, had tot gevolg dat ik de omgeving opeens met heel andere ogen bekeek. Het was alsof ik terugkeerde van een maandenlange reis. Ik herkende alles, maar voelde me er toch als een vreemdeling. Ik liep de vertrouwde weg naar huis en trachtte iets terug te vinden van de atmosfeer van oubollige rust en behaaglijkheid die het historische gedeelte van de stad hadden gekenmerkt, maar de wijk leek levenloos geworden, zo dood als een museum. Waar ik vroeger achter de verweerde gevels van de patriciërswoningen ruime en gezellige kamers vermoedde, leek het nu alsof die gevels holle en ongezellige ruimten verborgen, waarin zich angstige mensen schuilhielden.

Ook thuis heerste een gespannen sfeer.

Er deden steeds meer geruchten de ronde over het vreemde gedrag van sommige burgers. Er waren er die, keurig de aktetas onder de arm, opeens op hol sloegen, tegen iedereen opbotsten, of zich roekeloos in het verkeer wierpen, anderen vielen dan weer onschuldige wandelaars aan, zonder de minste aanleiding, en verklaarden achteraf dat ze er een Kameleon in vermoed hadden. Vooral vreemdelingen waren het slachtoffer van dat soort agressie.

De Bijzondere Commissie, zo deelde de radio mee, vergaderde over de vraag of de scholen niet beter tijdelijk gesloten zouden worden. Ook de B-I's patrouilleerden nu constant door de stad, meestal in opgeëiste wagens waarop blauwe zwaailichten waren geplaatst.

〰〰

In de lounge kondigde Goebbels nogmaals aan dat het einde van hun missie naderde.

'Jammer,' zei Heydrich en keek Marilyn even diep in de ogen.

'We leggen de Antwerpse haven volkomen plat. Voor langer dan enkele dagen. Alle voorbereidingen werden tot in de puntjes geregeld. Iedereen heeft tot het welslagen bijgedragen, maar in de eerste plaats moeten wij collega's Calley, Haig en Bomber Harris danken. Onze finale actie zal zogezegd worden opgeëist door een internationale linkse organisatie Ik voorspel dat de weerslag op de wereldsituatie haast zo groot zal zijn als die na de aanslagen op de Twin Towers in New York. En vervolgens, als klap op de vuurpijl mag ik wel zeggen, komt de vernieling van de kerncentrale van Doel. Meteen weten jullie nu waarom collega Teller ons vervoegde.

〰〰

Hij kende het gevoel nog van vroeger, hij had een ziekelijke jeugd gekend. Waarschijnlijk daarom dat hij aan ziek zijn een aangename kant had ontdekt. Het was alsof hij zich ontdubbelde. Er ontstond een duidelijke scheiding tussen het deel van hem dat pijn leed, misselijk was of koortsig, soms onbeheerst beefde, aan zijn controle ontsnapte, en een deel van hem dat rustig werd, los van alle verplichtingen en verantwoordelijkheden van het normale, gezonde leven. Hij lag dan verborgen onder een berg dekens, er werd hem niets gevraagd, alle verplichtingen en opdrachten werden hem uit handen

217

genomen en altijd daalde er een grote rust over hem. Als hij ziek was, werd hij dan ook liefst met rust gelaten. Als een zieke hond, omschreef hij het zelf, kroop hij in een hoekje, rolde zich op, en wachtte tot hij weer 'genezen' was.

Het stoorde hem dan ook geweldig dat hij, na urenlang doorgebracht te hebben op het toilet, ettelijke keren te hebben moeten braken, eindelijk weer in bed tot rust kwam, met naast zich een fles water om zijn excessieve dorst te lessen, en een gevoel van zware uitputting, een soort permanent gevoel onmiddellijk in slaap te zullen vallen, helemaal niet onaangenaam, uit bed werd gebeld en dat agenten hem kwamen ondervragen over de diefstal die bij hem zou hebben plaatsgevonden.

Pas toen drong het echt tot hem door. Aan allerlei kleinigheden merkte hij dat er inderdaad tijdens zijn afwezigheid bezoek was geweest, en hij keek dan ook onmiddellijk in de lade waar hij zijn notities had opgeborgen, wist dat ze zouden verdwenen zijn nog voor hij de inhoud ervan had geïnspecteerd.

De agenten verzochten hem zich aan te kleden en hen naar het commissariaat te vergezellen. Hij deed wat van hem werd verlangd, de moeheid leek opgeslorpt te worden door de opwinding van de gebeurtenissen.

Op het commissariaat vernam hij wat er met Bas was gebeurd. Zonder omwegen of aarzelingen vertelde hij hen over zijn contacten met de jeugdige modellenbouwers, zijn opdracht om te zorgen voor het stelletje acteurs en ten slotte zijn vermoeden dat er allicht iets meer aan de hand was dan doorgedreven repetities of van voetbalelftallen afgekeken afzonderingsperiodes om beter te kunnen presteren.

Alles werd zorgvuldig genoteerd, hij ondertekende zijn verklaring en wandelde even later weer naar 'huis'.

Het gezelschap bleek in vergadering, hij hoorde opgewonden stemmen en, verrassend, het aanstekelijke lachen van Marilyn, zocht zijn kamer weer op, kroop in bed en viel haast onmiddellijk in slaap.

〰️
〰️

Het 'Etnografisch Museum' brandde volledig uit.

De verzameling voorwerpen was ondergebracht in een oude patriciërswoning aan de rand van de stad. In 1933 had de heer Jean Jansegers, een even rijke als excentrieke industrieel, zijn bij wijze van hobby aangelegde verzameling exotische voorwerpen aan de stad overgemaakt. Hij had deze collectie van overal laten aanvoeren, want hijzelf was gedurende de 83 jaar dat hij had geleefd naar het schijnt nauwelijks buiten de stadsgrenzen geweest. In ruil voor de gift moest het stadsbestuur de collectie onderhouden, het gebouw waarin ze was ondergebracht (en dat verder altijd onbewoond was gebleven) tijdens minstens 3 dagen per week voor het publiek toegankelijk stellen en in de mate van de (vooral financiële) mogelijkheden de collectie uitbreiden. Het toenmalige stadsbestuur had de gift in dank aanvaard, maar een groot succes was het museum nooit geworden. De pronkstukken waren voorwerpen afkomstig uit Peru, Chili en Bolivië, waar eens de grote beschaving van de Inca's bloeide. De Inca's die, althans volgens sommige bronnen, dankzij magie, in staat waren geweest tot prestaties waar de huidige wetenschap nog geen verklaring voor had. Bepaalde onderzoekers beweerden zelfs dat de Inca's eens het bezoek hadden ontvangen van wezens van een andere planeet, waarschijnlijk Venus. Van hen zouden zij alles hebben gekregen en geleerd wat hen had toegelaten hun beschaving uit te bouwen tot een van de meest geheimzinnige en schitterende uit de menselijke geschiedenis. Deze theorie werd gesteund door het feit dat niemand op een andere wijze kon verklaren waar zij hun kennis vandaan haalden over bijvoorbeeld de astronomie, want zij beschikten uiteraard niet over telescopen.

Alle kranten legden onmiddellijk een verband tussen de Kameleons en de brand van het museum. Een signaal? Hoe het te interpreteren?

Uit het onderzoek bleek dat de brand was gesticht, en dat dit het werk was geweest van meer dan één brandstichter, want het vuur zou in meerdere kamers gelijktijdig zijn ontstaan. De twee belendende percelen, zoals buurhuizen in krantenverslagen altijd werden omschreven, waren haast volledig mee in de vlammen opgegaan. Gelukkig stonden de bouwvallige huizen al enkele jaren leeg, zodat er geen slachtoffers te betreuren waren. Het betrof in elk geval professioneel werk.

De hele dag steeg een zwarte rookkolom op, de brandweer bleef constant ter plaatse.

'De Morgen' schreef:

'Bestaat wat wij het toeval noemen wel echt? Bestaat er een voor de gewone stervelingen niet zichtbaar verband tussen allerlei onverklaarbare gebeurtenissen, een samenloop van omstandigheden, die wij toeval noemen? Alles wat ook maar enigszins afwijkt van de meest vertrouwde alledaagse routine roept angst voor de dreigende toekomst op. In de hele stad was er geen verzameling vreemdsoortiger voorwerpen te vinden dan wat in het Etnografisch Museum bijeengebracht was, en daarom werd het in de fik gestoken. Nee, dat is geen toeval.'

〰〰

'Sjamanen,' zei Goebbels en liet zijn stem theatraal dalen. 'Van zolang de mensheid bestaat is de macht van de sjamanen onderschat. Zij hadden een beslissende invloed op de loop van de geschiedenis, maar uiteraard werd dit nooit toegegeven. Hun bestaan werd niet ontkend, kon ook niet, maar hun rol leek wel beperkt tot die van veredelde circusattractie. Ze werkten en werken over de hele wereld verspreid, maar hun betekenis werd bewust verengd tot die van genezers, goochelaars, gewichtlozen, fakirs, weet ik veel welke rariteiten nog meer. Maar in feite hadden en hebben de sjamanen altijd direct contact gehad met de wereld van goden en duivels.

Wij zijn een soort sjamanen, boodschappers van God, bewijzen van een hoger leven, een hoger doel dat, net zoals bepaalde geluidsfrequenties of kleuren, niet voor gewone mensen zichtbaar of begrijpelijk is. Wie heeft het standaardwerk hierover van onze geestesgenoot Micea Eliade gelezen?'

Niemand reageerde.

'Net wat ik dacht en vreesde.'

'Ter zake graag,' vroeg Teller.

'Ik wijk niet af. Wat ik jullie zeg, is primordiaal. We staan in dienst van het Hogere Belang, dat weten jullie, maar het kan nooit kwaad dat er nog even aan wordt herinnerd, zeker nu door een ongelukkig verloop van de dingen onze plannen moeten worden gewijzigd. Of, nauwkeuriger, niet gewijzigd, maar vervroegd.'

'Wij zijn geen kinderen,' merkte opnieuw Teller op.

Goebbels negeerde hem.

'Walvisch, onze gids hier op aarde, ligt aan de basis van de spijtige ontwikkelingen, al gebeurde dit helemaal buiten de wil om van de arme man.'

'Ik dacht gehoord te hebben dat hij over ons discriminerende aantekeningen had gemaakt?'

'Discriminerend lijkt me niet het juiste woord, maar op een bepaald moment is hij inderdaad beginnen twijfelen aan ons filmverhaal.'

'Wat ik heel goed kan begrijpen. Het was een slecht bedacht en doorzichtig verhaal.'

'Hierbeneden is niets volmaakt. Daarom precies blijft het streven naar verbetering primordiaal en verantwoord. Onverwezenlijkbaar, onbereikbaar, zelfs onbegrijpelijk, maar uiteindelijk moeten we beseffen dat wij, mensen, in het grote heelal, te vergelijken zijn met een microbe, een amoebe, een eencellig wezen.'

'Ter zake,' onderbrak Teller opnieuw.

'Een dier, een insect, zei ik.'

Goebbels sprak tergend en uitdagend langzaam, zo belerend dat het beledigend werd, Teller verbeet zijn ergernis.

'Een microbe, een amoebe, zo klein dat ze enkel onder een microscoop zichtbaar wordt, kan nochtans de loop van de geschiedenis ingrijpend veranderen. Dat microscopisch kleine wezen kan wereldomvattende epidemieën veroorzaken…'

'Begrepen. Wij zijn dus amoeben.'

Goebbels liet op die opmerking, uiteraard van Teller, een stilte vallen.

'Precies. Wij zullen de epidemie veroorzaken.'

'Een correcter woord asjeblieft.'

'Een epidemie die uiteindelijk zal resulteren in een betere wereld, een hoogstaander maatschappij, een edeler mens, de Übermensch uiteindelijk.'

'Ter zake,' zei Teller bitsig.

Marilyn klapte demonstratief in de handen. Ze verveelde zich.

'De actie die wij hier in gang hebben gezet, zal zich oncontroleerbaar verspreiden over de hele aarde. Ook het werk van onze collega's elders zal niet zonder gevolgen blijven.'

Goebbels aarzelde even, gaf dan toe aan een impuls en richtte zich rechtstreeks tot Teller.

'En daarom is het woord epidemie correct. Een epidemie verspreidt zich onzichtbaar, is niet te achterhalen, tot ze losbarst. Een epidemie van angst zal over de hele wereld heersen. De tijd van incubatie is voorbij. Eeuwen van oorlog, onderdrukking, uitbuiting, onrechtvaardigheid en terreur kunnen niet zonder consequentie blijven. Controversie tussen kapitalisme en socialisme, tussen West en Oost, Zuid en Noord, vrijzinnigheid en godsdienst, christendom en islamisme waren de periode van incubatie. Nu is de tijd voor de uiteindelijke crisis aangebroken. Een vonkje zal volstaan om de brand in volle hevigheid te laten oplaaien.'

Goebbels voelde dat hij werd meegesleept door eigen welsprekendheid en hij gaf graag toe aan het gevoel van euforie.

'Wij zullen niet profiteren van de betere. Wat zeg ik, van de ideale maatschappij die we creëerden, maar precies dat is een bewijs van het Hogere in ons optreden. Doelloos lijken de gebeurtenissen die wij hebben veroorzaakt, maar precies daarin schuilt hun kracht. Het begon met een rode vlek op de huid van één enkel individu en het werd als een pestepidemie met honderdduizenden doden.'

Hij ademde diep in en uit.

'Vanavond starten we onze ultieme actie.'

'Daar drinken we op,' zei Bomber Harris.

'Eindelijk een verstandig woord,' zei Teller.

Hij mummelde het, zodat niemand het hoorde.

〰〰

In de stad nam de angstpsychose toe. Van vele huizen bleven de rolluiken de hele dag gesloten. Mensen die altijd al alleen hadden gewoond, trokken bij elkaar in. Het was warm, maar de lucht bleef gesluierd, een deken van damp leek laag over de stad te hangen. Mijn vrienden en ik konden uiteraard niet aan de verleiding weerstaan even naar het verbrande museum – dat wij overigens nooit hadden bezocht – te trekken. Zwartgerookte balken staken uit het puin, ijzeren balken waren door de hitte verwrongen. De vloer van de eerste verdieping was haast volledig ingezakt, en die van de tweede verdieping helde gevaarlijk naar de straat af. Het verwrongen geraamte van ijzeren toonkasten hing op sommige plaatsen nog aan de muren. Halfverkoolde deuren en planken staken uit het puin en de asse als een vreemde plantengroei, kleurloze vegetatie die uit vuur en gloed tevoorschijn kwam in vreemde, hoekige vormen.

'Kwaak,' zei Dirk.

Twee halfverkoolde etalagepoppen, waarop vreemde klederdracht was getoond, leken opeens op twee reusachtige insecten die onbeweeglijk op hun prooi zaten te wachten.

'Zullen we Walvisch nog eens opzoeken?' stelde Sim voor.

Het was duidelijk dat we alle drie weg wilden uit die omgeving.

'Best niet,' zei Dirk. 'Hij heeft me gezegd dat hij het enkele dagen erg druk zou hebben met zijn gezelschap.'

Normaal waren er altijd veel 'ramptoeristen', maar de omgeving van het Etnografisch Museum lag er vrij verlaten bij. Passanten bleven nauwelijks staan om de ravage, die anders altijd zo veel belangstelling lokte, te bekijken.

$$\approx$$

In het kantoortje van de politie had men al drie dagen verwaarloosd de kalender up to date te brengen. Dat hinderde Walvisch enorm. Steeds weer werd zijn aandacht erdoor getrokken, meer dan naar de decent ontklede juffrouw die dat jaar trachtte op te vrolijken. Hij zat al geruime tijd alleen voor het kale bureau en luisterde zo'n beetje naar de verwarde geluiden die tot hem doordrongen. Een radio stond ergens afgesteld op een populaire zender. Ook dat hinderde hem. In Amerikaanse politieseries was iets dergelijks onbestaande. Hoe langer hij in het kantoortje zat, hoe sterker hij de indruk had dat hij de jongste tijd buiten de echte wereld leefde. Het verveelde hem en het maakte hem onrustig. Ik ben een zwemmer in een onrustige zee, bedacht hij, een vogel in de storm. Hij begreep niet goed wat er allemaal aan het gebeuren was, maar hij begreep evenmin zichzelf.

Al ettelijke keren had hij dezelfde vragen moeten beantwoorden en nog altijd was de betekenis ervan niet helder tot hem doorgedrongen. Er was iets gaande waar hij duidelijk bij betrokken was, maar hij kon er de bedoeling niet van achterhalen, een uitermate irriterende situatie. Wel werd het hem steeds duidelijker dat er met het gezelschap inderdaad iets erg mis was, en dat hij zich naïef had gedragen door zonder meer aan te nemen dat het inderdaad een groepje acteurs betrof. Het ging om een film, zo had de man die Cyriel Verschaeve zou vertolken hem verteld, over schuld en boete, een verhaal dat zich afspeelde na het einde van de tweede wereldoorlog. Het was een verhaal, zo had hij begrepen, dat fictief was, donker en dramatisch, maar dat toch naar een happy end zou leiden. Verschaeve had zelfs gesuggereerd dat hij mee had gewerkt aan het scenario.

'Alle ontwikkelingen,' had hij geponeerd, 'zijn verzonnen, en toch ook weer niet. Want wat de mens verzint, kan op een ander niveau een dagdagelijkse werkelijkheid zijn. God is niet eendimensionaal.'

Hij had ernaar geluisterd zonder zich druk te maken, hij begreep het niet, maar de werkvoorwaarden konden nu eenmaal niet beter. Zo eenvoudig was dat. Dat was laf en dom geweest, moest hij in het kale kamertje aan zichzelf toegeven. Hij vertelde de volle waarheid, maar zweeg over die twijfel in hem.

Op de vragen die hij stelde, kreeg hij overigens onbevredigende antwoorden.

'Wat verwijt men die mensen?'

'Ze zijn niet wie ze zeggen dat ze zijn, denken we.'

'Daarom zijn het ook acteurs.'

'Zo bedoelen wij het niet. We hebben een en ander nagetrokken en ze zijn als acteurs volkomen onbekend. Ook de zogezegde regisseur is dat. Het is voor ons dus duidelijk geworden dat het filmverhaal een dekmantel is, dat ze andere en malafide praktijken trachten te verbergen.'

'Bankoverval, treinroof, staatsgreep?'

'Je weet best wat we bedoelen.'

'Waarom ga je die mensen niet zelf ondervragen?'

'Dat zullen we natuurlijk doen. Alles op zijn tijd. Ze worden momenteel nauwlettend in het oog gehouden, en we willen hen nu niet wantrouwig maken. Maar ter zake. Wat stond er verder nog in jouw notities?'

'Niet veel.'

'Waarom begon je je vragen te stellen?'

'Omdat ze nooit echt leken te repeteren.'

De officier knikte. Hij was van middelbare leeftijd, had flaporen, de neus van een leverlijder en was voorzitter van een biljartclub waarvan de leden slechts moeizaam hun contributie betaalden. Hij maakte zich daar zorgen over, evenals over het feit dat er in hun lokaal een nieuwe uitbater zou komen met wie hij helemaal niet kon opschieten. Wel trok hij zich op aan het feit dat hij gedurende zijn recente 23 wedstrijden als driebander ongeslagen was gebleven. Hij hoopte een reeks van 25 te realiseren.

'Je mag nu gaan,' zei hij.

'Dank je. Dat werd ongeveer tijd.'

'Het hoeft niet gezegd dat we op je discretie rekenen. En alles wat je verdacht lijkt moet je ons onmiddellijk rapporteren.'

'U mag op me rekenen.'

Walvisch liep de eerste kroeg die hij zag binnen en dronk er vlug na elkaar twee ijskoude Trappisten.

≈

'Met lede ogen zie ik de dag tegemoet dat ik dit zogezegde aardse tranendal weer zal moeten verlaten,' noteerde Verschaeve in het tot literair notaboek gepromoveerde schoolschrift. 'De hemel zie ik als een beloning, en ik ben blij dat ik hem heb verdiend, maar mijn echte taak is hier weggelegd en met inzet en vreugde voer ik ze uit, ook al zijn misverstand en hoon dikwijls mijn deel geworden. Deze notitie moet een afscheidsgroet zijn, een ongetwijfeld definitief afscheid. Morgen verdwijnen we weer. Onze taak hier hebben we dan, daar vertrouw ik ten zeerste op, tot een goed einde gebracht. De wereld zullen we weer op weg hebben geholpen naar een betere toekomst. Natuurlijk zullen er slachtoffers vallen, onschuldige slachtoffers noemt men dat, volkomen onterecht overigens, maar slachtoffers alleszins. Dat spijt me, maar het is onvermijdelijk. De weg naar de hel is met rozen geplaveid, de weg naar de hemel met doornen en afval.'

Even speelde hij met de gedachte er een streep onder te trekken, maar het schrijven zat hem zozeer in het bloed dat hij dat steeds weer uitstelde. Hij schonk zich een nieuw glas wijn in, bladerde even in een stapeltje kranten, en keek liefdevol naar enkele folianten op de vensterbank, boeken die hij zou moeten achterlaten, ook al waren het twee delen van zijn luxueus uitgegeven Verzameld Werk.

'Morgenochtend,' hervatte hij zijn schrijfwerk, 'is het grote moment aangebroken. Alle voorbereidingen zijn getroffen, er kan niets misgaan, ook al is het mensenwerk. Want mensenwerk is en blijft het, niettegenstaande de goddelijke aansporing. Iedereen heeft zijn taak uitgevoerd. Het resultaat zullen wij zelf, helaas, niet kunnen bijwonen, want wij zullen dan weer zijn opgenomen in de zalige hemelse onverschilligheid.'

Marilyn kwam zijn kamer in, zonder aankloppen, wat hem ergerde, niettegenstaande hij haar altijd graag zag arriveren.

Hij glimlachte, maar ze bleef in de deuropening staan. Ze droeg ditmaal een wijd uitstaande, nogal vormeloze rok en een knalrode trui met rolkraag.

'We krijgen vandaag bezoek van de politie,' kondigde ze aan. 'Dat moest ik van Goebbels komen verwittigen.'

Het viel hem altijd op dat ze Goebbels nooit bij zijn voornaam noemde.

'Wat is er mis?'

'Er is niets mis als we ons allemaal aan de afspraken houden.'

'De planning blijft behouden?'

Het klonk officieel, en dat was ook best zo.

'Natuurlijk. Geen reden om wat ook te veranderen. Het zou trouwens toch te laat zijn.'

Ze verdween weer en liet, tot zijn hernieuwde ergernis, de deur openstaan.

〰〰

Bijna gelijktijdig zouden voor het eerst twee aanslagen buiten Antwerpen plaatsvinden. In Planckendael zou een reeks kleine ontploffingen een groot deel van de verzameling dieren de vrijheid geven. Een enorme ontploffing zou een einde maken aan het Atomium. De volgende ontploffingen zouden de kroon op het werk zetten. De

Antwerpse haven zou worden lamgelegd door alle sluizen, bruggen en de elektriciteitscentrale onklaar te maken en exact 24 uur later zou de kerncentrale van Doel worden uitgeschakeld en vernield. Er zouden daarbij natuurlijk voor het eerst zeer veel slachtoffers te betreuren zijn, doden, gewonden en bestraalden, maar betreuren was een relatief woord. Het effect van de rampen zou als een schokgolf, een tsunami over de wereld gaan, de angst doen stollen tot iets wat niet meer uit de realiteit te bannen was, zou de weg vrijmaken voor een aantal maatregelen die een einde moesten maken aan de overal heersende chaos die men vrijheid en democratie noemde.

De aanslagen zouden worden opgeëist door een organisatie die zich 'De Hemelbestormers' noemde.

Een speciale noodtoestand zou worden afgekondigd, het leger kreeg haast alle macht, de regering zou het een groot aantal belangrijke bevoegdheden toevertrouwen. Ook de koning, immers opperbevelhebber van het leger en staatshoofd en zeer godvruchtig, kreeg enkele bevoegdheden van vroegere monarchen terug. Harde maatregelen, waaronder in de eerste plaats censuur. Manifestaties, van welke aard ook, werden verboden, parlementaire werkzaamheden werden opgeschort, de avondklok ingesteld. Marc Eyskens zou worden aangesteld als woordvoerder van de militaire regering. Aanhoudingsbevelen tegen 134 als onafhankelijk denkende bekende politici en intellectuelen, zowel artiesten als professoren, schrijvers en zelfs twee sportvedetten, lagen klaar.

De commissie en andere instanties hadden geen half werk geleverd. Ze waren voorbereid op rampen, waarop ze ook enigszins rekenden of hoopten, als bewijs van hun deskundigheid en belangrijkheid.

~~~

De afgevaardigde officieren van politie, vier in aantal, allen keurig in uniform en behept met de juiste mentaliteit, werden ontvangen door Goebbels, Teller en Cyriel Verschaeve, die evenwel een passieve rol was toebedeeld en enkel in het gesprek werd betrokken als tolk. Teller droeg voor de gelegenheid een baseballpet en verspreid in de grote woonkamer lagen Amerikaanse kranten en tijdschriften, met 'Time' prominent. De plichtplegingen waren vlug afgehandeld en Goebbels creëerde onmiddellijk een ontspannen sfeer.

'Willen de heren iets drinken?'

Hij stak een fles whisky en een fles jenever omhoog.

'Ik weet wel,' zei hij lachend, 'dat het scenario in films vereist dat u nu zegt dat u niet drinkt tijdens de diensturen, maar wij weten wel beter.'

De politiemensen kozen eendrachtig voor whisky.

Verschaeve werd naar de keuken gezonden om ijs.

'Vragen staat vrij,' zei Goebbels nadat ze hadden getoost.

'We moeten een onderzoek voeren naar acties van terroristen,' zei de langste van de twee politiemensen, die dus ook morele superioriteit uitstraalde.

Goebbels lachte.

'Zien wij eruit als Ravachol?'

De agenten keken elkaar verbaasd aan.

'Wie?'

'Ravachol.'

'Nooit van gehoord,' bekende de kleinste. 'Maar we noteren de naam. Met ch?'

'Heeft ook geen belang,' zei Goebbels minzaam. 'Ravachol was in de jaren na 1890 een van de meest ophefmakende anarchisten, een volgeling van Kropotkin. Hij heeft een hele reeks aanslagen gepleegd in Frankrijk en eindigde, zoals het hoort, op de guillotine. Die Ravachol zag er altijd uit als en keurige heer.'

'Terreur is een realiteit,' zei de lange agent ernstig. 'Het verschijnsel dateert natuurlijk van lang geleden, maar het werd in onze maatschappij bijzonder pijnlijk en duidelijk na de aanval op de Twin Towers. Wij mogen het niet verwaarlozen, en we moeten er rekening mee houden dat de terroristen van vandaag over heel wat verfijndere technieken beschikken dan de mensen die vroeger aanslagen pleegden op koningen en presidenten in naam van de rechtvaardigheid en...'

'En gelijk hebt u. Maar wat is de aanleiding van uw bezoek?'

'Er vinden de jongste tijd in deze stad vreemde gebeurtenissen plaats.'

'Dat is ons niet ontgaan.'

'Vandaar. We kwamen toevallig in het bezit van enkele papieren met nota's van een zekere Walvisch, een man die...'

'Walvisch!' riep Goebbels uit en veinsde meesterlijk verbazing. 'Walvisch is de man die ons hier begeleidt en dat overigens voortreffelijk doet.'

'Uit zijn nota's bleek dat hij, als we ze tenminste juist interpreteren, want het gaat dus maar over enkele tekstfragmenten, dat hij sinds een tijdje twijfelde aan...'

Goebbels barstte in lachen uit, en zijn kompanen vielen hem even later bij, wat de sfeer merkelijk ontspande.

'Het bewijst,' zei Goebbels op vertrouwelijke toon, 'dat wij voortreffelijke acteurs zijn. De opnames zijn al enige tijd bezig, maar niet in dit land. En zonder dat wij erbij betrokken zijn. De scènes waarin wij een rol spelen, talrijke en cruciale scènes overigens, die zullen wel grotendeels in dit land, ja, zelfs in deze stad gebeuren, maar er werd absoluut geen publiciteit rond gemaakt. Integendeel zelfs, om redenen die u aan regisseur en producent zou moeten vragen wou men dat er niets uitlekt. Wij moesten ons echter wel met de stad, de omgeving, de sfeer en mentaliteit vertrouwd maken om ons professioneel op onze rol te kunnen voorbereiden. Vandaar onze aanwezigheid hier.'

'En ik zal blij zijn dat er eindelijk een einde aan komt,' vulde Teller aan.

'De film waarover het gaat,' zei Goebbels, 'is een coproductie van verschillende landen. De tweede wereldoorlog is nog lang niet gedaan, dat is het uitgangspunt. Na de overgave van Duitsland werd en wordt hij verder gevoerd, maar op een totaal andere wijze, allicht minder spectaculair, maar nog grondiger ingrijpend in het politieke gebeuren, wereldwijd. Het is geen echte documentaire, maar evenmin een echte speelfilm. Geen fictie, bedoel ik.'

'Mogen we het scenario inkijken?

'Ik heb geen bezwaar,' zei Goebbels, 'maar ik vrees dat ik het u niet kan of mag overhandigen zonder de toelating van de producenten of de regisseur. Zoals ik al zei: discretie is bij de realisatie van dit project van het allergrootste belang. Zal ik nog even bijschenken?'

'Hoe is uw naam?'

'Goebbels,' zei Goebbels en nipte voorzichtig aan zijn borrel.

'Uw echte naam, bedoel ik.'

'Hugo Camps,' verzon Goebbels ogenblikkelijk.'

De andere agent schraapte zijn keel.

'Goed. Ik zou graag een volledige lijst willen van uw collega's die hier in het pand gehuisvest zijn.'

'Dat is geen probleem. Wanneer wilt u die lijst?'

'Zo vlug mogelijk. Vandaag nog, dat moet kunnen.'

'Morgen. Morgen in elk geval,' zei Goebbels vriendelijk. 'Straks moeten we diverse scènetjes nog eens doornemen, want er werden op het laatste ogenblik nog wijzigingen aangebracht. Zoals gebruikelijk, helaas. Morgen wordt er gedraaid. Proefopnames. Iedereen staat dus onder spanning.'

'Dat begrijpen we.'

'Hoogspanning.'

'We zouden,' zei de jongste agent voorzichtig, 'het ook appreciëren als we bij die opname aanwezig konden zijn.'

'Geen probleem, veronderstel ik. Ik maak uw vraag over aan de regisseur.'

'Daar zorg ik wel voor,' vulde Teller aan.

'Wensen de heren nog meer te vernemen?'

'Bah, het was gewoon routine, die dingen moeten nu eenmaal gebeuren.'

'Elk beroep heeft zijn eigenaardigheden en zijn vreemde kantjes.'
Goebbels stak zijn hand uit en men nam afscheid.

∿

Alhoewel hij het bericht constant verwachtte, verraste het hem toch.
Kort en abrupt werd Walvisch telefonisch gemeld dat het gezelschap
de volgende dag zou vertrekken. Hij kreeg dan nog tijd tot het einde
van de maand om alle lopende zaken af te wikkelen en het huis opnieuw in de originele staat te brengen. Het gezelschap had hem eveneens, als blijk van waardering, een 'gouden handdruk' geschonken
van 2000 €.

Er heerste vervolgens een chaotische drukte in het huis.

'Waarheen gaan jullie?'

'Dat blijft een geheim,' zei een eerder terneergeslagen Calley. De
volgende nacht zou Marilyn normaal bij hem hebben doorgebracht.

'Wanneer is de film klaar?'

'Ook dat is een geheim, voorlopig toch.'

Maar hij voegde er cryptisch aan toe: 'Misschien morgen al.'

'U moet begrijpen dat te veel pottenkijkers ongewenst zijn,' zei
Verschaeve zalvend. 'Er staat te veel op het spel. Wij zijn bezig met
een van de grootste operaties uit de geschiedenis.'

Hij haalde diep adem: 'Uit de geschiedenis van de film, bedoel ik
uiteraard. Maar evenzeer blijft het een avontuur, een groot avontuur,
durf ik zeggen.'

'Een avontuur?'

'En daar houd ik van,' zei Verschaeve. 'Een leven dat alles veil
heeft voor de verwezenlijking van het ideaal is een avontuurlijk leven.'

'Jij lag al jaren in je graf toen je een avontuur beleefde,' kon Walvisch niet nalaten te zeggen.

Verschaeve glimlachte minzaam.

'U bedoelt de man van wie ik het leven zal vertolken? Onderschat
hem niet.'

Goebbels riep iedereen bij zich op zijn kamer voor een laatste vergadering, zonder Walvisch en zonder Marilyn.

〜〜〜

Goebbels deed de deur op slot. Er werd, zeer uitzonderlijk, enkel koffie en thee gedronken.

'Heren,' zei hij, 'dit is geen afscheid. Het is wel een einde en dus een nieuw begin. Een nieuw begin voor de wereld, en het hervatten van ons vorig leven voor ons. We nemen afscheid voor de eeuwigheid.'

'Gelukkig duurt die eeuwigheid in onze perceptie geen eeuwigheid,' dacht Heydrich.

'Tenzij er nog een opdracht komt,' zei Harris.

'Maak je geen illusies, ik meen te weten dat dergelijke opdrachten altijd uniek zijn. We hebben onze tijd, onze energie en onze talenten nuttig gebruikt, durf ik te zeggen.'

Hij pauzeerde even, de stilte was instemmend.

'Voor het sluitstuk van onze operatie zullen we ons dus persoonlijk moeten inzetten. Iedereen kent zijn opdracht en heeft zich behoorlijk kunnen voorbereiden. Haig ontwikkelde het algemene plan, dat tactisch volmaakt onderbouwd is. Harris zorgde voor de technische ontwikkeling van de talrijke springladingen. Heydrich en luitenant Calley zullen iedereen die op het laatst nog tracht onze plannen te verijdelen liquideren, ze weten welke posities ze moeten innemen, ze weten waar de noodzakelijke wapens en andere hulpmiddelen verborgen zijn. Teller verzorgt het slot, het grandioze boeket, zoals reeds gezegd. Zijn er nog vragen?'

'En ik?' vroeg Verschaeve.

'U hebt voor vlotte contacten gezorgd, u was een bron van informatie, van onschatbare waarde dus, en daar zijn wij u uiteraard dankbaar voor.'

'U hebt uw hemel verdiend,' grapte Heydrich.

'Toch nog een vraag,' zei William Calley. 'Stel dat ik tijdens mijn opdracht word neergeschoten. Hoe moet het dan verder?'

'Dat gebeurt niet,' zei Goebbels. 'Vergeet niet dat wij, en ook jij dus, tot de eeuwigheid behoren. En in Amerika blijf je echt onbeschadigd.'

∿

'Allround' had Walvisch de opdracht gegeven onmiddellijk met de opruiming te beginnen. Het gezelschap had erop aangedrongen dat alle sporen van hun verblijf grondig zouden worden gewist. Ze zouden van hun persoonlijke bezittingen, die overigens miniem waren, niets achterlaten, hem werd opgedragen alles wat toch nog zou resten te vernielen.

Hij betreurde dat, en vroeg Goebbels of hij misschien toch geen keuze uit hun respectabele boekenbezit mocht bewaren. Goebbels had geen bezwaar.

Tussen die boeken bevonden zich:

'Hitler, a biography' van Yan Kershaw

'Dagboeken 1939-1945' van Joseph Goebbels

'Heydrich, das Gesicht des Bösen' van Mario R. Dederichs

'In Europa' van Geert Mak (met enkele zwaar onderstreepte passages)

'Harem zonder zonde' van Lily d'Orgas, (Bouquet-reeks)

'Verzamelde werken' (delen 3 en 4) van Cyriel Verschaeve

'Divina Commedia' van Dante

'Marilyn' van Norman Mailer

'The First World War' van Hew Strachan

'Age of extremes. The short twentieth century 1914-1991' van Eric Hobsbawm

'The Great War Generals on the Western Front' van Robin Neillands

Een ingenaaide jaargang van 'Mad' (1957)

'War Crimes in Vietnam' van Bertrand Russell

Heydrich lag op bed toen Marilyn in de kamer verscheen.

'Tijd voor het afscheid,' zei ze. 'Het is toevallig jouw beurt en Goebbels hield eraan dat de orde tot op het laatst wordt gerespecteerd, al had hij duidelijk zelf ook wel zin.'

'Helaas,' zei hij, en hij kwam rechtop, samen met zijn penis.

'Ik zie dat je er klaar voor bent,' lachte ze en knoopte haar blouse los.

'Jij moet mij uitkleden,' zei hij.

'Ik doe het zoals ik wil.'

'Het is de laatste keer. Altijd heb ik gedaan wat jij wou. Stuur me de eeuwigheid in met een goede herinnering aan jou.'

Ze lachte terwijl ze bevallig uit haar rok stapte. Hij merkte dat ze haar schaamhaar had geschoren. Met trillende hand wees hij naar haar venusheuvel.

'Waarom deed je dat?'

'Het is mode.'

'Je weet dat ik van een wilde bos schaamhaar houd.'

'Ik had er zin in.'

'Je bent een hoer.'

'Het maakt niet uit. Ik ben in de eerste plaats een wereldberoemde actrice.'

'Ik begrijp niet hoe je in de hemel kwam.'

'Ik kom niet uit de hemel. Nog niet. Ik zat in het vagevuur. Maar dankzij jullie mag ik weldra naar de hemel.'

'Ook dat begrijp ik niet. Wie zelfmoord pleegde, gaat linea recta naar de hel, dat is bekend. Met uitzondering natuurlijk van Goebbels, maar dat is een ander verhaal. Zo welbespraakt ben jij niet.'

Ze keek hem heel ernstig aan.

'Ik heb geen zelfmoord gepleegd,' zei ze.

'Ik heb over je gelezen en horen praten. Iedereen weet…'

'Dan vergist men zich. Arthur was een schat.'

Ze stond naakt voor hem en in de grote, schuin opgehangen spiegel boven de schouw, kon hij ook haar achterwerk in volle sierlijkheid bewonderen.

'Kleed me uit,' zei hij, en door de opwinding klonk het bars. 'En daarna wil ik dat je me pijpt, en mijn billen streelt, en alles met me doet wat ik heel mijn leven wou dat met me werd gedaan maar wat ik nooit heb durven eisen, niettegenstaande mijn reputatie. Ik wil dat je met je kont voluit op mijn gezicht gaat zitten, tot ik haast stik, en...'

'Ik denk er niet aan,' zei ze lief. 'Ik wil dat je me staande pakt.'

Hij knoopte de gulp van zijn broek open en zijn penis sprong eruit. Als een duivel uit een doosje, dacht hij triest.

'Pijp me,' zei hij.

'Nee.'

Haar kont in de spiegel fascineerde hem.

Elk woord wond hem meer op.

'Doe het,' beval hij.

'Nee,' zei ze, maakte haar vingers nat en wreef ermee over haar kut. Elke beweging die ze maakte, was gracieus en geil tegelijk en even vreesde hij dat hij gewoon in het ijle zou spuiten, maar dat gebeurde toch niet. Hij sloot de ogen.

'Het is een bevel,' zei hij.

Hij hoorde haar onderdrukt lachen. Ze lacht me uit, dacht hij, ze spot met me omdat ik eindelijk de man ben geworden die ik altijd wou zijn.

'Ik hou van je,' zei hij moeizaam.

Geen reactie.

'Soms,' zei hij, 'haat ik de mensen van wie ik hou nog meer dan de mensen die ik gewoon haat.'

'Dat is jouw probleem.'

Ze bleef zichzelf strelen, en hij kon zien dat ze langzaam klaarkwam, zeer langzaam, en dat hij er niets mee te maken had.

En ze zei het ook.

'Ik kom,' zei ze, heel zacht.

In een mum van tijd speelde hij zijn kleren uit en liet zich achterover op het bed vallen.

'Kom,' zei hij.

'Al staande,' antwoordde ze.

En toen draaide ze zich om en wiegde haar kontje over en weer. 'En langs achter,' zei ze. 'Daar houd je toch van? En dat is de enige plaats die je waard bent. Anal or nothing.'

Heydrich werd gewaar dat zijn penis slap werd, kreunde gedempt en veerde dan op. Met een vlugge en routineuze beweging trok hij de riem uit zijn broek. Marilyn begreep onmiddellijk wat hij van plan was en deed enkele stappen achteruit.

'Blijf van me af,' zei ze. Haar stem klonk verstikt.

'Zoals ik het wil,' zei hij. 'En eerst ga je me pijpen.'

Ze verraste hem, hij was er niet op voorzien dat ze in één sprong bij de deur zou zijn en de kamer uitrende. Maar hij aarzelde geen ogenblik en ging haar achterna. Op de trap naar het gelijkvloers, net toen hij haar bijna te pakken had, struikelde hij over Scharminkel, die, opgeschrikt door de herrie, de trap oprende. Hij struikelde, gleed van een trede en moest zich vastklampen aan de stijlen van de leuning. Daarvan maakte ze gebruik om, in paniek, naar de voordeur te rennen. Ze rukte die open.

'Nee!' brulde hij.

Ze had even geaarzeld, maar zijn kreet joeg haar de straat op, en buiten zichzelf van woede ging hij haar achterna.

Net op dit ogenblik reed een politiecombi de straat in. Behalve vier agenten zaten er vier leden in van de groep die onder leiding stond van Dirk. Marilyn stormde op de combi af, recht in de armen van de vier agenten. Heydrich kwam vlak achter haar tot staan en leek zich ineens van de situatie bewust te worden. Dirk en zijn kompanen stortten zich op hem en hij was weerloos.

Wie durft nog te beweren dat het toeval niet bestaat!

Op het politiecommissariaat gaf men ze beiden een deken om zich een beetje behoorlijk te bedekken. Marilyn kreeg in de refter hete koffie aangeboden, haast gelijktijdig door drie agenten, Heydrich werd in een cel opgesloten.

Een gewapende en versterkte patrouille begaf zich naar het adres dat ze opgaf, controleerde er alle aanwezigen en merkte dat niet een van hen over geldige papieren beschikte.

Onder luid en woedend protest van Goebbels werden ze meegenomen. Een eerste ondervraging leverde niets op. Het officiële proces-verbaal meldde dat de arrestanten wartaal raaskalden, onder invloed leken van een of andere drug.

Tijdens de daaropvolgende nacht verdwenen ze allemaal, inclusief Marilyn, uit de zwaar bewaakte cellen van de stedelijke gevangenis, op nooit opgehelderde wijze. Hun ontsnapping werd het grootste raadsel in de geschiedenis van het Belgische gevangeniswezen. Meer zelfs: in de Belgische geschiedenis.

Tijdens de opruimingswerken in het huis aan de Charlottalei ontdekte Walvisch aan welke rampen men was ontsnapt. Hij vernietigde alle papieren, vooral om zichzelf niet te compromitteren. De escapade van Marilyn en Heydrich had, ook dankzij het optreden van Scharminkel, de uitvoering van het plan op het laatste ogenblik verhinderd.

'Seks kan de wereld redden,' schreef Walvisch in zijn dagboek. En dat was meteen de laatste zin die hij erin noteerde.